rororo

My dear Sylvia,

much fun by reading
this little lovestory
on a northsea island!
Second part will follow
in next package!

Love from yours

Jani

rororo

An der Nordsee und auf den Inseln kennt Sandra Lüpkes sich gut aus: Die Autorin ist auf Juist aufgewachsen und war später viele Jahre selbst Gastgeberin für Nordseeurlauber. Heute lebt und arbeitet Sandra Lüpkes in Münster. Im Rowohlt Taschenbuch Verlag sind bislang acht Kriminalromane erschienen, außerdem «Die Inselvogtin», «Inselweihnachten» und zuletzt «Nordseesommer», die ebenfalls an der Nordseeküste spielen.

Mehr zur Autorin und zu ihrer Arbeit unter: www.sandraluepkes.de

Sandra Lüpkes

Das kleine
Inselhotel

Roman

Rowohlt Taschenbuch Verlag

5. Auflage August 2014

Originalausgabe
Veröffentlicht im Rowohlt Taschenbuch Verlag,
Reinbek bei Hamburg, Mai 2014

Umschlaggestaltung any.way, Cathrin Günther / Barbara Hanke
(Umschlagabbildungen: Axel Schmies / Novarc / Corbis; Martin
Kirchner / laif; ullstein bild – Kuttig; Premium / AGE / Hoffmann
Photography; thinkstockphotos.de)
Satz und Layout Das Herstellungsbüro, Hamburg
Druck und Bindung CPI books GmbH, Leck
Printed in Germany
ISBN 978 3 499 26648 5

Liebster Danni!

Bin schon früh auf der Insel angekommen, hab mir einen Drahtesel ausgeliehen und mach mich gleich auf den Weg gen Westen. Diese Karte musste ich dir einfach schicken. Darf ich vorstellen: Meine Lieblingsinsel!

Vielleicht auch mein neues Zuhause, wer weiß?

Ich wünschte, du könntest bei mir sein und mir bei der Entscheidung helfen!

Schmatzer, Jannike

Dankmar Verholz

Was hatte das Kaninchen zu bedeuten?

Eine schwarze Katze, die den Weg von links nach rechts kreuzt, verheißt nichts Gutes, das weiß jeder. Oder von rechts nach links? Egal, dachte Jannike, darauf kam es wirklich nicht an, sie hatte es ja schließlich nicht mit einer schwarzen Katze zu tun, sondern mit einem ziemlich fetten, graubraunen Kaninchen, das auch weder von links nach rechts oder umgekehrt huschte, dafür aber geradewegs auf sie zugeschossen kam und sich ohne Umschweife in den Stoff ihrer Jeans verbiss.

«Hau ab!», versuchte Jannike es erst mal im Guten. Doch das Monster zeigte sich unbeeindruckt, die Nagezähne gaben keinen Millimeter nach. Zudem begann es, mit seinen Pfoten auf den sandigen Boden zu trommeln, was tatsächlich bedrohlich wirkte. «Lass meine Hose los!» Keine Reaktion. Obwohl Jannike laut geworden war und den freien Fuß dazu nutzte, den pelzigen Angreifer vorsichtig abzuwehren.

Das glaubt mir kein Mensch, dachte Jannike. Ich komme auf eine kleine Nordseeinsel, die mir vom Immobilienmakler meines Vertrauens als «Oase der Ruhe und des Friedens» angepriesen wurde, und werde als Erstes in den Dünen von einem Wesen angefallen, das normalerweise wegen seiner Niedlichkeit als Schnuffeltier oder Schokoladenspezialität herhalten muss.

Jetzt mal konkret: Was hat es zu bedeuten, wenn man vor den Scherben eines vormals tollen Lebens steht, sich etwas Entspannung wünscht und dann von einem hässlichen Langohr angefallen wird, als gäbe es kein Morgen?

«Frau Loog, da sind Sie ja schon», hörte Jannike die Stimme des Maklers, die sie bislang nur vom Telefon kannte. Und als habe diese eine magische Wirkung, ließ Hasibal Lecter das Hosenbein los, schnüffelte kurz mit seinem Schnäuzchen und hoppelte dann schwerfällig hinter die knorrige Kastanie, die rechts vor dem Eingang wuchs.

«Mistvieh!», murmelte Jannike.

«Was haben Sie gesagt?» Inzwischen stand Joachim Hagelitz neben ihr. Ein stattlicher Mann mit Wetterjacke über dem obligatorischen Immobilienmakler-Outfit.

«Hallo Herr Hagelitz!» Jannike reichte ihm die Hand. «Ich habe mich spontan entschieden, die frühe Fähre zu nehmen. Ich wollte mich vor unserem Termin schon mal etwas umschauen.»

«Sehr löblich», sagte Hagelitz. «Die Umgebungssituation ist bei dieser Immobilie natürlich auch etwas ganz Besonderes. Dafür sollte man sich unbedingt Zeit nehmen!» Er machte eine große Geste, die an den Moses in einer Hollywoodverfilmung erinnerte, wenn er seinem Volk das Gelobte Land präsentierte. «Fast ein Hektar unberührte Natur, zur Nordseite direkt an den Strand grenzend, nach Süden hin als uriger Inselgarten bewachsen.»

«Wilde Tiere inklusive», warf Jannike ein.

Hagelitz zog eine Augenbraue hoch.

«Eben bin ich von einem Kaninchen gebissen worden!»

Die zweite Augenbraue folgte. Doch er sagte nichts.

Damit hatte Jannike gerechnet. Die Geschichte klang ja auch dermaßen bescheuert, dass sie sich inzwischen selbst nicht mehr ganz sicher war, ob sie sich wirklich so abgespielt hatte. Von nun an würde sie die Sache mit dem Nagetier mit keiner Silbe mehr erwähnen, schwor sich Jannike im Stillen.

Der Makler betrachtete sie noch immer skeptisch. «Wo sind Ihre blonden Locken hin?»

Die Leier wieder. Jannike konnte es nicht mehr hören. «Die waren nicht echt.»

«Wirklich nicht? Hat man nicht gemerkt.»

«Kameras sind da gnädig.»

Jetzt erinnerte Hagelitz sich anscheinend daran, dass er hier war, um das Vertrauen einer potenziellen Käuferin zu wecken. Eine Diskussion über fehlende Haarpracht war da ein denkbar schlechter Eisbrecher. Etwas hilflos startete er eine Rettungsaktion mit dem Satz: «Dunkelblond und kurz steht Ihnen aber auch, das ist so schön natürlich!»

Jannike nickte. *Natürlich* – auch das hatte man ihr in den letzten Tagen mehrfach gesagt. Ein anderes Wort für unscheinbar.

«Wollen wir?» Hagelitz klimperte mit einem Schlüsselbund. «Das Haus des Leuchtturmwärters, eine Oase der Ruhe und des Friedens!» Hagelitz schien jetzt sicherheitshalber auf bewährte Floskeln zu setzen.

Und tatsächlich wirkte dieses Fleckchen Erde, als könnte einem hier nichts Schlimmeres passieren als ein Regenschauer oder vielleicht verstärkter Pollenflug im Frühling. Die dicken

Äste der Kartoffelrose hatten den kleinen Steinweg, der zum Haus führte, fast zuwachsen lassen. Der Duft ihrer Blüten mischte sich mit den salzigen Aerosolen, die das nahe Meer an die Luft verschenkte. Im Hochsommer würden die Büsche dicke, rote Hagebutten tragen. Jannike erinnerte sich noch gut: Als Kind hatte sie die Sommerferien hier auf der Insel verbracht, und ihre Brüder hatten die prallen Früchte mit dem Taschenmesser aufgeschlitzt und die Samen herausgepult. Eins-a-Juckpulver für den Ausschnitt der Schwester! Jannike musste lachen, wenn sie daran dachte, wie sie sich damals hysterisch das T-Shirt über den Kopf gezogen hatte, mitten im Kurpark. Vor ewigen Zeiten, um genau zu sein, vor mindestens dreißig Jahren!

«Schauen Sie hier, die großzügige Südterrasse.» Hagelitz zeigte auf das von einem rustikalen Lattenzaun eingefasste, rot gepflasterte Plateau vor bodentiefen Fenstern. Bis man hier gemütlich sitzen konnte, müsste eine Menge Sand aus den Mauerecken geschaufelt werden. Aus den Fugen der Steine wuchs bereits der Strandhafer. Wären sie nur wenige Wochen später gekommen, wäre dieser Platz womöglich von der angrenzenden Düne verschluckt gewesen. «Als mich Ihre Immobilienanfrage erreichte, hab ich mir gleich gedacht, dass dieses Haus etwas für Sie sein könnte», sagte er so begeistert, als sähe er sich hier schon bei Kaffee und Kuchen sitzen.

Nun, da war Jannike sich nicht so sicher. Zwar war das Gebäude wirklich hübsch: Backsteinromantik mit einem weiß getünchten Vorbau, dunkelgrüne Fensterläden, alte, geschwungene Ziegel auf dem Dach. Und als Krönung erhob sich hinter dem Haus der imposante Leuchtturm in den Himmel, der dem Immobilienmakler den Gefallen tat, ausgerechnet heute mal hochglanzprospektblau und fast wolkenlos zu sein. Wirklich schön! Und weitab vom Schuss. Nicht nur das Haus, von dem aus man mit dem Fahrrad zehn Minuten bis zum Dorf radeln musste. Sondern auch die Insel an sich, die nur bei Hochwasser mit der Fähre zu erreichen war und am nordwestlichsten Ende der Republik lag, die nächste Autobahn war fast fünfzig Kilometer entfernt. Ja, Hagelitz hatte recht, dieses Haus war etwas für sie.

Wenn da nur nicht dieses eine Manko wäre. «Und man muss die Zimmer wirklich ganzjährig vermieten?»

Hagelitz seufzte. «Ja, eine unabänderliche Vorgabe des Gemeinderates. Damit wollen die Insulaner verhindern, dass die schönsten Gebäude von reichen Festländern gekauft und dann nur in den Sommermonaten bewohnt werden.»

«Wie viele Betten sind es?»

«Acht Doppelzimmer, alle mit eigenem Duschbad.» Er öffnete seine Ledertasche und holte das Exposé heraus. Der Grundriss war unhandlich, er musste die Seite aufklappen und legte die Pläne auf einem verwitterten Mauervorsprung ab. «Bis auf zwei kleinere Räume im Erdgeschoss befinden sich alle Gästezimmer in der ersten Etage. Im zweiten Obergeschoss haben wir dann die Wohnung, die Sie für sich privat nutzen können. Groß genug für Sie und Ihren Verlobten.»

Jannike schwieg dazu. Es ging Hagelitz nichts an, dass für Danni eigentlich kein einziger Quadratmeter vorgesehen war. «Das ist bestimmt eine Menge Arbeit», lenkte sie ab.

«Sie können sich doch einen oder zwei Angestellte nehmen, unter dem Dach sind zu diesem Zweck entsprechende Zimmerchen ausgebaut worden. Kein Luxus, aber ...»

Angestellte? Auf diesen Gedanken war Jannike noch gar nicht gekommen. Die Vorstellung, am Morgen zwei verschüchterte Zimmermädchen anzuweisen, wie sie tagsüber die Betten, das Frühstück und die Wäsche zu machen hatten, war ihr komplett fremd.

«... mit ein bisschen organisatorischem Geschick und der einen oder anderen Modernisierung lässt sich aus diesem kleinen Hotel eine wahre Goldgrube machen.» Er zwinkerte ihr zu. «Vor allem mit Ihrem Namen! Die Leute werden Ihnen die Bude einrennen!»

Jannikes Knie wurden weich, sie musste sich auf das kleine Mäuerchen setzen, direkt neben den Grundriss. «Herr Hagelitz, Sie sind doch ein Profi, nicht wahr?»

Ein bisschen nervös schien ihn der scharfe Ton schon mal zu machen. Er spielte mit dem Bändchen seines Anoraks. «Selbstverständlich. Warum fragen Sie?»

«Wenn ich Ihnen sage, ich suche ein Haus, in dem ich nach dem ganzen Theater – ich vermute, Sie haben davon gehört – zur Ruhe kommen kann, dann liegt es doch auf der Hand, dass mein Name nicht bekannt werden soll, oder?» Sie schaffte ein Lächeln. Aber keines, das beruhigend wirken sollte. Hagelitz musste hier und jetzt klargemacht werden, worum es ging.

«Ähm ...» Er geriet leicht ins Stottern. «Natürlich sind wir diskret, Frau Loog!»

«Wie Sie sich vorstellen können, ist es für mich und meinen Verlobten sehr anstrengend, dauernd im Licht der Öffentlichkeit zu stehen. Insbesondere nach den Vorwürfen, die man mir macht.»

Er nickte betroffen.

«Und die übrigens völlig aus der Luft gegriffen sind», stellte Jannike noch klar und ärgerte sich im selben Moment, weil das schon wieder nach Rechtfertigung klang. Wahrscheinlich war es sowieso egal, was sie ihm erzählte, Hagelitz hatte sich seine Meinung doch längst gebildet. Bestimmt dachte er, der Hauskauf würde mit ebendiesen Geldern getätigt werden, um die es bei der ganzen unschönen Geschichte ging. Der hatte sich doch nicht zufällig heute diese Wetterjacke angezogen, ausgerechnet von *Springtide*. Hagelitz fummelte an dem Kapuzenbändchen herum, so als wolle er sagen: Ist mir doch egal, woher meine Kunden ihr Geld haben, Hauptsache, sie kaufen mir diese Oase der Ruhe und des Friedens ab, am liebsten heute noch.

«Mein Name ist Jannike Loog, und ich bin eine Geschäftsfrau aus Köln. Das können Sie jedem, der es wissen oder nicht wissen will, erzählen. Aber mehr bitte nicht!»

«Selbstverständlich», murmelte er. Dann packte er die Papiere zusammen, holte tief Luft und verwandelte sich im Handumdrehen wieder in einen Makler, der den Ruf zu verlieren hatte, den Reichen und Schönen dieses Landes zu passendem Wohnambiente zu verhelfen. «Wenn Sie so weit wären, Frau Loog, dann schauen wir uns das Schätzchen doch mal von innen an!»

Das Erste, was ihnen aus dem Haus entgegenwehte, war der Muff einer Sommersaison, die schon Jahre zurückliegen mochte. Das klassische Frühstück mit Ei, Weißbrot und Filterkaffee ließ sich noch flüchtig erahnen, ebenso die ungelüfteten Federbetten, die Kernseife im Putzraum und das Terpentin gegen Teerflecke. Kaum war Jannike in den Flur getreten, hatte sie augenblicklich ein Bild vor Augen: Kinder in Kniebundhosen, die schon die Plastikeimer in den Händen hielten und endlich zum Strand aufbrechen wollten. Natürlich war in Wirklichkeit alles menschenleer, der rot geflieste Fußboden von dünnem, fast makellosem Staub bedeckt, die weißen Steinwände ohne Bilder, die Glühbirne, die von der hohen Decke baumelte, nackt. Doch es bereitete keine Mühe, sich vorzustellen, wie das Haus aussah, klang und roch, sobald es von Leben erfüllt war.

Diese Vision überraschte Jannike. Überrumpelte sie fast. Was war denn hier los?

Natürlich blieb eine solche Reaktion einem Vollblutmakler wie Hagelitz nicht verborgen. «Ist es nicht schön?», fragte er überflüssigerweise.

«Da muss aber noch viel reingesteckt werden», sagte Jannike.

«So können Sie Ihr kleines Inselhotel ganz nach Ihren Vorstellungen einrichten.»

Zugegeben, das war ihr weitaus lieber, als wenn sich hier irgendwelche Furniermöbel breitgemacht hätten. Da am Treppenaufgang würde sich eine Kommode gut machen, schlichtes Holz, darauf vielleicht ein paar Blumen und ein Spiegel oder so. Jannike war zwar keine Abonnentin von *Schöner Wohnen*, in Köln hatte Danni die Inneneinrichtung übernommen, aber dass man hieraus etwas machen könnte, war nicht zu übersehen.

Hagelitz wollte sich ein Grinsen nicht verkneifen. «Kommen Sie mit, ich zeige Ihnen den Frühstücksraum!» Er öffnete die linke Glastür und lief leichtfüßig voraus. Konnte es sein, dass er sich bereits sicher war, heute ein gutes Geschäft abzuschließen? Wie das denn, wo Jannike doch selbst überhaupt nicht wusste, was sie hier gerade machte.

Wenn ihr jemand vor zwei Monaten prophezeit hätte, dass sie jemals ernsthaft in Erwägung ziehen würde, ein Hotel auf der Insel ihrer Sommerferienerinnerungen zu eröffnen, sie hätte einen Lachanfall bekommen. Vor acht Wochen war sie noch sicher gewesen, für den Rest ihres Lebens in Köln zu wohnen und wochentags zwischen ihrem Altbaupenthouse in Rodenkirchen und den Studios in Bocklemünd zu pendeln. Sie hätte nichts dagegen gehabt, wenn es so geblieben wäre. Doch nach dem *Springtide*-Skandal war das undenkbar geworden. In den letzten Wochen hatte so ziemlich jeder, mit dem sie gut, mäßig oder auch nur flüchtig bekannt war, sie darauf angesprochen. «Mein Gott, was ist dran an den Gerüchten?» – «Wir glauben ja nicht eine Sekunde, dass du dir da was zuschulden hast kommen lassen, aber ...» – «Und was hast du jetzt vor?» Immer klang die stille Frage im Hintergrund mit: «Was will man denn mit so viel Geld ...?»

«Frau Loog? Haben Sie das phantastische Parkett gesehen?», rief Hagelitz. «Fischgrät, Eiche, müsste man mal abschleifen und neu versiegeln, aber dann ...»

Sie trat in den Frühstücksraum, Tische und Stühle waren vorhanden, nicht schön, aber stabil, in neutralem Beige lackiert. Wenn ihr Orientierungssinn sie nicht täuschte, war der Raum geradezu perfekt gen Süden ausgerichtet, sodass hier drin immer die Sonne scheinen würde, vielleicht sogar bei Sturm und Regen. Zudem gelangte man direkt auf die versandete Terrasse, wodurch Hagelitz sich zu weiteren begeisterten Gestaltungsvorschlägen hinreißen ließ. Inzwischen hatte Jannike ihre Ohren auf Durchzug gestellt. Was sie sah, reichte ihr: Der Frühstücksraum war schön, die Küche daneben nicht gerade neu und praktisch, wohl aber mit dem Nötigsten ausgestattet. Sie brauchte keine Aufklärung über die «Bewirtungssituation», und dass es hier himmlisch ruhig war, wusste sie auch ohne seine Ausführungen zur «Geräuschsituation».

Genauso wusste sie aber auch, dass es völliger Quatsch war, ein Hotel zu kaufen. Sie war Sängerin und Moderatorin. Im Gastgewerbe war sie – bis auf die lange zurückliegenden Erfahrungen als Thekenkraft in einer Kellerkneipe während des Studiums – absolute Debütantin. Zudem hatte sie noch nie an einem so winzigen Ort gelebt. Auf dieser Insel gab es kein Fitnessstudio, keine Sushibar, kein Programmkino und keinen

Wochenmarkt mit frischem Gemüse der Saison. Was also hoffte sie hier zu finden?

Ruhe! Ja, das wünschte sie sich mehr als alles andere.

Der Rundgang durch die einzelnen Zimmer der ersten Etage entmutigte Jannike. Hier standen zwar noch eine Menge Möbel, allerdings handelte es sich dabei um dermaßen belangloses Hotelinterieur, dass bei ihr die Lust auf die professionelle Gastfreundschaft nicht so recht aufkommen wollte. In einem Doppelbett mit oberschenkelbreiter Besucherritze würden selbst Flitterwöchner wie Geschwister nebeneinanderliegen, Romantik undenkbar. Die großzügigen Schränke hatten unmoderne Leistenbeschläge, was wohl rustikal wirken sollte, aber eigentlich nur eine weitere Fläche bot, wo der Staub es sich gemütlich machen konnte. Natürlich brauchte ein Hotelzimmer Vorhänge, aber diese hier waren aus fadenscheinigem Baumwollgemisch, bedruckt mit Tulpen, Segelbooten und Grammophonen – wer dachte sich solche Muster aus? Wie sollte man einen entspannten Urlaub verbringen, wenn man vierzehn Tage lang beim Einschlafen und Aufwachen zwanghaft grübeln musste, was diese drei Dinge miteinander zu tun hatten? Keine Frage, das meiste hier müsste man entsorgen. «Gibt es auf der Insel eigentlich eine Sperrmüllabfuhr?», wollte Jannike wissen. Da war Hagelitz jedoch überfragt.

Die Etage darüber versöhnte Jannike wieder: Die Privatwohnung war hell, hatte drei Zimmer mit Dachschrägen, und aus den meisten der Sprossenfenster genoss man einen ziemlich tollen Blick auf Dünen, Leuchtturm und einen Zipfel vom Strand. Es gab sogar eine Ecke, die groß genug wäre, den Steinway-Flügel aufzustellen, sollte er es mit Hilfe eines genialen Tricks die enge Treppe erst einmal hinaufgeschafft haben, was eher unwahrscheinlich war. Besser, sie würde das

Instrument in Köln lassen, Danni brauchte schwarz-weiße Tasten in der Wohnung, schließlich war er Pianist. Sie könnte sich auch ein einfaches Klavier kaufen, das sähe schön aus, dahinten in der Ecke zwischen den beiden kleinen Dachgauben.

Moment, was denke ich da eigentlich?, schreckte Jannike auf. Ich fange ja schon an, die Bude einzurichten. Dabei habe ich noch nicht einmal nach dem genauen Preis gefragt.

«Fünfhunderttausend für alles, so wie Sie es sehen», sagte Hagelitz, als hätte er ihr geradewegs in den Kopf geschaut. Jannike schnappte nach Luft, also versuchte er zu beschönigen: «Für die Insel ist das ein Schnäppchen. Normalerweise liegt der Quadratmeterpreis deutlich höher.»

«Das kann ja sein, aber ich wollte eigentlich gar kein komplettes Hotel kaufen. Eine Wohnung hätte mir auch gereicht!»

«Aber Frau Loog!» Er schüttelte entgeistert den Kopf. «Erstens gehört eine besondere Frau wie Sie in eine besondere Immobilie.» Ein dicker Schleimpunkt für den Makler! «Zweitens zahlt man hier für eine Dreizimmerwohnung ungefähr dasselbe. Drittens habe ich eine solche ohnehin gerade nicht im Angebot, die meisten Objekte dieser Art gehen unter der Hand weg.»

«Und dieses Haus nicht? Ist es ein Ladenhüter?»

«Es hat eine hervorragende Bausubstanz!» Hagelitz war eingeschnappt, das war nicht zu übersehen. Krampfhaft hielt er die Aktentasche unter seinen Arm geklemmt wie ein Mittelstufenschüler, dessen Einladung in die Eisdiele man ausgeschlagen hatte. Da tat er Jannike fast schon ein bisschen leid.

«Mit einer halben Million ist es hier doch noch lange nicht getan», argumentierte sie. «Man muss quasi alles neu einrichten!»

Jetzt kam wieder Bewegung in den Mann. «I wo, das brauchen Sie nicht! Im Sommer ist auf der Insel ohnehin alles ausgebucht, keine Sorge, selbst wenn Sie die Matratzen auf den Fußboden legen und Apfelsinenkisten als Mobiliar benutzen. Da lässt sich ohne großen Aufwand ein bisschen Kapital erwirtschaften, um im Winter die kleinen Schönheitsfehler zu beheben.»

Jannike war kein Ass in Mathematik, aber dass Hagelitz hier eine allzu positive Bilanz aufstellte, war sogar ihr klar. Wahrscheinlich dachte er, dass sie in Geld schwamm und es auf den Euro nicht ankam. Das dachten schließlich alle.

«Außerdem gibt es noch eine zusätzliche Möglichkeit, das Taschengeld ein bisschen aufzubessern …» Er machte ein Gesicht wie ein Zauberer, der gleich ein Kaninchen aus dem Zylinder ziehen würde.

Kaninchen? Wie kam sie ausgerechnet darauf?

«… der Leuchtturm!»

«Wie bitte? Der Leuchtturm ist im Preis inbegriffen?»

Das brachte Hagelitz zum Lachen. «Natürlich nicht! Der wäre unbezahlbar! Aber die Kurverwaltung erstattet Ihnen eine kleine Aufwandsentschädigung, wenn Sie die Verwaltung des Turmes übernehmen.»

«Soll ich das Licht anknipsen?»

Irgendwie hatten sie beide nicht denselben Sinn für Humor, denn Hagelitz schien sich noch immer zu amüsieren, dabei war Jannikes Frage gar nicht als Witz gemeint gewesen. «Aber das geht doch heute automatisch, Frau Loog! Da sitzt keiner mehr oben am Schalter …» Er kicherte sich kurz in Rage und beendete seinen Anfall mit einem verlegenen Räuspern. «Also … was ich sagen wollte: Der Leuchtturm ist dreimal die Woche für Touristen zugänglich, und zwar dienstags, donnerstags und am Sonntag. Und ab und zu wird da oben geheiratet. Da müssten Sie dann jeweils die Tür auf- und abschließen und vor Feierabend kontrollieren, ob noch jemand oben ist.»

«Mehr nicht?»

«Genau. Und wenn Sie clever sind, bieten Sie an diesem Tag noch leckeren Tee und Kuchen auf Ihrer Sonnenterrasse an. Der Turm hat eine Menge Treppenstufen, die meisten Besucher werden sich nach der Besteigung ein paar Kalorien gönnen wollen. Und das landet dann alles schön versilbert in Ihrer Kasse!»

Fast hätte Jannike ihn gefragt, warum er nicht selbst den Laden übernahm, wo er doch so gute Ideen hatte und eigentlich am allerbesten wusste, wie man das Ganze hier in Schwung bringen könnte. Aber sie hatte keine Lust mehr auf Streit. Den hatte sie in den letzten Tagen im Überfluss gehabt. Er war im Grunde doch nur ein Immobilienmakler, der seinen Job anständig machen wollte.

«Kann ich mir den Leuchtturm mal ansehen?»

Damit hatte er wohl nicht gerechnet. «Sie wollen da rauf?»

«Ja, Sie nicht?»

«Ich hab es nicht so mit der Höhe.»

«Nicht so schlimm. Das schaffe ich auch allein!»

Nur zögerlich überließ er ihr einen Schlüssel, der so alt und schwer und langstielig war, wie man sich den Schlüssel für einen Leuchtturm vorstellte. Das Ding löste ein komisches Gefühl in Jannike aus, fast als hätte es auch in ihrem Inneren etwas geöffnet. Eine lange verschlossen gewesene Tür zur Lebensfreude vielleicht, oder die vergessene Pforte zur guten Laune. Mensch, sie hatte die Möglichkeit, Leuchtturmwärterin zu sein! Na ja, zumindest so etwas Ähnliches. Das klang doch wie einer dieser Kindheitsträume, die sich eigentlich nie erfüllten. Zugegeben, als kleines Mädchen hatte Jannike Sängerin oder Schauspielerin werden wollen, Hauptsache große Bühne. Und der Traum hatte sich schließlich erfüllt, war dann aber irgendwie nur halb so toll wie gedacht. Aber Leuchtturmwärterin? Na, das war doch echt was. Allein die Schlüsselgewalt zu einem solch riesigen Gebäude zu haben …

Jannike lief die Treppen hinunter, rannte durch den Flur und zur Haustür hinaus. Die Aussicht auf Aussicht machte sie ungeduldig. Warum auch immer sie es so eilig hatte, diese Wendeltreppe hinaufzusteigen, war ihr schleierhaft, aber es war eine Weile her, dass sie einen solchen Ansporn verspürt hatte.

Der Weg zum Turm verlief rechts am Hotel vorbei und endete an einer kleinen Steintreppe. Wenn man hier stand und nach oben guckte, konnte man die Spitze schon nicht mehr sehen, und die blau-weißen Streifen schienen immer schmaler zu werden, verliefen irgendwo in der Höhe ineinander. Vorhin, als sie mit dem Leihfahrrad hierhergeradelt war, hatte sie nur auf das Haus geachtet, das da im Dünental lag. Wenn sie gewusst hätte, dass der Leuchtturm quasi dazugehörte, wäre ihre Aufmerksamkeit natürlich abgelenkt gewesen. Dann hätte sie nur Augen für dieses schöne, schlanke, große Seezeichen gehabt.

Der Schlüssel fand ohne großes Gefummel seinen Weg und ließ sich auch anstandslos drehen, das Quietschen der Türscharniere hallte im Innern wider, echote an den gerundeten Wänden die Wendeltreppe nach oben. Wahnsinn! Jannike trat ein. Ein Schild am Aufgang verriet, was man vor sich hatte, wenn man unten stand: 172 Stufen bis zur Aussichtsplattform, die in knapp 50 Metern Höhe lag.

Jannike zögerte keinen Moment.

Vielleicht lag es daran, dass in letzter Zeit alles nur bergab gegangen war. Ihre Karriere, ihre Beziehung, vor allem ihr

Selbstwertgefühl. Da verursachte jede einzelne Stufe nach oben so etwas wie ein Triumphgefühl. Warum nicht, dachte Jannike, warum sich nicht wirklich einen Kindheitstraum erfüllen, dessen man sich nie bewusst gewesen ist? Wenn man alles gehabt hat – eine eigene Fernsehsendung, einen tollen Mann, jede Menge Fans – und davon irgendwann nichts mehr übrig war, dann konnte man sich in einem Loch verkriechen oder losrennen und etwas völlig Neues beginnen. Das klang wie der Tipp eines Motivationstrainers in der Apothekenumschau, nur gewannen die Worte hier auf einmal an Substanz.

Sie erreichte das erste Zwischenplateau und konnte durch ein kleines, kreisrundes Fenster nach draußen spähen. Der Blick ging Richtung Dorf, zwischen den Dünen war die Spitze der Inselkirche zu erkennen – sie hatte dieselbe Höhe. Auf, weiter!

Jannike wunderte sich selbst, dass ihr nicht die Puste ausging. Seit man ihr vorgeworfen hatte, in der Sendung ungenehmigte Schleichwerbung für eine Freizeitbekleidungsfirma zu machen, hatte sie sich kaum mehr vor die Tür getraut. Da war das Joggen am Rheinufer ausgefallen, ebenso der regelmäßige Abstecher zu ihrem Personaltrainer. Jannike war lieber im Bett geblieben, hatte alle halbe Stunde im Internet recherchiert, was die Yellow Press über ihre angeblichen Verfehlungen schrieb – und Danni anschließend die Ohren vollgejammert, dass sie nicht nur blass und unglücklich, sondern auch noch pummelig werden würde.

Von wegen! Bislang trabte sie auf den Turm wie eine Zwanzigjährige. Das zweite Plateau, und sie schwitzte noch nicht einmal! Hinter der salzverkrusteten Glasscheibe sah sie die Brandung weit unten am Strand, und eine Möwe schwebte eine Armlänge entfernt an ihr vorbei.

Wenn Clemens mich jetzt sehen könnte, dachte Jannike, der würde seinen Augen nicht trauen: Jannike Loog lässt sich nämlich nicht kleinkriegen. Sobald endlich Ruhe eingekehrt war daheim in Köln, würde Clemens sich auf den Weg zu ihr machen und dann staunend feststellen, dass sie trotz naturblonder Kurzhaarfrisur und fehlendem Fernseh-Make-up eine verdammt tolle Frau war! Jawohl!

Clemens – autsch, der Stachel saß doch tiefer als gedacht. Jannike wurde langsamer. Natürlich wusste sie, dass er nicht anders hatte handeln können, meine Güte, er war der Produzent, da musste er knallhart reagieren und ihr die Sendung entziehen. Wie hätte das sonst ausgesehen? Nein, sie durfte von ihm keine Spezialbehandlung erwarten, offiziell war sie eine Vertragspartnerin wie alle anderen, mehr nicht. Aber es tat weh, verdammt noch mal. Irgendwie hatte sie gehofft, dass er sie beschützen würde vor den falschen Anschuldigungen. Er wusste schließlich am allerbesten, dass an der Sache nichts dran war, Jannike trug diese Jacken eben, weil man sie ihr zur Verfügung gestellt hatte, und nicht, weil sie dadurch ein Nebeneinkommen von der Herstellerfirma einheimste. Was für ein Unsinn! Aber Clemens hatte sich nicht eingemischt, hatte sie weder beschuldigt noch ihre Verteidigung übernommen. Auf gut Deutsch: Er hatte sie alleingelassen! Und das tat weh. Noch immer.

Jetzt war Jannike doch drauf und dran, stehen zu bleiben, auf halber Höhe. Die Enttäuschung machte ihr die Schritte schwer. Sie blickte nach oben: noch drei Windungen mindestens. Wie sollte sie das bloß schaffen?

Nicht nur die Stufen, nein, wie sollte sie es schaffen, einen kompletten Neustart hinzulegen, wo noch so viele Altlasten an ihr hingen? Auch wenn die Katastrophe erst gut fünf Wochen zurücklag und das wahrscheinlich eine lächerlich kurze Zeit war, in der nicht mal der optimistischste aller Menschen darüber hinweggekommen wäre – jetzt gerade glaubte Jannike, dieses miese Gefühl würde sie ewig quälen.

Trotzdem schlich sie weiter, Stufe für Stufe, Plateau für Plateau, bis sie den Wind schon um die Turmspitze pfeifen hörte.

Sie könnte auch umdrehen. Runter ging schneller als rauf, das wusste sie bereits. Also raus aus dem Turm, weg vom Hotel, gleich mit dem Schiff zum Festland, rein ins Auto, rauf auf die Straße … Quatsch, das war wirklich eine hundsmiserable Alternative!

Noch ein Absatz. Zwölf Stufen. Das Leuchtfeuer kam in Sicht. Unter einer gläsernen Haube erkannte Jannike gewundene Drähte, dick wie Paketband, deren Enden verkabelt waren. Fächerartige Lamellen umhüllten die riesige Glühbirne, sortierten bei Nacht das Licht in Bündel, bevor es auf das Meer hinausgeschickt wurde. Die Mechanik war leicht zu durchschauen, Jannike verstand, es war gar nicht das Licht, das sich hier oben drehte, sondern das ganze Drumherum. Das Leuchtfeuer selbst stand still und unbeweglich. Was für eine Täuschung!

Warum ist mir das so wichtig, wunderte sich Jannike. Sie war jetzt oben angekommen, die gebogenen Außenfenster zeigten ihr verzerrtes Spiegelbild, dahinter lag nichts als Weite. Ihr Atem ging schnell und flach, auf der Stirn hatten sich nun doch ein paar Schweißtropfen gebildet. Und dann fiel es ihr ein: Klar, im Grunde bin ich doch auch noch immer dieselbe, die ich vor zwei Monaten gewesen bin. Ich bin unverändert, bloß das ganze Drumherum zeigt der Welt ein anderes Bild von mir.

So philosophisch war Jannike sonst nie. Das eigene Leben mit einem Leuchtfeuer zu vergleichen, darauf würde sie normalerweise nicht kommen. Lag es an der Höhenluft?

Ringsherum war das Turmzimmer von einer zwei Meter breiten, durch ein hohes Geländer gesicherten Aussichtsplattform umgeben. Jannike fasste nach der Türklinke. Der Wind schien von der anderen Seite gegen die Tür zu drücken, es entbrannte ein kleiner Wettkampf zwischen ihm und der Frau, die hier vielleicht in Zukunft das Sagen haben würde. Und Jannike gewann!

Belohnt wurde der Sieg mit einer Extraportion Frischluft und dem Gefühl, der Sonne von hier oben aus per Handschlag guten Tag sagen zu können.

Und mit einem atemberaubenden Panorama: im Norden das Meer, unendlich, grau und schwer wie eine Satteldecke, bis es an die Küste stieß und dort vom weißen Sand in lange Schaumfransen zerteilt wurde. Weit hinten am Horizont machten sich Containerschiffe auf den Weg in die Welt und verrieten, dass die Erde eben doch keine Scheibe und nirgendwo zu Ende ist. Jannike atmete tief ein. Wow!

Eine Vierteldrehung weiter nach rechts überblickte sie den östlichen Teil der Insel, in dem auch das kleine Dorf lag. Rote Häuschen zwischen den Hügeln der Dünen verteilt, als wären sie eben aus einem überdimensionalen Würfelbecher gefallen. Nur knapp über tausend Einwohner gab es hier, und vielleicht würde bald eine Neuinsulanerin dazukommen …

Der kleine Hafen, in dem sowohl die weißen Fährschiffe wie auch Segelboote festmachen konnten, lag im Süden, am Watt, das so etwas wie der Schatten der Nordsee war. Jetzt musste Niedrigwasser sein, denn der schwammige Grund zwischen hier und dem Festland zeigte sich nackt und trocken. Ein paar Seevögel flogen darüber hinweg, man hörte das Kreischen bis zur Turmspitze. In westlicher Richtung war die Insel dann auch schon bald zu Ende, die wilden Sandberge, teils angefressen von der Flut, endeten in einem knappen Kilometer Entfernung. Die Nachbarinsel, die wesentlich größer, mondäner und angesagter war, schien in Rufweite zu liegen. So präsentierte sich die Welt in diesem Moment. Ganz klar, ganz aufgeräumt, alle vier Himmelsrichtungen auf einen Streich.

Jannike atmete wieder aus. Sie musste eine Ewigkeit lang die Luft angehalten haben.

«Und?», hörte sie von ganz weit unten eine Stimme. Hagelitz stand im Garten neben dem Kastanienbaum und hatte seine Hände muschelförmig um den Mund gelegt, eine freundliche Windböe trug seine Worte herauf. «Wie ist es da oben?»

Jannike winkte ihm zu. Dann holte sie ihr Handy aus der Jackentasche. Es war kurz nach eins. Normalerweise machte sich Clemens genau jetzt auf den Weg in die Mittagspause. Das Freizeichen klang irgendwie seltsam hier oben, passte nicht zum übrigen Soundtrack, der aus Wellenrauschen, Möwenlachen, Windgeheul und ihrem Herzschlag komponiert war.

«Janni? Du, tut mir leid, ich habe gerade überhaupt keine …»

«Hör mir zu!», unterbrach sie ihn. «Ich brauche eine halbe Million. Jetzt! Sofort!»

«Wie bitte?»

«Wenn ich jetzt fünfhunderttausend zusammenkratzen kann, dann packe ich es!»

«Was redest du da?»

Ja, was redete sie da? Es gab tausend Gründe, die gegen einen Kauf sprachen. Und einen einzigen dafür. Aber der war einfach zu überzeugend! Jannike wusste, es bot sich gerade eine Chance, die sie nutzen musste. Nur hier wäre sie in der Lage, endlich wieder die Übersicht zu gewinnen. «Ich möchte ein Haus, also … eine Art Firma kaufen, und dafür brauche ich Geld, das ich nicht habe.»

Clemens sagte nichts. Das war typisch für ihn. Er war ein Mann, der immer schwieg, wenn es drauf ankam.

«Ich will das nicht geschenkt haben, Clemens, nur geliehen, zu den üblichen Zinsen. Wenn ich erst mal eine neue Aufgabe habe, bin ich raus aus dem Moderationsvertrag, versprochen. Dann mache ich keinen Ärger mehr, kein Anwalt, keine Klage, gar nichts!»

Noch immer kein Wort.

«Dich lasse ich auch in Ruhe, Clemens, falls du das willst.» Fast hoffte sie, er würde jetzt Einwände erheben, etwas sagen wie: «Hey, da liegst du völlig falsch, ich will von dir nicht in Ruhe gelassen werden, du bist der wichtigste Mensch in meinem Leben, Janni, und ich pfeif auf meinen Ruf als Produzent genau wie auf meine verkorkste Ehe, wenn ich nur bei dir sein darf!» Aber das sagte er nicht. Natürlich nicht. Jannike hatte auch nicht ernsthaft damit gerechnet.

Stattdessen ein Räuspern. «Abgemacht!»

«Echt?» Sollte sie sich jetzt freuen oder nicht?

«Lass mir Zeit bis nächste Woche, dann hast du die Kohle. Und danach ist hoffentlich ein für alle Mal Funkstille …»

Jannike biss sich auf die Lippen und wartete, dass ihrem Geliebten auffiel, was er da gerade gesagt hatte. Doch die Verbindung knackte, und dann piepte das Besetztzeichen gnadenlos in ihr Ohr. Funkstille! Langsam steckte sie das Telefon wieder ein.

Unten stand Hagelitz, die Hände in die Hüften gestemmt, den Kopf im Nacken, Warteposition. So ein kleiner Kerl, sollte sie ihm einfach mal von hier oben auf seinen korrekten Scheitel spucken?

«Was ist?», rief er mit dem Wind.

«Ich habe mich entschieden!», rief Jannike zurück.

«Ich kann Sie nicht verstehen!»

Jannike schaute sich um, lief die Aussichtsplattform entlang, um den Turm herum, einmal, zweimal, Norden – Osten – Süden – Westen – Norden – Osten – Süden – Westen – Meer – Dorf – Watt – Dünen …

«Ich nehme das Hotel, so wie es ist! Nächste Woche ziehe ich ein!»

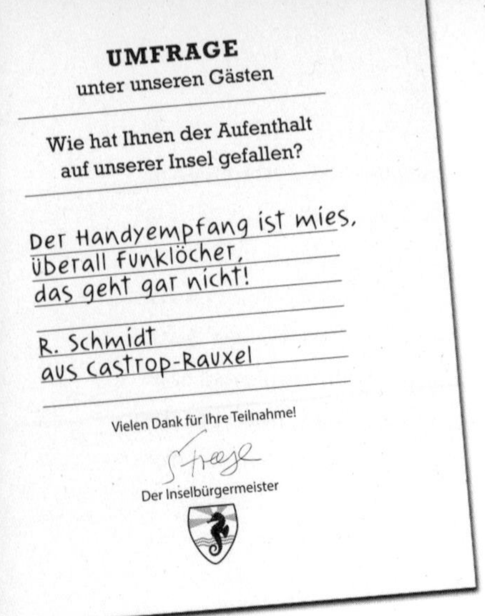
UMFRAGE
unter unseren Gästen

Wie hat Ihnen der Aufenthalt auf unserer Insel gefallen?

Der Handyempfang ist mies,
überall Funklöcher,
das geht gar nicht!

R. Schmidt
aus Castrop-Rauxel

Vielen Dank für Ihre Teilnahme!

Der Inselbürgermeister

Es gab zwei rosarote Stapel. Der linke war eindeutig höher. Auf ihm lagen die Beschwerden.

Siebelt Freese, seit zwei Jahren Inselbürgermeister und Kurdirektor in Personalunion, verwünschte den Tag, an dem er die Idee gehabt hatte, allen Gästen bei der Abreise die Gelegenheit zu bieten, ihre Meinung kundzutun. Auf extra dafür vorbereiteten blasspinken Zetteln, die am Hafen verteilt wurden, bevor die Touristen an Bord gingen. Darauf stand eine eigentlich ganz harmlose Frage:

Wie hat Ihnen der Aufenthalt auf unserer Insel gefallen?

Wer konnte denn ahnen, dass so etwas dabei herauskam? Freese hatte eigentlich damit gerechnet, dass höchstens jeder Hundertste sich überhaupt die Mühe machte, Lob und Kritik aufzuschreiben und dann als Postkarte zurückzuschicken, mit Briefmarke und allem Drum und Dran. Nein, es gab keine Möglichkeit, online abzustimmen, wohlweislich nicht, man wollte schließlich den altersschwachen Rathausrechner nicht überfordern. Und es war noch nicht einmal ein Preisausschreiben damit verknüpft, es gab weder eine Woche Familienurlaub noch einen Eintrittsgutschein für das Meerwasserwellenbad zu gewinnen, noch nicht einmal eine billige Fahrradklingel. Da sollte man doch eigentlich glauben, dass sich die Beteiligung in Grenzen hielt. Aber Pustekuchen: Seitdem die Aktion kurz vor Ostern zeitgleich mit der Saison gestartet war, musste der Inselrat bei jeder Sitzung mehr als hundert schweinerosa Meckerbriefe durchackern. Das machte weder Spaß, noch brachte es neue Erkenntnisse. Es war – auf gut Deutsch – einfach nur ätzend!

«Nummer 26: Das Wetter war die ganze Zeit schlecht!», las seine Sekretärin Uda mit monotoner Stimme vor.

Der Inselrat stöhnte unisono auf. Schon wieder das elende Wetter! Ja, okay, es hatte an keinem der drei verlängerten Feiertagswochenenden die Sonne geschienen. Himmelfahrt hatte ein Sturm mit Orkanstärke die ersten Strandzelte durch die Luft geschleudert, Pfingsten war die Kanalisation nach verschärftem Dauerregen übergelaufen, und Fronleichnam hüllte ein dermaßen suppiger Seenebel die Touristen ein, dass man froh sein konnte, keine Fahrrad-Auffahrunfälle auf der Dorfstraße beklagen zu müssen.

«Woher kommt die Post?», fragte Freese.

Uda drehte die Karte um. «Aus der Oberlausitz!»

«Haben die nicht gerade mit Hochwasser zu kämpfen? Wegen des Dauerregens im Mai?» Freese konnte es manchmal nicht fassen. «Würde mich interessieren, ob sich die Touristen in Bayern auch ständig über das Wetter beklagen.»

«Wir sollten ernsthaft überlegen, die Insel komplett zu überdachen», scherzte Gerd Bischoff. «Mit Wärmepilzen auf der Promenade und Infrarotbestrahlung beim Kurkonzert!»

Niemand lachte.

Es war ja auch nicht das erste Mal, dass auf der Inselratssitzung Witze dieser Art gerissen wurden. Wie üblich saß man im Rathaussaal zusammen, auf taubenblau gepolsterten, etwas zerschlissenen Stühlen, zwischen Ölgemälden, auf denen pfeifenrauchende Kapitäne abgebildet waren. Freese sah diesen maritimen Männern inzwischen fast ein bisschen ähnlich. Seine Sekretärin Uda hatte ihm den Tipp gegeben, dass ein grau melierter Vollbart ihn eventuell insulaniger wirken lassen könnte. Ein Bürgermeister habe so auszusehen, als hätte er die halbe Welt umsegelt, bevor er im Hafen der Bürokratie vor Anker ging. Nicht wie einer, der in der Kreisverwaltung Aurich arbeitete, seit er zwanzig war. So einen wollen die Touristen nicht. Und tatsächlich, seit Freese dieses Fell am Kinn hatte, ließen sich die Stammgäste, denen er wöchentlich die silberne oder goldene Anstecknadel für jahrelange Inseltreue überreichte, auch mit ihm fotografieren. Inzwischen hatte er sogar die Krawatte gegen ein rotes Halstuch getauscht, sein neues Markenzeichen. Ja, natürlich war das albern. Aber Freese, der mit seiner Körpergröße von knapp eins siebzig nicht gerade Eindruck schinden konnte, wollte alles geben. Musste alles geben. Die Situation war zu prekär für halbe Sachen.

Die Luft im Rathaussaal wurde immer dicker, doch es war draußen zu windig, um die Fenster zu öffnen. Die Zeiger der Standuhr rückten vor, und die Nerven der Ratsmitglieder lagen blank.

«Mal ehrlich, Siebelt, wollen wir diesen sinnlosen Mist echt bis November durchziehen?», fragte Hanne Hahn, die Gleichstellungsbeauftragte. «Ich könnte längst meine Mangelwäsche fertig haben, die Füße hochlegen und ein Glas Prosecco trinken. Stattdessen hocken wir hier, um uns mit dem Gejammer unzufriedener Inselgäste zu beschäftigen.»

«Ändern können wir ja eh nichts», kam Zustimmung aus der Ecke, wo die Fraktion der freien Wähler ihre Stammplätze hatte. «Das hätten die Herren von der konservativen …»

Sofort sprang Bischoff auf, er war der Dienstälteste hier, stellvertretender Bürgermeister, zudem Ratsvorsitzender und leicht reizbar: «Wenn die Ökofuzzis damals nicht so stur …»

«Ökofuzzis? Was soll das denn …» Schon schwoll der Lärmpegel bedrohlich an. Naturschutzgebiet contra Hundestrand, Seniorenrabatt contra Kindergarten, Sparzwang contra Investitionsstau – alles wurde auf den ovalen Tisch gebracht, teilweise aufgewärmt, mitunter brandheiß, oft durcheinandergerührt, aber immer einen zünftigen Schlagabtausch wert. Langweilig waren die Ratssitzungen eigentlich nie.

In diesem Moment klopfte jemand mit der Faust auf die Tischplatte, sodass der rosarote Stapel Beschwerdebriefe umkippte. «Bürgermeisterchen, Hand aufs Herz, wann willst du endlich mal eine sinnvolle PR-Aktion starten?»

Jetzt ging das wieder los! Freese hasste es, wenn Bischoff ihn in der Verniedlichungsform ansprach, das tat der Ratsvorsitzende immer dann, wenn er zu einem Rundumschlag ausholen wollte. Es war wirklich nicht einfach mit den gewählten Ortsvertretern. Das Problem: Hier im Rathaus stritten sie, regten sich auf, warfen sich gegenseitig die dollsten Sachen an den Kopf. Doch sobald die Sitzungen beendet waren, wanderten sie alle schön einträchtig in die *Schaluppe*, tranken Bier und wurden sich regelmäßig ziemlich schnell einig, dass an der ganzen Misere eigentlich die Verwaltung schuld war, genau genommen er, Siebelt Freese, Bürgermeisterchen und Sündenbock der Insel.

Klar hatte Freese anfangs gedacht, wenn er nur mitgeht, mittrinkt, vielleicht sogar eine Runde spendiert, würde es besser.

Doch das Gegenteil war der Fall gewesen: Wenn sie erst ein paar Promille intus hatten, rotteten sie sich meist zusammen und beschimpften ihn. Was sie ihm jeweils vorwarfen, hatte er nie so genau verstanden, denn zum einen war die Sprache der Ratsmitglieder dann schon etwas verwaschen, zum anderen war die Schlagermusik in der *Schaluppe* dermaßen laut, dass sie alles übertönte. Egal, böse war das sowieso nicht gemeint, und er konnte immer sicher sein, dass ihn schon am nächsten Tag jeder Einzelne von ihnen auf der Straße wieder mit einem freundlich-abgehackten «Moin» grüßen würde.

«Ich weiß gar nicht, was ihr wollt: Das hier ist eine PR-Aktion!» Jetzt atmete Freese erst einmal tief durch. «Wir haben zugesagt, dass wir uns eine Saison lang jeden einzelnen dieser Briefe durchlesen werden, selbst wenn es zum x-ten Mal ums Wetter geht.»

Zum Glück kehrte Ruhe ein.

Uda nahm den nächsten Zettel: «Nummer 27: Die Brötchen sind zu teuer!» Darüber wollte wie üblich niemand diskutieren, die hohen Preise waren tabu. Die erklärte man mit den hohen Frachtkosten, den teuren Ladenmieten und der Tatsache, dass ein Insulaner in neun Monaten genug Geld verdienen musste, damit es fürs ganze Jahr reichte.

«Nummer 28: Auf den Straßen stinkt es nach Pferdeäpfeln …»

«Wollen wir zur Abwechslung mal wieder eine vom positiven Stapel nehmen?», schlug Hanne Hahn vor, die es immer gern harmonisch mochte.

«Nummer 10: Ich liebe es, dass hier alles noch genau so ist wie in meiner Kindheit.»

Und genau da lag das Problem, wusste Freese. Die Autofreiheit muss bitte schön bestehen bleiben, aber die Kutschpferde dürfen die Straßen nicht mit ihren Hinterlassenschaften verunstalten. Kein Sendemast soll die Landschaft verschandeln, aber das Funkloch ist wirklich das Allerletzte. Die Schizophrenie der Ansprüche: Alles so wie immer, nur moderner …

«Unsere Nachbarinsel hat ein Plus an Übernachtungszahlen vorzuweisen», merkte Bischoff wichtig an. «Fünf Prozent im Vergleich zum Vorjahr. Und die haben dasselbe Wetter wie wir, daran kann es also nicht liegen.»

Alle Augen richteten sich auf Freese. Was sollte er sagen? Er hatte doch keine Ahnung, warum es bei den Nachbarn brummte und hier nicht. «Na ja, vielleicht … Es gab eine Sondersendung von diesem Reisemagazin, ihr wisst schon, mit dieser blond gelockten Moderatorin …»

«*Liedermeer!*», wusste Hanne Hahn.

«Genau. Die haben immer eine Sommerausgabe, und im letzten Jahr wurde die eben auf der Nachbarinsel gedreht. Bombastische Einschaltquoten. Direkt danach sind die Buchungen in die Höhe geschossen.»

Angeblich hatte niemand der Anwesenden diese Sendung gesehen, schon aus Prinzip nicht. Alles, was mit dem ungeliebten Eiland im Westen zu tun hatte, wurde geflissentlich ignoriert. Doch Freese war skeptisch, denn dafür, dass keiner an diesem Abend den Fernseher angeschaltet haben wollte, wurde doch ganz schön viel gelästert, wie hässlich und etepetete und verbaut alles ausgesehen hätte.

«Na, dann ruf doch da mal an bei dem Fernsehsender und frag, ob die ihre Sondersendung dieses Jahr nicht bei uns drehen wollen.» Dieser Vorschlag kam von Uda, und Freese war ein bisschen sauer auf seine Sekretärin, dass die mit einer solchen Idee aufwartete, obwohl sie selbst am besten wusste, wie viel lästige Klinkenputzerei bei den Medien das bedeuten konnte. Die Zustimmung sämtlicher Ratsmitglieder war ihr jedoch sicher.

«Ja, das soll unser Bürgermeister doch mal machen!», rief einer und erhielt Beifall.

«Da stelle ich gleich mal einen offiziellen Antrag!», sagte Bischoff.

«So eine schöne Sendung, mit wunderbarer Musik und tollen Bildern und …»

«Ist die nicht abgesetzt?», fragte Hanne Hahn. «Die Moderatorin wurde gefeuert, soviel ich weiß, wegen Schleichwerbung. Hab ich im Wartezimmer beim Zahnarzt gelesen.»

«Ruhe!» Sobald die Gleichstellungsbeauftragte anfing, aus *Close Up* oder dem *Silbernen Blatt* zu zitieren, war die Zeit reif, als Bürgermeister ein Machtwort zu sprechen, sonst würden sie morgen früh noch hier sitzen. «Einverstanden, ich werde Kontakt zur Produktionsfirma aufnehmen. Aber versprechen kann ich nichts. Zumal die meines Wissens immer einen besonderen Aufhänger für ihre Sondersendung brauchen. Letztes Jahr war beispielsweise zeitgleich die Regatta.»

«Dann sollen die einfach zum Leuchtturmfest kommen», schlug Bischoff vor. «Das ist doch wohl Anlass genug.»

Freese seufzte. «Ihr wisst so gut wie ich …»

«Der Shantychor könnte auftreten!», rief Hanne Hahn begeistert. Ihr Mann sang Tenor.

«… dass wir momentan keinen Verwalter für den Leuchtturm haben. Oder will sich einer von euch das Fest ans Bein binden?»

Sofort waren alle still und schauten in verschiedene Richtungen, als wären sie nur aus Versehen hier gelandet. Das verdammte Leuchtturmfest war schon im letzten Jahr zum nervigsten Thema überhaupt geworden. Alle wollten es feiern, aber keiner wollte die Verantwortung übernehmen. Seit das kleine Hotel am Leuchtturm leer stand, hatte das fröhlich-bunte Inselfest nicht mehr stattgefunden, aber alle sprachen ständig davon, dass man doch mal wieder müsste und könnte und sollte …

«Da wohnt wieder jemand!» Es gab auch im Inselrat Menschen, die sagten so gut wie nie etwas, und wenn sie dann doch einmal den Mund auftaten, war ihnen die Aufmerksamkeit aller sicher. So ein Mensch war Okko Wittkamp. Er war unabhängig in seiner politischen Meinung, unaufdringlich beim Diskutieren – soweit Freese sich erinnerte, nahm er noch nicht einmal an den anschließenden Treffen in der *Schaluppe* teil. Ein stiller, kluger Mann und einer der wenigen, die in den Rat gewählt worden waren, ohne dass die halbe Insel mit ihm verwandt war. Wenn Okko Wittkamp sagte, dass das Haus des Leuchtturmwärters wieder bewohnt war, würde das wohl stimmen. Zumal er gar nicht so weit entfernt von dem kleinen Gasthaus lebte.

«Eine alleinstehende Frau vom Festland», berichtete er.

«Au Backe!», sagte Hanne Hahn. «Doch nicht etwa eine von der Sorte, die sich ihren Kindheitstraum erfüllen will?»

Wittkamp zuckte die Achseln. «Ich hab sie noch nicht kennengelernt.»

«Wie alt?», fragte Bischoff.

«So um die vierzig, schätze ich.»

Die Ratsmitglieder nickten sich vielsagend zu. So um die vierzig – das waren oft Menschen, die sich eine Immobilie auf der Insel anschafften, weil der Makler ihnen diese als Oase der Ruhe und des Friedens angepriesen hatte. Die warfen meistens schon nach der ersten Saison das Handtuch.

«Dann sollten wir die Dame direkt mal auf den Pott setzen!»

Bischoff schien sich zu freuen. «Die bekommt doch sowieso ihre monatliche Gefahrenzulage, oder wie wir das nennen.»

«Aufwandsentschädigung», korrigierte Freese. «Die ist aber nur für den Schlüsseldienst und alles, was mit den Besuchstagen am Leuchtturm zu tun hat. Für die paar Euro können wir niemanden verpflichten, eine solche Veranstaltung zu stemmen.»

«So, können wir nicht?» Bischoff hob seinen Arm und schaute sich auffordernd um, ein Finger nach dem anderen hob sich. «Der Vorschlag gilt als angenommen!»

Freese war Bürgermeister und Kurdirektor, er war der erste Mann im Rathaus und in der Tourismusverwaltung. Aber bei Abstimmungen im Inselrat spielte er keine Rolle. Niemand hörte auf seine Einwände, und nur selten waren die Entscheidungen, die von den Ratsmitgliedern getroffen wurden, aus seiner Sicht vernünftig und durchdacht. «Gibt es vielleicht eine Gegenstimme?», fragte er der Form halber.

Nur Okko Wittkamp hob die Hand.

Manchmal war es wirklich hoffnungslos.

Bischoff zeigte sich natürlich hochzufrieden mit dem Ergebnis. «Gut, Okko, und weil du die Leuchtturmwärterin in spe schon ein bisschen kennst und quasi ihr Nachbar bist, kannst du ja morgen mal da hin und ihr vom Fest erzählen!»

«Und sag ihr gleich, der Shantychor soll singen!», ergänzte Hanne Hahn.

Na toll!

Sehr geehrte Damen und Herren,
Seit Tagen versuche ich vergeblich,
bei Ihnen ein Zimmer zu buchen,
doch weder per Telefon noch per
E-Mail erreiche ich jemanden.
Deswegen jetzt auf dem altmodischen
Postweg: Ich würde gern ein
Einzelzimmer mit Frühstück buchen
vom letzten Samstag im Juni an
für 3 Wochen, evtl. länger. Bitte
bestätigen Sie mir die Reservierung.
Knud Böhmer,
Hans-Albers-Platz, 20359 Hamburg

Hier ist Jannike Loog, entschuldigen Sie, wenn ich schon wieder nerve, aber …»

«Übermorgen!», unterbrach sie der Mitarbeiter der Reederei in einem Ton, der ihn eher nicht für die Auszeichnung zum Servicemann des Monats qualifizierte.

«Das haben Sie vorgestern schon gesagt!»

«Und ich habe auch schon mehrfach versucht, Sie auf dem Handy zu erreichen, um Ihnen mitzuteilen, dass es heute mit dem Frachtschiff wieder nichts wird.»

«Mein Telefon hat aber nicht geklingelt!»

«Nicht mein Problem!»

Das war es womöglich wirklich nicht. Inzwischen hatte Jannike nämlich festgestellt, dass sich ihr neuerworbenes wunderschönes kleines Inselhotel mitten in einem fetten Funkloch befand. Nur auf der Spitze des Leuchtturms und am Rand ihres Grundstücks, bei der höchsten aller Dünen, in der Nähe des gedrungenen Kastanienbaumes waren zwei kleine Balken zu erkennen. Und natürlich hatte sie Besseres zu tun, als für ein Telefonat 172 Stufen zu erklimmen oder in einem Gebüsch zu hocken. Zumal dieses Gebüsch, in dem sie jetzt gerade mit dem Handy am Ohr stand, ganz offensichtlich das Territorium des wilden Kaninchens war. Mehrfach hatte sie das bedrohliche Trommeln der Pfoten auf Sand gehört, und Jannike befürchtete, das Monster könnte jeden Moment aus seinem Versteck hervorspringen.

Der Festnetzanschluss würde sich leider auch noch verzögern, das war gleich das nächste Problem. Die Leitungen, die bislang im sandigen Grund vom Inseldorf zum Hotel führten, waren zu Zeiten verlegt worden, als Elvis Presley quicklebendig und ein Sexsymbol gewesen war. Der Vorbesitzer hatte sich in Sachen Internet noch mit einem vorsintflutlichen Modem zufriedengegeben, das erst eine Minute lang scheußliche Töne erzeugte, bis es eine lahmarschige Leitung freizugeben vorgab. Doch dieses Gerät, so hatte Jannike nach ausgiebigem Herumprobieren feststellen müssen, war anscheinend kaputt, und heute wurde so etwas doch vermutlich gar nicht mehr hergestellt. Alles sah also danach aus, dass es hier deutlich mehr Ruhe gab, als sie sich je hätte träumen lassen. Kein Telefon, kein Internet, immerhin empfing das Radio über die Antenne drei Sender, einer davon hatte heute Morgen sogar einen alten Song von ihr gespielt – *Janni & Danni* mit ihrem ersten Hit *Meeresleuchten* …

«Und morgen ist Sonntag, da wird keine Fracht transportiert», ergänzte der Reederei-Mann. «Frühestens Montag also.»

«Gibt es denn gar keine Alternative?», fragte Jannike.

«Luftfracht!», war die Antwort.

«Sie meinen, ich soll meine ganzen Umzugskartons, die seit drei Tagen auf dem Festland auf ihre Reise zur Insel warten, in einen Flieger verladen? Zudem warte ich auf acht Doppelbetten mit Matratze und allem Drum und Dran, Kleiderschränke, Nachttischchen, Kaffeemaschine ... Haben Sie einen Airbus?»

«Cessna. Zweimotorig.»

«Aha.»

«Achtzig Cent pro Kilo.»

«Dafür kann ich mir ja noch ein zweites Hotel kaufen.»

«Dann machen Sie das doch!» Er legte auf. Okay, das war sein gutes Recht. Schließlich konnte er nichts dafür, wenn Ostwindlage und Halbmond gemeinsam dafür sorgten, dass die Nordsee es momentan nicht so richtig bis ins Wattenmeer schaffte, weshalb dem Frachtschiff zu wenig Wasser unterm Kiel blieb. Dass es so etwas heute noch gibt, dachte Jannike. Schafe klonen, Bilder in Sekundenschnelle von hier nach Australien schicken, aus der Stratosphäre im freien Fall auf die Erde zurasen – kein Thema! Aber einen Lastwagenanhänger voller Umzugskartons nur fünf Kilometer mit dem Schiff über das Wattenmeer transportieren – unmöglich. Da musste Jannike eben weitere zwei oder drei oder vier Tage aus dem kleinen Koffer leben, den sie bei ihrer Anreise auf der Personenfähre mitgeschleppt hatte.

Dabei standen sämtliche T-Shirts und Jeans inzwischen vor Dreck.

Von morgens bis abends hatte Jannike geschuftet. Eine Woche lang. Sämtliche Schränke und Betten der ersten Etage waren in ihre Bestandteile zerlegt, die zerbröselnden Pressholzplatten hätten womöglich keinen Sommer mehr gehalten.

Erst war es ihr schwergefallen, die alten Dübel zu lösen und die Bretter nach unten zu schleppen. Bis sie feststellte, dass diese monotone Arbeit, das Schrauben und Hämmern und Schleppen, eine prima Ablenkung war. Mit jedem Möbelstück ging es ihr besser – egal, wenn die Klamotten verstaubt und ihre Lieblingsjeans sogar am Knie gerissen waren.

Ihre Anspruchshaltung hatte sich eben radikal verändert. Statt Wasserbett im Penthouse musste derzeit eine durchgelegene Matratze auf einem knarzenden Holzgestell reichen. Solange die Möbel noch auf dem Festland waren, schlief sie in einem der scheußlichen Gästezimmer im Obergeschoss, das aber wenigstens einen schönen Blick auf den Leuchtturm hatte. Wenn Danni das sehen würde … aber der war ja nicht hier.

Einen Vorteil hatte der stramme Ostwind immerhin: Er brachte gutes Wetter mit. Zwar war die Luft noch kühl, und man musste aufpassen, dass man sich nicht unbemerkt einen Sonnenbrand holte. Aber wenigstens schlug ihr nicht mehr dieser deprimierende Seenebel aufs Gemüt. Und immerhin: Wenn die Sonne schien, sahen die hellbraun gestrichenen Wände des provisorischen Schlafgemachs auch nicht mehr ganz so nach Hundehaufen aus.

Für heute hatte Jannike sich die sogenannte Sonnenterrasse vorgenommen. Ihr Rücken schmerzte, und eigentlich wäre ihr jetzt nach einer Verschnaufpause zumute gewesen, doch ihre Kaffeemaschine stand noch an Land – das letzte Koffein hatte sie auf der Fähre zu sich genommen in Form einer bitteren Filterbrühe, doch wenn sie gewusst hätte, dass danach eine Abstinenz auf unbestimmte Zeit erzwungen würde, sie hätte es mehr genossen. Zudem war auch niemand da, mit dem sie quatschen könnte, eine Siesta würde unter solchen Umständen eventuell zu einem Anfall von Selbstmitleid führen, weil sie alles alleine bewältigen musste, weil ihre Liebe sie hängenließ, weil ihre Karriere den Bach runtergegangen war, weil sie so unsagbar bescheuert gewesen war, ihr gesamtes Vermögen in einen riesigen Haufen Arbeit mit kackbraunen Wänden zu investieren, weil weder Danni noch jemand aus ihrem Kölner Freundeskreis hier war. Ersterer musste die Stellung halten, Zweitere wussten gar nicht, wo Jannike steckte, weil sie niemanden in die Verlegenheit bringen wollte, bei neugierigen Presseanfragen diskret bleiben zu müssen. Ganz besonders bedauernswert fand Jannike sich, wenn sie an Clemens dachte. Also, eine Pause war definitiv eine schlechte Idee.

Sie stieg von der Düne herunter und griff sich Besen und Schippe. Beides hatte sie neben einigem nützlichen – Schubkarre, Herrenfahrrad und Wäschespinne – und jeder Menge unnützem Kram – ein altes Klo, zwei kaputte Gartenbänke und Lebensmitteldosen, die so verstaubt waren, dass sie die nähere Identifizierung auf irgendwann später verschoben hatte – im Hotelkeller gefunden. Was für ein Sisyphos-Projekt: Der helle, fast weiße Sand rieselte an allen Ecken und Enden. Wenn sie gerade eine Ladung auf die klapprige Schubkarre gehäuft und diese über den Trampelpfad bis zum Strand gebracht hatte, sah es – jede Wette – nach ihrer Rückkehr genauso aus wie vorher.

«So wird das nichts», sagte eine Stimme hinter ihr, gerade als sie ein Büschel Strandhafer aus den Fugen zu rupfen versuchte.

Jannike hatte keinen Besuch erwartet und lockerte vor Schreck den Griff um die scharfkantigen Gräser, was ihr eine üble Schnittwunde in der rechten Handfläche bescherte. «Autsch!»

«Entschuldigen Sie, ich wollte Sie nicht hinterrücks überfallen!» Die Besucherin, die durch die Gartenpforte gekommen sein musste, schien ein paar Jahre jünger als Jannike zu sein. Oder doch nicht? Weite Leinenhosen und blaue Blusen trugen Frauen jeden Alters, die kurzgeschnittenen Haare waren in einem etwas unmodernen Rot getönt, und der Ansatz zeigte schon graue Strähnchen, dafür war das runde Gesicht von mädchenhaften Sommersprossen übersät. Die Frau hielt ihr die Hand hin. «Ich bin Mira Wittkamp.»

Jannike verzichtete auf eine förmliche Begrüßung, der Ratscher hatte zu bluten begonnen. «Jannike Loog.»

«Das sollten Sie verbinden, sonst kommt Dreck rein», sagte die Frau.

«Meine Hausapotheke ist noch auf dem Festland.» Jannike wischte das Blut an ihrer Jeans ab. «Kann ich Ihnen helfen?»

Die Frau lachte. «Eigentlich sieht es eher aus, als könnten Sie etwas Hilfe gebrauchen.»

«Stimmt!» Jannike zeigte auf die Terrasse. «Ich hatte mir als Ziel gesetzt, den Platz hier bis heute Abend picobello aufzuräumen. Jetzt haben wir drei Uhr, und ich glaube, ich muss mich von meinen ehrgeizigen Plänen verabschieden.»

«Soll ich ehrlich sein?» Die Besucherin sprach einen angenehm nordischen Slang, kein richtiges Plattdeutsch, doch sie dehnte die Silben an einigen Stellen, was durchaus seinen Charme hatte. «Hier auf der Insel käme kein Mensch auf die Idee, im Juni die Terrasse zu fegen.»

«Und warum nicht?»

«Die Hauptsaison steht in den Startlöchern. In zwei Wochen rennen uns die Touristen die Bude ein. Da gibt es bestimmt Wichtigeres zu tun.»

Irgendwie konnte Jannike der Frau nicht böse sein, auch wenn diese ihr gerade unmissverständlich klargemacht hatte, dass sie nicht ganz sauber tickte. «Glauben Sie mir, ich würde ja auch lieber ein paar Möbel zusammenbauen oder Vorhänge aufhängen, aber …»

«Keine Fracht wegen Ostwind, ich weiß.»

«Eben.»

«So ganz allein wird das ein bisschen viel, meinen Sie nicht?»

Ach nee, der Gedanke war Jannike selbst schon gekommen. «Die Jobagentur hat mir zwei junge Hotelfachfrauen vermittelt!»

«Freuen Sie sich lieber nicht zu früh. Die meisten von denen erscheinen erst gar nicht.» Jannike musste ziemlich entsetzt geschaut haben, denn die Frau ergänzte: «Nein, ich habe kein Vorurteil gegenüber Arbeitssuchenden. Das sind einfach Erfahrungswerte: Wenn sie hören, dass ihre neue Wirkungsstätte von einer Menge Wasser umgeben ist und nur zweimal am Tag eine Fähre geht, überlegen sich die meisten Menschen gründlich, ob sie so einen Job wirklich annehmen wollen.»

Vielleicht hätte Jannike sich darüber auch etwas intensiver Gedanken machen sollen. Sie seufzte. «Da kommt ja noch ganz schön was auf mich zu!»

«Ja, hier auf der Insel ist das man nicht immer so einfach.» Jetzt erst bemerkte Jannike, dass die Frau ihr etwas mitgebracht hatte, einen braunen Umschlag, DIN A5, sah amtlich aus. «Den soll ich Ihnen geben.»

«Was ist das?»

Sie zuckte mit den Schultern. «Keine Ahnung. Vom Bürgermeister. Mein Mann Okko sitzt im Inselrat und hat den gestern von der Sitzung mitgebracht. Ich glaub, das hat was mit dem Leuchtturm zu tun.»

Jetzt verstand Jannike, bestimmt handelte es sich um die Anweisungen, wann und wie sie die Türen zu öffnen hatte. Und womöglich gab man ihr Auskunft darüber, wie hoch die monatliche Aufwandsentschädigung ausfiel. Wahrscheinlich lächerlich niedrig, doch seit sie das letzte Mal einen Blick auf ihren Kontostand geworfen hatte, war Jannike jeder Kleckerbetrag willkommen. Zwar hatte Clemens wie verabredet die Summe überwiesen, doch das Geld und noch eine Menge mehr Kosten waren direkt wieder abgebucht worden. Auf den Punkt gebracht: Jannike war blank, das Ersparte und die Lebensversicherung ins Mobiliar investiert, der Dispo ausgeschöpft und das Ende der Fahnenstange fast erreicht. «Warum geben Sie mir den persönlich, ist das hier so üblich?»

«Der Bürgermeister ist sehr sparsam. Dem ist für Post auf der Insel die Briefmarke zu schade. Und ich wohne bloß ums Eck.»

«Wir sind Nachbarn?»

Die Frau – wie hieß sie doch gleich? Mira Wittkamp! – nickte. «Die kleine *Pension am Dünenpfad* mit der blauen Bank davor ...»

Das Häuschen war Jannike bereits aufgefallen. Es war neben ihrem Hotel das einzige Gebäude so weit westlich. Bunte Windspiele im Vorgarten und ein Teil des Daches reetgedeckt, wirklich hübsch. «Ich würde Ihnen gern einen Kaffee anbieten, aber leider ...»

«Frachtschiff?» Mira Wittkamp grinste.

«Ich hätte lauwarmes Leitungswasser aus Pappbechern im Angebot ...» Zugegeben, ein bisschen spekulierte Jannike auf eine Einladung. Bestimmt gab es in der *Pension am Dünenpfad* ganz köstlichen Ostfriesentee mit Kluntje und Sahne. Oder eine eisgekühlte Apfelschorle ... Doch ihre neue Nachbarin übersah entweder den Wink mit dem Zaunpfahl, oder sie hatte Besseres zu tun, als mit einer offensichtlich wenig praktisch veranlagten Großstadttante den Nachmittag zu verplaudern.

Jedenfalls sagte sie nur, vielleicht ein anderes Mal, ihre Kinder kämen gleich aus der Schule, wünschte weiterhin frohes Schaffen und wandte sich zum Gehen.

Enttäuscht riss Jannike das Kuvert auf. Am Fegen und Schippen war ihr vorerst die Lust vergangen. Wahrscheinlich lachten sich die Einheimischen schon schlapp über die Frau, die so bescheuert war, kurz vor der Hauptsaison ein verwohntes Hotel zu kaufen.

Das Inselwappen prangte auf dem Briefkopf, darunter die Kontaktdaten des Bürgermeisters und ein bisschen Blabla, dass man sich freue, sie als Verantwortliche für den Leuchtturm gewonnen zu haben und ... «Halt, Frau Wittkamp! Warten Sie mal!» Jannike rannte zum Gartentor, durch das ihre Nachbarin eben getreten war. «Hier steht was von einem Leuchtturmfest.»

Mira Wittkamp nickte, während sie auf ihr Fahrrad stieg. «Das gibt es jedes Jahr. Normalerweise.»

«Was heißt das?»

«Na ja, im letzten Jahr stand das Hotel leer, da ist es ausgefallen, aber jetzt ...»

«Wie bitte? Als Datum ist der dritte Sonntag im Juli genannt. Das ist in etwas mehr als vier Wochen!»

«So ein Fest macht nur in den Sommerferien Sinn. Dann sind genügend Leute auf der Insel, und das Wetter ist meistens schön.»

Jannike hielt den Brief hoch. «Aber da steht auch, dass ich für die Ausrichtung des Festes verantwortlich bin.»

«Dann hat der Inselrat das wohl so beschlossen. Tut mir leid, aber damit hab ich nichts zu tun!»

Klar, damit hatte sie nichts zu tun, damit wollte wahrscheinlich kein Mensch etwas zu tun haben – am wenigsten sie, Jannike Loog, katastrophengebeutelt und zu blöd, ein paar Sandkörner zu entsorgen.

«Wie soll ich das denn schaffen?», fragte sie ins Leere, denn da, wo ihre Besucherin eben noch gestanden hatte, war jetzt keiner mehr.

Mira Wittkamp war losgeradelt. «Wird schon!» Sie winkte noch einmal zum Abschied und verschwand hinter der nächsten Düne.

«Wird schon!», schnaubte Jannike und holte geistesabwesend den kleinen Schlüssel hervor, mit dem sich der Postkasten am Zaun öffnen ließ. Gern schaute sie nicht in die Metallbox, denn bislang hatte sie dort nur Zahlungsaufforderungen und andere unerfreuliche Briefe gefunden. Es war wirklich erstaunlich, dass die Postzulieferung hier auf der Insel wie am Schnürchen zu funktionieren schien. Wer auch immer sich auf den weiten Weg zu ihrem Hotel machte, tat dies täglich, pünktlich und unsichtbar, jedenfalls hatte Jannike noch keinen Postboten zu Gesicht bekommen.

Im Kasten lag nichts außer einer Ansichtskarte aus Hamburg. Nanu, wer schrieb ihr von der Elbe? Alte Studienfreunde aus der Musicalschule? Aber die schrieben nie und hatten zudem keine Ahnung, wo sie zu erreichen war. Das wusste außer Danni und dem hoffentlich verschwiegenen Immobilienmakler niemand. Sie wendete die Karte. Knud Böhmer, nie gehört!

Beim ersten Lesen glaubte sie an ein Versehen, nach dem zweiten Lesen begannen ihr die Knie zu zittern, nach dem dritten musste sie sich schwer zusammenreißen, um nicht in blanke Panik auszubrechen: Das hier war eine Buchung! Definitiv! Hier wollte ein ihr völlig unbekannter Mann drei Wochen in ihrem Hotel verbringen.

Wie kam der überhaupt ausgerechnet auf ihr Hotel? Weder gab es Werbung im Internet, noch hatte Jannike die freien Zimmer bei der Kurverwaltung gemeldet. Aus gutem Grund, schließlich war sie noch nicht so weit – keine Möbel, keine Kaffeemaschine, keine Ahnung von gar nichts. Und dann meldete sich ein gewisser Knud Böhmer wie aus heiterem Himmel bei ihr an. Au Backe, und sein gewünschter Anreisetermin war in sieben Tagen.

Wird schon?

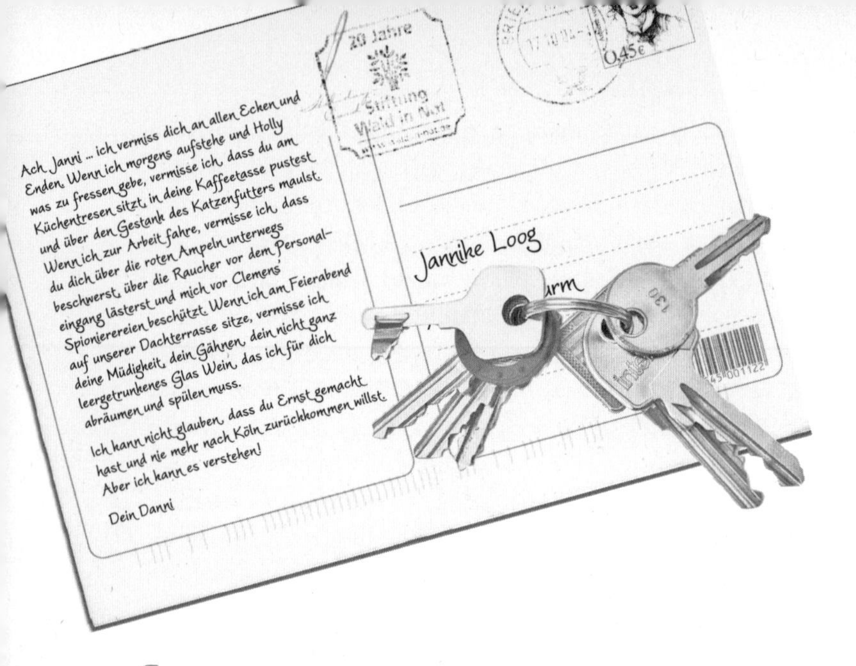
Ach Janni ... ich vermiss dich an allen Ecken und Enden. Wenn ich morgens aufstehe und Holly was zu fressen gebe, vermisse ich, dass du am Küchentresen sitzt, in deine Kaffeetasse pustest und über den Gestank des Katzenfutters maulst. Wenn ich zur Arbeit fahre, vermisse ich, dass du dich über die roten Ampeln unterwegs beschwerst, über die Raucher vor dem Personaleingang lästerst und mich vor Clemens' Spioniereien beschützt. Wenn ich am Feierabend auf unserer Dachterrasse sitze, vermisse ich deine Müdigkeit, dein Gähnen, dein nicht ganz leergetrunkenes Glas Wein, das ich für dich abräumen und spülen muss.

Ich kann nicht glauben, dass du Ernst gemacht hast und nie mehr nach Köln zurückkommen willst. Aber ich kann es verstehen!

Dein Danni

Sollte er diese Karte wirklich abschicken?

Mensch noch mal, vielleicht ging es Jannike total mies da auf dieser klitzekleinen, wahrscheinlich stinklangweiligen Insel. Sie war absolut nicht der Typ für einen solchen Mikrokosmos, um sie herum musste eigentlich das pralle Leben toben. Den Wunsch nach Ruhe und Frieden hatte Danni ihr keine einzige Sekunde lang abgekauft, da machte Jannike sich was vor. Kein Wunder, hier in Köln war es seit dem Skandal ziemlich ungemütlich geworden. Jetzt hockte seine Lieblingsfrau bestimmt ganz einsam und angeödet zwischen Krabbenkutterkapitänen und Softeisschleckern, sehnte sich nach der Großstadt – und er belastete sie auch noch mit seinem albernen Dramolett. Nein, besser, er warf die Karte nicht ein. Sie sollte glauben, es ginge ihm gut.

Vielleicht könnte er den Text anderweitig verarbeiten? Eventuell einen neuen Song schreiben? Wenn er litt, fielen ihm die besten Lieder ein. Damals, als er ihren größten Hit schrieb – *Meeresleuchten* –, hatte er gerade eine ziemlich komplizierte Beziehung hinter sich und hatte trotzdem einen Chartstürmer fabriziert, in dem es ums Verliebtsein ging. Von daher war seine jetzige Situation die beste Voraussetzung.

Wie sollte er anfangen? *Wenn ich irgendwo bin und es ist schön, doch ich denk trotzdem: Schöner wäre es, wenn du neben mir wärst …* Ja, da ließe sich was draus machen. Ihm sprang spontan eine Melodie in den Kopf. *Wenn ich ein Lied höre und mitsinge und denke dabei: Schöner wäre es, wenn du mich hörst …* Am liebsten würde er sich jetzt an den Flügel setzen und arrangieren, bis Mitternacht und noch länger, doch bei *4-2-eyes productions* warteten sie womöglich schon auf ihn.

Danni saß am blankgewienerten Küchentresen, an der Stelle, wo bis vor kurzem noch Jannikes Kaffeemaschine gestanden hatte, und wischte Orangensaftkleckse von der Marmorplatte. Holly, seine zickige Siamkatze, hatte bei einem gewagten Sprung vom Steinway aus das halbleere Glas umgeworfen. Das Tier war wild, seitdem die Tür zur Dachterrasse geschlossen bleiben musste, der Lack des wertvollen Flügels war schon böse zerkratzt. Zudem ärgerte Danni sich über die Schattenstreifen, die die Sonne durch die heruntergelassene Jalousie warf. Die ganze Wohnung war zebragemustert. Seit zehn Tagen musste er trotz schönstem Juniwetter die Fenster abschirmen, weil gegenüber im Hotel immer wieder Fotografen darauf lauerten, ihn beim Liebeskummer zu erwischen.

Seitdem herausgekommen war, dass Janni nicht mehr bei ihm lebte, war er anscheinend auf einmal interessanter geworden als die hochschwangere Nachrichtenmoderatorin und der schönheitsoperierte Serienschauspieler, die in der Nachbarschaft wohnten und bislang im Visier der Paparazzi gestanden hatten. Inzwischen belagerte die Presse – allen voran das Klatschmagazin *Close Up* – mit Vorliebe ihn. Neulich das Foto, auf dem er gerade aus der Dönerbude in der Maternusstraße kam, mit Fastfood in der Plastiktüte und etwas verunglücktem Gesichtsausdruck: «*Janni & Danni: Ist die Verlobung endgültig geplatzt?*» Dann hatten sie ihn allein beim Joggen erwischt, immerhin wirkte er da einigermaßen sportlich: «*Wie geht es weiter mit dem Traumduo der deutschen Hitparade?*» Ganz schäbig die Aufnahme vor dem Bankautomaten: «*Armer Danni, hat die Schleichwerbung seiner Freundin ihn in die Pleite getrieben?*»

Die konnten ihn mal.

Als noch alles glattlief, war er immer nur der Mann an Jannis Seite gewesen. Der Typ am Klavier, der nett lächelte, die Songs schrieb und ansonsten nicht viel Spannendes zu bieten hatte. Genau diesen Status hatte Danni durchaus zu schätzen gewusst. Doch jetzt stand Jannike nicht mehr neben ihm, und auf einmal war das gesamte Interesse auf ihn gerichtet wie ein Scheinwerfer. Da konnte er die Fenster verdunkeln, wie er wollte.

Er stand auf, ging in die Diele und schaute nervös zur Uhr: halb zehn. Höchste Zeit. Ab elf war das Studio reserviert. Wenn er sich zu sehr verspätete, gab es noch mehr Ärger. Hoffentlich war die L34 nicht wieder vollgestopft mit Idioten wie ihm, die sich am Montagvormittag ins Auto setzten. Aber in die öffentlichen Verkehrsmittel traute er sich auch nicht mehr. Was, wenn ihn jemand erkannte und auf den Auslöser drückte, während er die Fahrkarte entwertete … «*Musste er seinen Porsche verkaufen?*», irgend so was in der Art würde den Lästermäulern von *Close Up* schon einfallen.

Es klingelte. Schon zum dritten Mal, aber erst jetzt reagierte Danni. Hoffentlich kein Reporter. Die mussten doch inzwischen kapiert haben, dass von ihm keine pikanten Details zu erwarten waren. Er schaltete die Gegensprechanlage an und auf dem Schwarz-weiß-Monitor erschien ein Mann, der überhaupt nicht so aussah, als würde er für ein Promimagazin arbeiten: Rentnerjacke in Beige, obwohl er noch nicht so alt war – dreißig oder vierzig oder vielleicht auch kurz vor fünfzig, aber definitiv zu jung für diese triste Farbe. Dazu eine unmögliche Igelfrisur, könnte sein, dass er sich die mit einem Haarschneider aus dem Shopping-TV eigenhändig verpasst hatte. So jemand klingelte hier für gewöhnlich nicht. Danni drückte den Knopf: «Ja, bitte?»

«Grieske, Finanzamt.»

Was zum Henker … «Zu wem wollen Sie?»

«Frau Jannike Loog.»

«Die wohnt hier nicht mehr.»

«Laut Einwohnermeldeamt schon.» Jetzt schaute der nach oben in die Ecke, wo die kleine Kamera hing. Ein Lächeln brachte der nicht zustande, völlig humorloser Typ.

«Dann hat sie sich wohl noch nicht umgemeldet.» Danni wurde ganz anders. Nicht, weil er daran zweifelte, dass Jannike ihre Abgaben anständig zahlte und die Buchführung ordentlich war, schließlich hatten sie denselben Steuerberater. Sondern weil er ahnte, dass er gleich ordentlich in die Bredouille kommen könnte, wenn der Typ da Auskunft verlangte. Er hatte Jannike hoch und heilig versprochen, niemandem zu verraten, wo sie untergetaucht war.

Und prompt: «Bei Ihnen handelt es sich dann wohl um Frau Loogs Mitbewohner, Herrn Dankmar Verholz, oder nicht? Da müsste man doch eigentlich wissen, wo …»

«Eventuell, aber ich bin auf dem Sprung zur Arbeit, Herr … wie war der Name?»

«Grieske.» Jetzt hielt der ein Formular vor die Linse. Erkennen konnte man nichts, nur dass es ziemlich wichtig aussah. «Es dauert nicht lange.»

«Dann warten Sie unten, ich bin gleich bei Ihnen!» Danni schnappte seine Tasche, den Autoschlüssel, das Smartphone und die Ansichtskarte. Hatte er der Katze den Napf gefüllt? Ja, das Ding war randvoll. Hatte er den Herd ausgestellt? So ein blöder Gedanke, seit er allein lebte, hatte er sich in der Küche allerhöchstens ein Käsebrötchen geschmiert, da konnte nichts anbrennen. Und das Bügeleisen? Es war immer dasselbe mit seinem schrecklichen Tick, alles noch mal kontrollieren zu müssen – das Bügeleisen stand natürlich brav und kalt im Wäscheraum. Wieder klingelte dieser Finanzbeamte. Das Ding-Dong schien direkt auf Dannis angespannten Nerven gezupft worden zu sein. Was glaubte der denn? Dass Danni heimlich über die Feuerleiter geflüchtet war? Wie denn, bei seiner Höhenangst!

«Ich bin ja schon unterwegs, Herrgott noch mal!» Hatte er die Schlüssel dabei? Das Smartphone? Die Ansichtskarte? Los jetzt! Die Wohnungstür fiel ins Schloss, und Danni rannte die Treppen hinunter.

Unten stand Herr Grieske, ein elend langer Lulatsch, der sich bestimmt oft ducken musste, um durch Türen zu passen. Kein Gramm Fett auf den Rippen. Er reichte Danni die feuchtkalte Hand. «Man stört ja nur ungern, doch es gibt ein paar Fragen an Frau Loog, und sie ist nicht zu erreichen, weder über Festnetz noch per Handy.»

«Da geht es Ihnen wie mir. Ich habe seit mindestens zwei Wochen nicht mit ihr gesprochen.» Das stimmte zum Glück, denn Danni wusste, er war ein hundsmiserabler Lügner. Sobald er die Unwahrheit sagte, wurde er rot, begann zu schwitzen, und sein Auge zuckte ganz grässlich. Keine Wahrheit konnte schlimmer sein als das. Doch dass er mit Janni seit ihrem plötzlichen Aufbruch an die Nordsee kein Wort mehr gewechselt hatte, entsprach den Tatsachen. Ihr Handy funktionierte nicht, hatte sie geschrieben, der Telefontechniker kam nicht in die Pötte, und beide hielten es ohnehin für besser, eine Weile keinen Kontakt zu haben, je weniger sie voneinander mitbekamen, desto einfacher war es, sich nicht zu verplappern. Nur die kurzen Ansichtskarten waren erlaubt.

Grieske räusperte sich. «Man könnte natürlich auch mit einem hochoffiziellen Schreiben wiederkommen …» Das war eine ungemütliche Drohung, verkleidet in Beamtendeutsch. Was wollte der bloß? «Es sei denn, es ergibt sich doch noch eine Gelegenheit …» Der Mann vom Fiskus hielt seinen Kopf seltsam schräg und schaute Danni an.

«Wenn ich wieder nach Hause komme, haben Sie schon lange Feierabend.»

«Es gibt Fälle, bei denen sich die Überstunden lohnen.» Immer noch dieser Blick, das war ja nicht zum Aushalten.

«Warten Sie, ich gebe Ihnen meine Visitenkarte, und dann können Sie sich heute Nachmittag noch mal bei mir melden, um einen Termin zu vereinbaren.» Danni legte die Sachen, die er in der Hand gehalten hatte, auf die Altpapiertonne und öffnete umständlich seine Tasche. Er hoffte, dass diese Verzögerungstaktik ihm einen Vorteil verschaffte. Vielleicht hatte er Glück und erreichte Jannike endlich mal. Sie sollte ihm sagen, was zu tun war. Wahrscheinlich entpuppte sich alles als ganz harmlos, bestimmt sogar. Seine engste Vertraute hatte keine Geheimnisse, weder vor ihm noch vor der Steuerbehörde. Das war alles ein riesengroßes Missverständnis. «Hier, bitte …» Doch als er wieder aufschaute, wusste Danni, er war der größte Tollpatsch der Stadt: Mit interessierter Miene betrachtete Grieske die Ansichtskarte, die blöderweise mit dem Adressfeld nach oben auf dem Mülleimer lag.

«Soso, eine Flucht auf die Insel also!», sagte er.

Hastig steckte Danni die Karte ein. «Schon mal was von Briefgeheimnis gehört?»

«Gilt nicht für Postkarten, Herr Verholz.» Nun lächelte dieser Grieske doch mal – und zwar ziemlich breit. «Da soll es ja ganz hübsch sein, im hohen Norden. Man sollte glatt mal seinen Urlaub dort verbringen …»

Sehr geehrter Herr Böhmer,

herzlichen Dank für Ihre Buchung. Gern begrüßen wir Sie am kommenden Samstag in unserem kleinen Inselhotel am Leuchtturm, das Zimmer 1 im Erdgeschoss ist für Sie reserviert. Wir müssen Sie jedoch darauf hinweisen, dass unser Haus derzeit umgestaltet wird und es deshalb zu einigen Beeinträchtigungen kommen könnte. Wir gewähren Ihnen aber einen entsprechenden Nachlass auf den Übernachtungspreis.

Mit freundlichen Inselgrüßen,

Ihre Gastgeberin

Jannike Loog

Knud Böhmer

Hans-Albers-Platz

Jetzt hatte sie ihn endlich mal erwischt: Der Briefträger kam tatsächlich morgens schon kurz nach acht zu ihr gestiefelt. Zu Fuß, ohne Rad, der musste eine halbe Ewigkeit unterwegs sein, und das noch mit seiner schweren Tasche. Normalerweise stand Jannike um diese Zeit erst auf oder frühstückte in ihrer Privatküche, von der aus man das Gartentor nicht sehen konnte, deswegen musste seine Ankunft ihr bislang entgangen sein. Doch die Anspannung, dass der erste Gast am Wochenende eintreffen sollte, hatte sie heute schon bei Sonnenaufgang erwachen lassen. Und die Sonne ging im Juni verdammt früh auf! Gut so, es gab schließlich genug zu tun.

Vielleicht hätte sie Angst nachts so allein in dem großen Haus, eventuell hörte man in der Einsamkeit den Wind im Gebälk oder das Knarzen der alten Holztreppe. Doch Jannike war abends immer viel zu erledigt, um lange wach zu liegen und sich im Dunkeln zu fürchten. Nein, sie fiel zwar meist erst kurz vor Mitternacht in ihr Bett, doch wenn dann die Geisterstunde anbrach, befand sie sich schon im Tiefschlaf, so k. o. war sie am

Ende eines Tages. Da hätte der Klaubautermann persönlich sie nicht wach gekriegt.

«Hallo?», rief sie dem Mann in der altmodischen graublauen Uniform hinterher, der gerade ihren Briefkasten gefüttert hatte.

Er drehte sich zu ihr um, vermied jedoch den Blickkontakt. Hatte der was gegen sie? Er war jünger, als man sich einen Briefträger normalerweise vorstellte. Noch keine vierzig, zudem auch nicht gerade ein Riese. Unter der Schirmmütze zeigten sich dunkelblonde Haare, die in alle Richtungen abstanden wie ein Flokati. Entweder waren sie mit keinem Gel der Welt zu bändigen oder mit jeder Menge Gel genau so hingewuschelt worden, das war schwer zu sagen.

Jannike stand im Türrahmen und hielt die Postkarte hoch. «Könnten Sie etwas für mich ins Dorf mitnehmen?»

Er nickte, machte jedoch keinen Schritt auf sie zu. Der musste doch sehen, dass sie barfuß war und einen Pinsel voller Farbe in der Hand hielt, mit dem sie unmöglich über den Gartenweg laufen konnte, ohne überall grüne Kleckse zu hinterlassen. «Bitte, ich habe so viel zu tun und keine Zeit, selbst in den Ort zu radeln. Und für Sie wäre es doch kein Umweg, oder?»

«Ich komme nicht zu Ihnen», sagte er mit einem fast unmerklichen Akzent. Osteuropa?

«Und warum nicht?»

«Ich habe Angst!»

«Wovor?»

Der Briefträger blieb stumm.

«Vor mir?» Jannike schaute an sich herunter. Stand es so schlimm um sie? Okay, die Hose war inzwischen kaum noch jeansfarben, sondern staubmilbengrau, flurwandweiß, fensterladengrün oder hautfarben eingerissen. An einem Oberarm leuchtete ein feuerroter Sonnenbrand, wirklich nur rechts, als Überbleibsel vom Terrassenaktionstag, da hatte sie anderes im Sinn gehabt, als auf ausgewogene UV-Bestrahlung von allen Seiten zu achten. Die Nervosität und die Anstrengung der letzten Tage hatten Spuren in ihrem Gesicht hinterlassen, wie sie heute Morgen selbst im Spiegel gesehen hatte. Aber musste man sich deswegen vor ihr fürchten?

«Nein, nicht vor Ihnen …»

«Sondern?»

Wahrscheinlich tratschte man im Ort schon über sie, wilde Spekulationen machten die Runde, über die Durchgeknallte, die am Leuchtturm hauste und so tat, als wäre ihre Bruchbude ein Hotel. Hieß es nicht, dass die Einheimischen sowieso immer misstrauisch waren gegenüber allem Neuen?

Aber der Briefträger war allem Anschein nach gar kein gebürtiger Insulaner, also könnte er auch ein bisschen freundlicher sein, fand Jannike. Trotzdem legte sie den Pinsel, mit dem sie gerade noch die Eingangstür gestrichen hatte, zur Seite, nahm die Postkarte an Knud Böhmer in die Hand und lief zum Gartentor.

«Hier, bitte, es wäre schön, wenn das heute noch zum Festland ginge. Es ist dringend, mein erster Gast wartet auf seine Bestätigung, und ich kann ihn telefonisch leider nicht erreichen …»

«Kein Problem.» Er nahm ihr die Karte ab. Seine schmalen Hände zitterten leicht.

«Zwar habe ich keine Ahnung, wo der gute Mann am Samstag schlafen soll und was ich ihm zu essen anbiete, aber ich habe ja noch vier Tage Zeit.»

«Okay.» Wie gebannt schaute er zu der knorrigen Kastanie hinüber.

«Bis dahin müsste ja noch meine Aushilfe kommen. Und die ersten Wochen gibt es auch nur Frühstück, das sollte zu schaffen sein ...» Was erzählte sie da eigentlich? Es war diesem Mann doch herzlich egal, welche Gedanken Jannike momentan vom Schlafen abhielten. «Die Möbel sind schon größtenteils geliefert, aber noch nicht zusammengebaut. Ist ein bisschen mühsam, wenn man nur zwei Arme hat.»

«Verstehe.»

«Ich heiße Jannike Loog.»

Sie lächelte ihn an. Irgendwie musste es ihr doch gelingen, ihm die Angst zu nehmen, meine Güte. Es durfte nicht sein, dass der einzige Mensch, den es regelmäßig zu ihr in den Inselwesten verschlug, bei ihrem Anblick in Schockstarre verfiel. «Ich wohne hier.»

«Ich weiß.» Er steckte die Karte in seine Umhängetasche.

«Woher?»

«Von den Briefen, die ich Ihnen täglich bringe.» Wenn er lächelte, sah er richtig sympathisch aus. Ein oberer Schneidezahn stand schräg.

«Stimmt, wie dumm von mir.» Sie fischte die Post aus dem Kasten, es waren immerhin drei Schreiben gekommen. Erneut drehte sich der Briefträger zum Gehen, und auf einmal war es Jannike furchtbar wichtig, dass er noch nicht von hier verschwand, sondern ihr Gesellschaft leistete, mit ihr sprach, selbst wenn es nur Belanglosigkeiten waren. Wetter, Fußball, Politik – ganz egal! Sie war jetzt also eine von den einsamen älteren Damen, die es auf den Briefträger abgesehen hatten, so weit war es schon mit ihr gekommen. «Kaffee? Seit gestern gehen die Frachtschiffe wieder, und ich habe endlich ein paar Umzugscontainer in Empfang nehmen können. In einem von ihnen steckte meine Kaffeemaschine. Sie kämen also in den

Genuss der allerersten Tasse, die von mir in diesem Hotel gekocht wird.»

Zu ihrer großen Überraschung nickte er. «Kaffee klingt gut.» Er setzte die Mütze ab. Darunter hatte er geschwitzt, der Scheitel war nass, Locken kringelten sich, also war das doch echt und nicht kunstvoll frisiert. Während er zum Haus ging, blickte er sich permanent um. Hatte er etwa Angst, beobachtet zu werden? Von wem? Die nächsten Menschen waren die Mitglieder der Familie Wittkamp, von denen hatte sich seit Miras erstem Anstandsbesuch vor drei Tagen aber niemand mehr blickenlassen.

«Alles okay?», fragte sie vorsichtshalber noch einmal nach. Aber er nickte nur und machte nicht den Eindruck, als wolle er über sein offensichtliches Unwohlsein reden. Na ja, vielleicht gleich, beim Kaffee ...

Erst als er drinnen war, entspannte der Briefträger sich ein wenig. «Sie haben doch schon richtig was geschafft», staunte er, nachdem er den frisch gestrichenen Flur in Augenschein genommen hatte. Dann folgte er Jannike in die Hotelküche, in der es leider noch immer keinen Deut besser aussah als bei ihrer ersten Besichtigung im Beisein des Maklers. Bis hierhin waren weder Pinsel noch Wischmopp vorgedrungen. Das Einzige, was sauber war und funkelte, war der chromfarbene Kaffeeautomat, original italienisch, das Ding hatte sie Danni nach allen Regeln der Kunst abschwatzen müssen. Wie gut, dass es ihr gelungen war, denn erstens konnte sie damit – wenn dieser Knud Böhmer am Wochenende anreiste und alles andere wüst und unfertig war – ihrem Gast wenigstens ein anständiges Heißgetränk servieren. Und zweitens hatte der Anblick dieses motorrollergroßen Geräts etwas Symbolisches: Hier würde es bald ganz wunderbar riechen, sie würde das vertraute Mahlwerk hören und das Blubbern danach, wie zu Hause in ihrer Wohnung in Köln. Dieses Ding zeigte ihr: Du bist in keinem anderen Leben gelandet, sondern nur umgezogen. Sie war das stete Leuchtfeuer, nur die Umgebung hatte sich um sie gedreht. Jannike war dieselbe, die Kaffeemaschine war dieselbe, so what?

Sie stellte das Ding an. «Espresso? Cappuccino? Latte macchiato?», fragte sie den Briefträger, der etwas verloren zwischen Geschirrspüler und Gefrierschrank stand.

«Kaffee reicht», sagte er. «Schwarz.»

Ob das was werden würde mit dem kleinen Plausch gegen die Einsamkeit? Besonders gesprächig schien er jedenfalls nicht zu sein. Fast war es Jannike schon wieder peinlich, diesem schüchternen Kerl ihre Gesellschaft quasi aufgedrängt zu haben.

Um die Wartezeit bis zur vollen Tasse zu überbrücken, nahm sie die Briefe zur Hand und öffnete den ersten. «Mist!», sagte sie.

«Schlechte Nachrichten?»

«Wieder eine Absage.» Nun hatte also auch die zweite, von der Jobagentur zugesagte Aushilfskraft die Segel gestrichen. Die Begründung unterschied sich nur in den Details vom gestrigen Schreiben: Entschuldigung, aber die Oma ist krank (gestern war es der Vater gewesen), der Hund ohne Aufsicht (gestern der Garten), es liegt eine heftige Seekrankheit (Allergie gegen Salzwasser) vor, auf Verlangen könne gern ein ärztliches Attest nachgereicht werden. Jannike zerriss das Papier. «Ich wollte es ja nicht glauben, als mir Frau Wittkamp prophezeit hat, wie schwer es ist, Personal auf die Insel zu bekommen. Und nun stehe ich hier ganz allein mit einem Haufen Arbeit. Wie soll ich das bloß schaffen? Schauen Sie sich doch mal um!»

Aber genau jetzt war es das erste Mal, dass er ihr direkt ins Gesicht blickte. Seine Miene war schuldbewusst, als glaubte er, sie mache ihm einen ernsthaften Vorwurf, weil er so frustrierende Post in den Kasten geworfen hatte.

Die Maschine war jetzt betriebsbereit, hastig brühte Jannike den Kaffee auf und stellte ihn vor den Mann. «Wie heißen Sie eigentlich?»

«Mattheusz.» Er nippte an der Tasse. «Kaffee ist gut!»

«Und woher kommen Sie?»

«Aus Gdańsk. Also Danzig.»

«Und warum arbeiten Sie hier auf der Insel?»

«Weil Post keinen anderen gefunden hat, der den Job machen will.»

«Na, dann haben die Post und ich ja ein ähnliches Problem. Sie wollen nicht zufällig umsatteln und im Hotel …?»

Er hob abwehrend die Hände. «Post ist gut!»

«Aber Putzen, Waschen, Kochen und Gärtnern ist nicht gut?»

«Dafür habe ich kein Talent. Schon probiert.»

«Schade!»

Jetzt war auch Jannikes Cappuccino fertig, der Milchschaum ließ noch etwas zu wünschen übrig. «Und dann hat mir der Inselbürgermeister persönlich auch noch die Organisation für das Leuchtturmfest aufgebürdet. In weniger als vier Wochen. Das ist doch eine Unverschämtheit, am liebsten würde ich diesem Siebelt Freese und seinen Ratsleuten mal höchstpersönlich die Meinung geigen!»

«Dann machen Sie das! Donnerstagabend um halb acht ist Sitzung im Rathaus, öffentlich, kann jeder kommen.»

Das war eine gute Idee, fand Jannike. Die sollten sie alle mal kennenlernen! «Warum laufen Sie eigentlich die lange Strecke zu Fuß? Stellt Ihnen Ihre tolle Post kein Fahrrad? Bei mir gäbe es eines, ich hab's im Keller stehen sehen!»

Fast hätte er sich an seinem Kaffee verschluckt. «Ich fahre kein Fahrrad. Ich kann, ich habe auch eins mit großem Gepäckträger, aber will ich nicht.»

«Und warum nicht?»

«Wenn Sie wissen wollen, warum, dann begleiten Sie mich doch mal. Am besten früh am Morgen, so wie jetzt. Sie werden verstehen!»

Mit viel Phantasie könnte man das als Einladung verstehen, dachte Jannike und freute sich darüber. Okay, sie stand in einer verdreckten Küche, war übersät mit Farbe und den Spuren, die die Arbeit der letzten Tage hinterlassen hatte. Aber sie hatte heute noch keinmal an Clemens gedacht, auch noch nicht an die Sendung und den Karriereknick, den der Rauswurf ihr eingebracht hatte. Donnerstag würde sie bei dieser Ratssitzung auftauchen und klarstellen, dass sie sich nicht einfach bevormunden ließ – das war mehr als nur eine Kontaktaufnahme zu den Einheimischen, sondern würde ihr erster öffentlicher Auftritt werden, seitdem das Leben beschlossen hatte, sich von der unangenehmen Seite zu zeigen. Und: Sie hatte, wenn sie wollte, ein Date mit dem polnischen Inselbriefträger.

Das war doch schon mal mehr als nichts.

Close Up Magazin
Köln

Haberlandstraße 35
Köln-Bocklemund
Tel. 0221-14562498
Fax 0221-14562499

Sehr geehrte Damen und Herren, Köln, 24.06.2000

hiermit bestätigen wir – die 4-2-eyes productions Köln Bocklemünd –, dass unsere ehemalige Moderatorin der Sendung "Liedermeer" – bekannt unter dem Künstlernamen Janni – eine einmalige Abfindung von 500.000 Euro von uns erhalten hat.

Damit sind die gegenseitigen Geschäftsbeziehungen endgültig erloschen.

Wir distanzieren uns explizit von der sogenannten Schleichwerbungs-Affäre. Sollte es tatsächlich zu internen Absprachen gekommen sein, die das häufige und kamerawirksame Tragen der Wetterjacke der Firma "Springtide" gegen eine entsprechende Geldzuwendung an unsere ehemalige Moderatorin zum Inhalt hatte, so ist uns davon nichts bekannt, und wir verurteilen diese Praktik ausdrücklich.

Mit freundlichen Grüßen,

Clemens Micke
stellvertretender Geschäftsführer

Clemens Micke
stand an der Glasfront seines Büros,
zog an seiner Elektrozigarette und schaute hinaus in den Hof. Er wusste, die Scheiben waren einseitig verspiegelt, niemand würde ihn von draußen sehen. Doch alle Mitarbeiter von *4-2-eyes productions* wussten von seiner Angewohnheit, das Kommen und Gehen in dieser Firma ständig zu beobachten. Einige lästerten, das Logo der Filmproduktion – zwei überdimensionale Augen – sei von Clemens Micke inspiriert. Nun, warum nicht.

Dementsprechend benahmen sich die gut fünfzig Angestellten auch, selbst dann, wenn Clemens gar nicht hinguckte, denn als Vize war sein Terminkalender zu voll, um den lieben langen Tag auf dem Posten zu bleiben. Doch es könnte ja sein, dass er den Praktikanten aus der Tontechnik mit der kleinen Bürokauffrau beim Knutschen erwischte, wie neulich gegen Mittag; oder dass er dem Aushilfspförtner auf die Schliche kam, wenn der den langen Weg zu den sanitären Anlagen scheute und stattdessen sein kleines Geschäft an der Mauerecke erledigte. Ausgedehnte Raucherpausen am Personaleingang? Da war man schnell seinen Job los. Das wollte niemand riskieren. Big Micke is watching you, lautete die Devise. Er hatte alles unter Kontrolle, blieb dabei aber unsichtbar.

Als der schwarze Sportwagen vorfuhr, zog Clemens seine Faust aus der Hosentasche und schaute auf die silberne Uhr an seinem Handgelenk: Natürlich kam Danni mal wieder zu spät, genau wie gestern, genau wie an fast allen Tagen der letzten Woche. Die Musiker standen im Studio, Gila hatte sich schon vor einer Dreiviertelstunde eingesungen, sämtliche Mikros waren justiert, und dann gab Dankmar Verholz sich schließlich die Ehre, mit seinem Porsche auf dem Parkplatz der Produktionsfirma einzutrudeln.

«Hopp hopp!», rief Clemens, und sein Atem schlug gegen das Glas. Er malte mit dem Finger ein Kreuz in den feuchten Fleck. Mein Gott, dieser Mann war ohne Janni, seine bessere Hälfte, so was von aufgeschmissen, es war anzunehmen, dass er es nicht mehr lange machte. Schade drum, es hatte mal eine Zeit gegeben, da hatte Dankmar Verholz das Zeug zum Songwriter gehabt.

Danni konnte ihn weder sehen noch hören, und doch warf er Clemens treffsicher einen finsteren Blick zu. Seinen Standardblick. Gesprochen hatten sie schon seit Monaten nicht mehr miteinander. Es gab eine stille Übereinkunft zwischen ihnen: Jeder kannte das dunkle Geheimnis des anderen, und solange beide schwiegen und alles glattlief, war man sicher voreinander.

Trotzdem hatte Clemens das merkwürdige Gefühl, dass Dannis Blicke noch ein bisschen finsterer ausfielen, seit die Sache mit Janni passiert war. Nun gut, Blicke konnten ja bekanntlich nicht töten, und was einen nicht umbrachte, machte härter, sagte man das nicht so?

«Clemens?» Seine Assistentin rief durch die Sprechanlage. «Noch fünf Minuten bis zur Sitzung. Die Unterlagen für die Sommersendung liegen bereit.» Wie gut, dass seine Mitarbeiter einwandfrei funktionierten. So kam er nie auch nur eine Sekunde zu spät und brauchte sich zudem nicht den Kopf zu zerbrechen, ob er alles dabeihatte oder woher man mal eben eine halbe Million bekam. Die Frauen und Männer in den Großraumbüros hatten die beste Übersicht, auf welchen Konten gerade irgendwelche Fördergelder zwischengeparkt waren, weil die Realisierung des Filmprojektes noch länger als ohnehin schon üblich auf sich warten ließ oder niemals erfolgen würde. Keiner würde die Summe vermissen, zumindest nicht bis zum Jahresabschluss. Bis dahin war wieder woanders öffentliches oder privates Geld aufgetrieben worden, das man zum Stopfen der Finanzlöcher nutzen konnte. Seine Assistentin beherrschte das aus dem Effeff. Das war nicht ganz legal, aber auch nicht richtig verboten, zudem hatte Clemens die an Gewissheit grenzende Vermutung, dass einige Konkurrenten es ganz ähnlich handhabten.

Er knipste seine rauchfreie Zigarette aus, legte das Ding auf den Schreibtisch neben das Familienfoto, auf dem er mit seiner Frau Agnes und den Zwillingen um die Wette grinste. Urlaubserinnerung, Malta letztes Jahr. Im Alltag hatten sie alle nicht so viel zu lachen.

Dann verließ er sein Büro. «Ich habe dir eben einen Faxentwurf per Mail geschickt, kannst du diesen bitte umgehend an den lästigen Reporter von *Close Up* schicken?», instruierte er seine Assistentin. Dann schnappte er sich die Unterlagen und fuhr mit dem Lift in die obere Etage, wo das Besprechungszimmer untergebracht war.

Die meisten waren schon versammelt, es herrschte die übliche Anspannung, die immer zu spüren war, wenn nur noch drei Wochen bis zur großen Sommersendung blieben. Was jetzt nicht lief, war kaum noch in Gang zu kriegen. Am Kopfende saß Clemens' Chefin, wie immer im knallroten Kostüm, das war ihr Markenzeichen und auch so etwas wie eine Kampfansage an alle, die es wagen sollten, ihr zu widersprechen. Das schwarze Haar war glatt und in exakten Linien geschnitten, selbst wenn sie den Kopf energisch schüttelte – was bei Sitzungen oft der Fall war –, fielen ihr die Strähnen danach wieder schnurgerade auf die Schultern.

«Wie läuft es mit Gila?», fragte die Frau Doktorin, so nannte er seine Chefin im Stillen.

Kurz glaubte Clemens, sie spiele auf die letzte Nacht an, denn da war es gut gelaufen zwischen ihm und seiner neuen Gefährtin. Doch wie gesagt, er hatte es drauf, sich unsichtbar zu machen, in der Firma und auch sonst wo wusste – hoffentlich – kein Mensch, dass Gila nicht nur in der Sendung *Liedermeer* die Nachfolge von Janni angetreten hatte. «Sie steht gerade im Studio und singt die neue Titelmusik ein. Soweit ich das beurteilen kann, macht sie ihren Job gut.»

«Dein Wort in Gottes Gehörgang. Der Start wird schwer genug.» Wie auf ein unhörbares Kommando hin leuchtete eine PowerPoint-Präsentation auf. Farbige Balken offenbarten unerfreuliche Erkenntnisse. Es war die bevorzugte Art der Frau Doktorin, ihren Untergebenen mit hübschen Bildern ganz hässliche Sachen aufzutischen. «Eine von uns in Auftrag ge-

gebene Umfrage macht leider deutlich, dass die Sängerin Gila Pullmann der deutschen Fernsehnation nahezu unbekannt ist. Und die wenigen, die sie kennen …» Das Bild wechselte, eine Grafik zeigte eine nach unten absinkende Kurve. «… halten sie für absolut ungeeignet, die Sendung zu moderieren.»

Alle schwiegen. Alle, das waren die Männer aus der Finanzierungsabteilung, die kreativen Macher, die Technikexperten und die Leute, die im direkten Kontakt zu den Sendern standen. Normalerweise waren sie nicht zu bremsen, wenn es darum ging, klug daherzureden, um die Frau Doktorin zu beeindrucken. Dass sie heute lieber ihre Klappe hielten, war ein ganz schlechtes Zeichen.

«Clemens, versprichst du mir, dass Gila in drei Wochen in der Oberlausitz eine sensationelle Show abliefern wird? Denn das ist unsere einzige Chance, *Liedermeer* auf dem Samstagabendplatz zu halten.»

Er schluckte trocken. «Klar, das verspreche ich.» Er musste später unbedingt mit Gila reden. So sicher war er sich nämlich leider gar nicht, ob die alles im Griff hatte und sich des Ernsts der Lage bewusst war. Gila war in solchen Dingen etwas blauäugig und neigte außerdem dazu, sich und ihr Talent zu überschätzen.

Ein Finger ging nach oben. Er gehörte zu einer der Redakteurinnen, die sich um die Planung des Ganzen kümmerten. Sie hieß Regine und hatte Nerven wie Drahtseile. Trotzdem sah sie heute erstaunlich nervös aus. «Ich fürchte, die Sommerausgabe steht irgendwie unter einem schlechten Stern.»

«Warum?»

Regine hielt ein Fax nach oben. «Nachrichten aus der Oberlausitz. Das Hochwasser droht unseren geplanten Drehort zu fluten. Sie befürchten das Schlimmste.»

«Und?»

«Na ja, wir können ja schlecht eine unserer Friedefreudeeierkuchen-Shows drehen, wenn direkt nebenan Sandsäcke geschleppt werden und die Einwohner der Region um ihre Häuser und Existenzen fürchten.»

Die Frau Doktorin verzog säuerlich den Mund. «Wir machen keine Friedefreudeeierkuchen-Shows. Wer so etwas behauptet, sollte lieber nicht in diesem Team arbeiten. *Liedermeer* ist eine der beliebtesten Reise- und Musiksendungen im deutschsprachigen Raum. Unsere Quoten steigen seit fünf Jahren kontinuierlich an, und zwar nicht nur bei den Rentnern, sondern auch bei der marktrelevanten Zielgruppe zwischen 14 und 49 Jahren. Kannst du dich nicht mit unseren Inhalten identifizieren, Regine? Dann wechsle doch besser zur Kulturschiene, dreh Filme über verkopfte Schriftsteller und deren noch verkopftere Kritiker – und verdien die Hälfte deines jetzigen Gehalts.»

Es klang, als würde Frau Doktorin den Text von einem Merkblatt ablesen, gestochen scharf und ohne einen einzigen Verhaspler. Doch die Chefin von 4-2-*eyes* beherrschte solche Vorträge aus dem Stegreif. Wer einmal mit dieser Frau zu tun gehabt hatte, der fand Clemens Micke mit seinen Überwachungsmethoden vergleichsweise herzlich.

Regine duckte sich und machte eine beschwichtigende Geste. «Dennoch, unser Ansprechpartner vor Ort kann nicht mit Bestimmtheit sagen, dass wir dort definitiv drehen können. Der höchste Wasserstand wird morgen erwartet, dann wissen wir mehr.»

«Gibt es denn notfalls eine Alternative?», fragte Moritz von der Tontechnik.

Manchmal musste man sich schon wundern über die Naivität einiger Mitarbeiter, fand Clemens. «Wie sollen wir auf die Schnelle einen Ort finden, der bereit ist, diesen Aufwand zu betreiben? Erinnern Sie sich noch an die Dreharbeiten im letzten Jahr? Auf dieser Nordseeinsel?»

Moritz von der Tontechnik nickte, und sein Ziegenbärtchen wackelte. «Voll der Horror.»

«Genau, voll der Horror», äffte die Frau Doktorin ihn nach. «Anfahrt, Transport des Equipments, Unterbringung – das ist schon alles kompliziert genug. Und dann brauchen wir im Falle eines Ortswechsels noch ein neues Konzept – und zwar alles mit einer völlig unerfahrenen Moderatorin vor der Kamera! Da sehe ich persönlich schwarz.»

Regine holte den Notizblock heraus. «Also die Oberlausitz oder ein mittelgroßes Wunder, verstehe ich das richtig, Frau Dr. Micke-Ebertsheim?»

«So ist es: die Oberlausitz oder ein eher ziemlich großes Wunder.» Dann wandte sich die Frau Doktorin an Clemens und raunte ihm zu: «Und jetzt sieh zu, dass du loskommst. In zwanzig Minuten müssen die Zwillinge vom Ballett abgeholt werden.»

«Aber Agnes, ich dachte ...»

«Du wolltest das übernehmen, so war es verabredet. Ich habe jetzt noch ein Treffen mit dem Intendanten, kann später werden!» Kurz strich sie mit ihrer Hand über seine. Es fühlte sich an, als wäre der Winter zurückgekehrt.

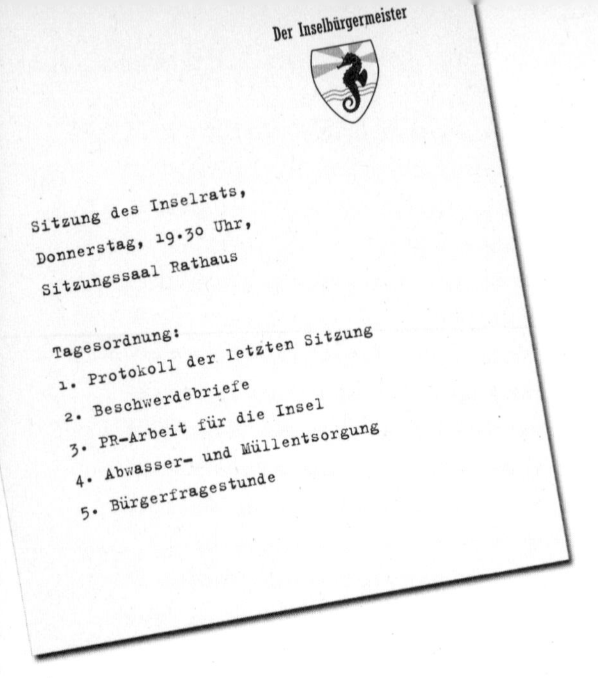
Der Inselbürgermeister

Sitzung des Inselrats,
Donnerstag, 19.30 Uhr,
Sitzungssaal Rathaus

Tagesordnung:
1. Protokoll der letzten Sitzung
2. Beschwerdebriefe
3. PR-Arbeit für die Insel
4. Abwasser- und Müllentsorgung
5. Bürgerfragestunde

Während sie bei schönstem Sommerwetter auf dem etwas zu hohen Herrenrad Richtung Inseldorf fuhr, zählte Jannike die Kurven, in denen sich der holprige Weg um die Dünen schlängelte. Es waren sechs bis zum nächsten Haus, bis zur *Pension am Dünenpfad*, in dem Mira Wittkamp mit ihrer Familie lebte. Unterwegs begegnete sie bis auf drei unscheinbaren Fasanenweibchen und einem Dutzend absolut harmloser Kaninchen niemandem. Um diese Zeit saßen die Touristen wohl in den Speisesälen ihrer Herbergen und nahmen die Halbpension in Anspruch. Tagsüber radelten hier alle naselang Familien und rüstige Rentner entlang, heute hatte Jannike zum ersten Mal den Leuchtturm aufgeschlossen, und es waren sicher zwei Dutzend Besucher hinaufgestiegen. Und ungefähr die Hälfte davon hatte von ihrem Angebot Gebrauch gemacht und anschließend Kaffee und Kuchen auf der Terrasse genossen. Etwas über fünfzig Euro hatte Jannike verdient und war ungefähr so stolz gewesen wie damals, als sie ihren ersten Babysitterjob absolviert hatte. Fünfzig Euro! Abzüglich der Fertigbackmischung, mit deren Hilfe sie tatsächlich einen Marmorkuchen hinbekommen hatte, minus die Kaffeebohnen und den Friesentee, Zucker, Kluntje, Sahne, Milch, alles noch kurzfristig im ziemlich überteuerten *Inselkoopmann* besorgt – egal, darum ging es nicht. Die Gäste hatten in der Sonne gehockt und sich unterhalten, keiner hatte gemeckert, weil es weder Limonade noch Kutterscholle Finkenwerder Art, noch Küstennebel gab. Und eine Frau hatte beim Kassieren gesagt: «Schön haben Sie es hier!» Das hatte sich richtig gut angefühlt.

Der Ausflug in den kleinen Supermarkt im Ortskern war seit Jannikes Einzug ihr erster Besuch in der Zivilisation gewesen, und das Bad in der Menschenmenge hatte sich fast so angefühlt, wie wenn man am dritten Adventssonntag den Kölner Weihnachtsmarkt besuchte. Inzwischen steuerte nämlich alles auf die Hauptsaison zu, und die Insel quoll über. An der Supermarktkasse hatte sie ewig angestanden, vor und hinter sich Motzköpfe, die sich über die Unzumutbarkeit des Wartens aufregten, die hätte man auch samstagmittags im Rewe in Köln-Rodenkirchen angetroffen. In den Sommerferien stülpten sich die Verhältnisse womöglich um, da war die Großstadt am Rhein eine Oase der Ruhe und des Friedens – dafür steppte hier auf der Insel der Bär.

Doch jetzt war der Inselwesten wieder einsam. Sechs Dünenkurven und keine Menschenseele. Prompt hatte der klapprige Drahtesel auf halber Strecke schon so viel Luft verloren, dass Jannike ziemlich unsanft auf den Felgen fuhr. Obwohl sie alles gab, schwitzte und nach Luft schnappte, kam sie nur elend langsam voran.

So konnte sie es kaum pünktlich bis zur Inselratssitzung schaffen. Und wie würde das aussehen, wenn sie als frisch Zugezogene völlig verschwitzt und zu spät in den Saal platzte und dann beim letzten Tagesordnungspunkt – der Bürgerfragestunde – damit begann, die Entscheidungsträger der kleinen Gemeinde einzunorden, was man mit ihr machen konnte oder besser bleibenließ?

Ehrlich, sie war dermaßen geladen! Die Wut über die kurzfristige Absage ihrer Saisonarbeiterinnen hatte Jannikes Motivation um Seemeilen zurückgeworfen. Da hatte auch das Kaffeekränzchen auf der Sonnenterrasse nichts bewirken können. Sie brauchte eine helfende Hand im Haus, denn es würde in der nahen Hauptsaison nicht bei zwölf Heißgetränken und einem Marmorkuchen bleiben.

Immerhin funktionierte inzwischen die Telekommunikation. Als sie nach mehr als einer Woche Abstinenz zum ersten Mal wieder ihre E-Mails abrufen konnte, war Jannike richtig feierlich zumute gewesen – für kurze Zeit nur, denn dann wurde ihr klar, dass ihr virtuelles Postfach gähnend leer war, weil man beim Sender die Adresse gelöscht hatte, *janni@liedermeer.de* gab es nicht mehr. Alle Mails an sie liefen seit Tagen ins Datennirwana, egal ob neugierige Journalistenfragen oder aufmunternde Worte der treuen Fans. Noch nicht einmal die obligatorische Werbung für Potenzmittel war bei ihr gelandet. Nun, darum war es nicht schade, trotzdem war sie von der Erkenntnis, aus ihrem bisherigen Leben hinauskatapultiert worden zu sein, einigermaßen schockiert. Erst die Verdächtigungen, dann der Rauswurf, Clemens' Verrat … Ihr Leben, das bislang so geradlinig verlaufen war, hatte es bei Höchstgeschwindigkeit aus der Kurve gerissen. Eben noch ganz vorn dabei, stand Jannike jetzt in der hinterletzten Reihe. Es kostete sie ein paar Tränen und einen Marsch von 172 Treppenstufen rauf und runter, bis sie sich wieder halbwegs gefangen hatte.

Ansonsten hatte Jannike nach dem Besuch des Briefträgers vorgestern in Sachen Klarschiffmachen nicht mehr viel zustande bekommen. Lediglich die Eingangstür war zu Ende gestrichen worden, und dann hatte sie recht lustlos das Geschirr und Besteck in der Küche sortiert, die Schränke ausgewischt und wieder eingeräumt, das Mobiliar im Frühstücksraum entstaubt und platziert. Gut, das war mehr, als sie bis vor kurzem sonst innerhalb einer Woche an körperlicher Arbeit verrichtet hatte. Doch im Hinblick auf den Gast, der übermorgen Vormittag auf der Matte stehen würde, war es eindeutig zu wenig.

Das Zimmer, in dem der Reisende aus Hamburg übernachten sollte, sah noch immer wüst aus. Es blieb nur noch ein Tag, um Bett und Schrank aufzubauen, die leider unsagbar hässlichen, aber doch frischgewaschenen Vorhänge aufzuhängen und die Lampen zu montieren. Letzteres hatte sie noch nie in ihrem Leben gemacht. Jannike hoffte, die Anleitung, die sie im Internet gefunden hatte, taugte etwas. Sonst würde dieser Knud Böhmer seine Gastgeberin übermorgen stromschlaggeröstet in Zimmer 1 vorfinden. Den Gedanken verdrängte sie besser ganz schnell wieder.

Jetzt war sie erst einmal wild entschlossen, ihre schlechte Laune an diesem Siebelt Freese auszulassen, denn irgendwo musste das Gefühl ja hin, und der Bürgermeister hatte ihr mit diesem Leuchtturmfest noch einen zusätzlichen Klotz ans Bein gebunden. Dem würde sie was erzählen! Falls der Plattfuß nicht alles zunichtemachte. Wundern würde es Jannike nicht. Die letzten Meter musste sie schieben, dann tauchte die kleine, reetgedeckte Pension zwischen den Dünen auf. Vielleicht hatte sie Glück, und Mira oder ihr Mann waren zu Hause und im Besitz einer Luftpumpe.

Die Wittkamps mochten es verspielt, einige Fähnchen flatterten im Vorgarten zwischen Brombeeren und Sanddorn, und statt eines Klingelknopfes fand Jannike an der seitlichen Eingangstür, auf der *Privat* stand, nur eine Schnur, die über eine Seilwinde zur kleinen Messingglocke unterm Giebel führte. Das sah nett aus, das machte einen schönen Klang, irgendwann in ferner Zukunft würde sie auch so etwas an ihrem Hoteleingang installieren.

«Hallo? Jemand da?» Nichts regte sich. Auch nach dem zweiten Klingeln blieb es still. Sie drückte die Türklinke, weil sie mal gehört hatte, dass auf der Insel alle Häuser unverschlossen waren. Selbst sie hatte keine Schlüssel mitgenommen, warum auch? Allein die lange Anfahrt durch die Dünen war für Kriminelle doch schon abschreckend genug. Zudem kannte hier jeder jeden, und die Menschen waren ehrlich. Doch das mit den offenen Türen musste ein Gerücht gewesen sein, denn diese hier war zu.

Jannike schaute sich um, ein schmaler Pfad führte hinter das Haus, wo sie zwischen einigen geduckten Silberpappeln einen Fahrradschuppen erkennen konnte. Ob es wohl sehr dreist war, da mal nachzuschauen? Unschlüssig blieb sie stehen, rief noch ein paarmal «moin» und «hallo» und «Frau Wittkamp?», bis sie sich sowieso schon ziemlich blöd vorkam, also konnte sie auch ums Haus schleichen, das machte es nicht mehr schlimmer. In dem kleinen Garten standen mehrere Liegestühle, eine Schaukel und ein Sandkasten, wie gut, dann war der also auch für die Gäste nutzbar und somit halbwegs öffentlich.

Die Luftpumpe war schnell gefunden, der Schuppen sehr übersichtlich sortiert und das Werkzeug griffbereit. Mit dem

Teil in der Hand ging Jannike zur Straße, wo ihr jämmerliches Fahrrad stand. Erst jetzt fiel ihr auf, dass bei den unteren Fenstern, die vermutlich zur Privatwohnung der Wittkamps gehörten, alle Läden zugeklappt waren. Ob die Familie verreist war? Mitten in der Hauptsaison? Herr Wittkamp saß doch im Inselrat, der würde sicher nicht einfach so eine Sitzung schwänzen. Warum also sperrten sie um diese Zeit das wunderbare Sonnenlicht aus? So warm war es auch wieder nicht, dass man für eine schattige Wohnung sorgen musste.

Jannike klemmte die Pumpe an das Ventil und begann, den Reifen zu füllen. Vielleicht hatten die Wittkamps kleine Kinder, die um diese Zeit schlafen mussten. Und damit sie nicht von den Hausgästen oder Luftpumpen ausleihenden Nachbarinnen geweckt wurden, hatte man die Fensterläden zugeklappt, ja, das konnte sein. Aber hatte diese Mira nicht angedeutet, dass ihre Kinder schon zur Schule gingen? Es war zehn nach sieben, so früh mussten selbst ABC-Schützen noch nicht in die Kiste.

Na ja, das war nicht ihr Problem, und der platte Reifen zum Glück auch nicht mehr, Jannike brachte die Pumpe zurück in den Schuppen, legte das Ding genau dorthin, wo sie es vorgefunden hatte, mit etwas Glück würde diese peinliche Ausleihaktion unbemerkt bleiben …

«Frau Loog? Was suchen Sie denn in unserem Schuppen?»

Mist! Jannike drehte sich um, mit hochgezogenen Schultern, wie es sich für frisch Ertappte gehörte. «Entschuldigung, bei meinem Reifen war die Luft raus und …»

Mira Wittkamp lächelte. Gleichzeitig sah sie aber auch unglaublich blass und müde aus, das Grau im Haaransatz fiel heute mehr auf als bei ihrer ersten Begegnung. Ihre Kleidung sah aus, als hätte sie darin übernachtet. «Ach so!»

«Ich hab geklingelt und gerufen, aber es hat mich niemand gehört.»

«Kein Problem.» Sie winkte ab. «Nehmen Sie die Luftpumpe ruhig mit, wir haben noch drei weitere. Wenn in Ihrem Reifen ein Loch ist, müssen Sie ja eh wieder Luft haben.»

«Danke, das ist sehr nett!» Vor Erleichterung bekam Jannike weiche Knie. Langsam gingen sie nebeneinanderher zum Dünenpfad.

«Meine Stammgäste haben heute bei Ihnen einen Kaffee getrunken. Es hat ihnen gut gefallen.»

«Das freut mich.» Jannike spürte, dass sie rot wurde. Das war ihr ja seit Ewigkeiten nicht passiert.

«Und, wie geht es sonst so voran im Hotel?»

«Wenn ich ehrlich sein soll: Ziemlich besch… .»

«Bescheiden?» Jetzt war aus dem Lächeln ein Grinsen geworden. «Woran hapert es?»

«Na ja, Sie hatten leider recht, die Aushilfen von der Jobbörse sind beide nicht gekommen. Dafür reist übermorgen schon mein erster Gast an. Ich habe keine Ahnung, wie ich das alles bewerkstelligen soll.»

Es war nicht zu übersehen, dass Mira Wittkamp sich zu etwas durchringen musste, aber dann holte sie entschlossen Luft und bot ihre Hilfe an. «Tagsüber habe ich zwar keine Zeit, aber abends, wenn bei uns Ruhe im Karton ist … Gardinennähen ist meine Spezialität.»

«Das … wäre ja toll, die Vorhänge in den Zimmern sind ganz schrecklich. Aber wie soll ich jetzt noch an passenden Stoff kommen?»

«Alte Tischdecken», schlug Mira Wittkamp vor, als sei es das Naheliegendste der Welt. «Müsste es im Hotel noch massenhaft geben.»

«Stimmt, in einem der Küchenschränke habe ich gestern welche gesehen. Schlicht weiß.»

«Könnte ich machen. Heute Abend noch.»

Das war ja unglaublich! So ein Akt der Nachbarschaftshilfe wäre in Köln nie und nimmer denkbar, da blieb lieber jeder in seiner Wohnung und passte auf, dass das gute Parkett nicht zerkratzte. Auf den ersten Blick hatte Jannikes neue Nachbarin etwas distanziert gewirkt, fast so ablehnend, wie man sich das von einer typischen Friesin vorstellte. Doch nun bot sie patente Unterstützung an. «Schade, heute Abend bin ich leider nicht da. Ich wollte zur Ratssitzung ...»

«Da müssen Sie sich aber sputen», Mira Wittkamp schaute auf die Uhr, «die fängt in fünfzehn Minuten an.»

«Ich weiß! Also, die Tür ist nicht verschlossen, Sie könnten da jederzeit rein, wenn es Ihnen passt.»

«Gut, dann schaue ich später mal nach, ob ich die Decken finde. Und wenn ich schon da bin, kann ich auch gleich die Fenster ausmessen.»

«Das wäre super!»

«Welches Zimmer?»

«Eins – unten neben dem Frühstücksraum.»

«Alles klar, das finde ich.»

Jannike hätte diese Mira Wittkamp am liebsten umarmt, aber das wäre dann womöglich eine Nummer zu herzlich gewesen für eine Frau ihres Kalibers.

«Ich werde mich ganz sicher mal revanchieren», versprach sie, und dann radelte sie weiter, ihre miese Laune hatte sich schon fast verflüchtigt.

Von der *Pension am Dünenpfad* bis zum Kurpark, der das Zentrum der Insel bildete und auch ganz in der Nähe des Rathauses lag, fuhr man noch einmal dieselbe Strecke. Jedoch war ab hier die Straße deutlich besser gepflastert, und der pralle Schlauch im Hinterrad machte das Vorankommen wesentlich leichter.

Ans Radfahren musste Jannike sich ohnehin erst mal gewöhnen, hier gab es nämlich keine Alternative. Autofahren war bis auf wenige Ausnahmen, die das Rettungswesen vor Ort betrafen, strengstens untersagt. Das, was üblicherweise auf dem Festland im Kofferraum eines PKW oder der Ladefläche größerer Autos transportiert wurde, lag hier auf den Anhängern kleiner Elektromobile oder wurde von Pferdefuhrwerken gezogen. Den Rest musste man eben irgendwie, auf den Gepäckträger des Fahrrads geklemmt, von A nach B kriegen. Über Stock und Stein und Sandverwehungen. Früher, in den Sommerferien, hatte Jannike diesen Zustand als paradiesisch empfunden. Heute wurde ihr das erste Mal bewusst, dass diese Regelung ihr Leben ganz schön kompliziert machen würde. Was, wenn sie mal richtig groß einkaufen, ein dickes Paket abholen oder Weinflaschen heile nach Hause bringen musste? Besser, sie gewöhnte sich ans Radeln, noch besser, sie besorgte sich ein Gefährt, das praktischer war als dieses quietschende Herrenrad aus dem Hotelfundus.

Das Inseldorf war durch einen haushohen Deich vor eventuellen Fluten geschützt, der Durchlass, welcher in den grünen Wall gebaut worden war, ließ sich im Notfall mit schweren Eisentüren schließen. Doch soweit Jannike wusste, waren diese Maßnahmen schon seit Urzeiten nicht mehr ergriffen worden, die Nordsee zeigte sich nur selten so wütend, dass man um das Eiland fürchten musste. Der Deich verlieh dem Ort den Charme einer Trutzburg, sicher umhüllt, war das Dorf durch vier Tore, aus jeder Himmelsrichtung eins, zu betreten. Jannike kam von Westen, die tiefstehende Sonne hinter ihr bestrahlte die Backsteinhäuser und ließ sie in warmem Rot leuchten. Am Kurpark versammelten sich die ersten Gäste, die mit dem Essen fertig waren und nun mit einem Glas Bier oder Wein in der Hand den Abend begrüßen wollten. In einer kleinen Konzertmuschel spielte das Kurorchester ein Stück von Strauss. Jannike summte mit, das Abendlied hatte sie mal im Klassikunterricht einstudiert, am liebsten hätte sie laut mitgesungen: *Alles, was das Licht geschieden, ist verbunden, alle Wunden bluten süß im Abendrot* … Was für ein Text, wie gut, dass der Gesangspart hier von einer Violine übernommen wurde, das hätte die Touristen sonst womöglich in ihrem Urlaubsfrieden gestört. Wie hübsch die kleinen Kinder in ihren kunterbunten Kleidern dazu tanzten, die würden gleich hundemüde in die Hotelbetten sinken, mit dem Geschmack des eben noch als Nachtisch gelutschten Softeises auf der Zunge. Ja, damals, als kleines Mädchen … Erinnerungen schoben Jannike wie Rückenwind durch das Inseldorf.

Punkt halb acht stellte Jannike ihr Fahrrad in den Ständer vor dem Rathaus. Allmählich fragte sie sich schon, was sie hier eigentlich noch wollte. Der schlimmste Groll war bereits verpufft. Vielleicht hätte sie einfach öfter mal aus ihrem selbstgewählten Exil am westlichen Inselende ausbrechen sollen? Trotzdem, nun war sie schon mal hier. Über der Doppelflügeltür prangte das Inselwappen, das Jannike schon auf ihrem hochoffiziellen Schreiben gesehen hatte, irgendwas mit stilisierten Wellen und Seepferdchen und Schiff. Sie ging hinein, folgte den Hinweisschildern in den ersten Stock und betrat den Sitzungsraum.

Alle, aber auch wirklich alle Augen waren auf sie gerichtet. Die der zehn Ratsleute, die an einem runden Tisch saßen, die eines jungen Mannes mit Notizzettel auf dem Oberschenkel, und die der drei Leute im Publikum, die anscheinend an einem Sommerabend wie diesem nichts Besseres zu tun hatten.

«Guten Abend», sagte sie, setzte sich und war so nervös wie damals beim ersten Vorsingen an der Musikakademie. Würde sie den richtigen Ton treffen?

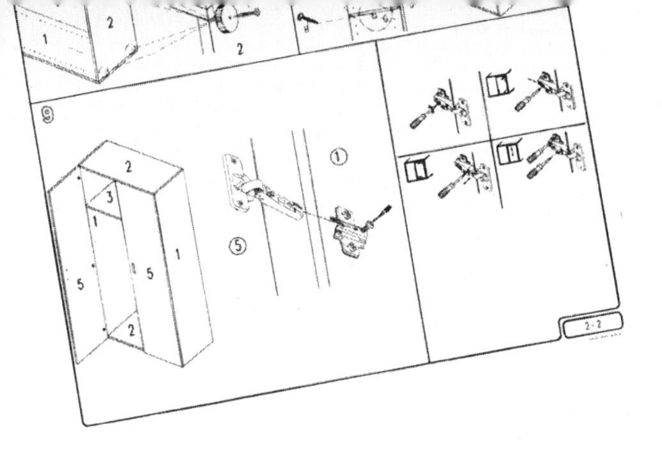

Mira schaltete kein Licht an, die Helligkeit von draußen reichte aus, sich zurechtzufinden, außerdem wusste sie noch von früheren Besuchen, wo die Küche war. Im Flur stand kaum etwas herum, alles ordentlich, die kleine Kommode am Treppenabsatz machte sich gut, aber für Miras Geschmack fehlten noch ein paar Bilder oder sonstiger Dekokram. Es roch nach frischer Farbe und Kaffee. Bestimmt trank die Neue gar keinen Ostfriesentee. Aus Köln kam sie? Na, dann …

Es war Mira egal, sie war nicht missionarisch, was Heißgetränke anging. Aber bei ihr und Okko zu Hause würde es so was nicht geben, Cappuccino und Latte Sowieso, viel zu kompliziert. Ein Teelicht im Stövchen hatte doch auch etwas Gemütliches, der knisternde Kandis, die Sahnewolke. Bei ihrem letzten Besuch hier hatte Mira kurz überlegt, ob sie die neue Nachbarin ganz spontan auf eine kleine Zeremonie einladen sollte, aber dann waren ihr Zweifel gekommen. Hinterher fand Frau Loog das aufdringlich oder schrecklich altmodisch, das Risiko wollte Mira keinesfalls eingehen. Sie hatte neben solchen Stadtfrauen sowieso immer das Gefühl, zu dick und zu unvorteilhaft angezogen zu sein. Was sollte eine Frau wie diese Jannike Loog, die schick und schlank war und bestimmt schon die halbe Welt gesehen hat, Amerika und Asien und Südsee wahrscheinlich, was sollte die schon mit einer Mutter und Wirtin wie Mira Wittkamp anfangen wollen, die auf der Insel geboren war, hier die mittlere Reife und eine Lehre zur Hotelfachfrau abgeschlossen und dann gleich zwei Kinder bekommen hat, die im Grunde nie länger weg war von diesem Haufen Sand in der Nordsee – und deren weiteste Reise bislang in den Südharz gegangen war? Womöglich wollte die ihr dann eine Typberatung aufschwatzen, vorher – nachher, Augenbrauenzupfen, Gesichtspuder, Stöckelschuhe, wie in den Illustrierten, und davor hatte Mira zugegebenermaßen etwas Angst. Ob vor dem *vorher* oder dem *nachher*, wusste sie gar nicht genau.

Immerhin, der Frühstückssaal sah im Halbdunkel schon ganz einladend aus. Acht quadratische Holztische mit je vier Stühlen, in den kleinen Teelichtgläsern standen zwar noch keine Kerzen, aber sie hatten eine schöne Farbe, türkis, würde nicht in die *Pension am Dünenpfad* passen, aber hier wirkte das ganz fesch. Und da die gleiche Farbe in den betagten Sitzbezügen vorkam, fiel deren Alter gar nicht mehr so auf.

Die Frau aus Köln hatte also in den letzten Tagen nicht nur Däumchen gedreht. Das hätte Mira ihr so nicht zugetraut, diese Jannike Loog wirkte weniger belastbar, als sie war.

Ganz schön mutig, den alten Kasten zu übernehmen, dachte nicht nur Mira, sondern die halbe Insel. Der Vorbesitzer hatte bloß zwei Jahre durchgehalten und war dann regelrecht geflüchtet, weil er es nicht mehr ausgehalten hatte. Auch so ein Träumer, der glaubte, dass man hier auf der Insel den ganzen Tag am Strand spazieren gehen konnte und sich die Arbeit von selbst erledigte. Dabei schafften es die wenigsten Insulaner regelmäßig an den Strand. Gut, der Buchhändler sprang angeblich ab zwölf Grad Wassertemperatur allmorgendlich in die Nordsee, und dann soll es auch noch ein paar sportbegeisterte Konsorten geben, die bei Sonnenaufgang an der Flutkante entlang joggen. Aber sie, Mira Wittkamp, war – wenn es hoch kam – fünfmal im Jahr barfuß im Sand unterwegs. Zu mehr fehlte einfach die Zeit.

Nicht nur wegen der Gäste. Nein, das Schicksal hatte ihr da ganz andere Steine in den Weg gelegt.

Okko würde schimpfen, wenn er mitbekam, dass sie für die neue Nachbarin die Vorhänge nähte. Sie konnte seine Worte schon jetzt hören: «Was machst du, Mira! Du hast kaum eine Stunde übrig, am wenigsten für dich selbst. Guck dich an: Ein Friseurbesuch wäre fällig, ein Tag in der Sauna, oder du könntest einfach nur mal früher ins Bett gehen. Aber nein, stattdessen halst du dir noch die Arbeit fremder Leute auf und sitzt bis Mitternacht an der Nähmaschine.»

Dabei wusste ihr Mann genau, dass sie ohnehin nie vor ein Uhr nachts einschlief. Da konnte sie genauso gut nähen. Sobald sie sich nämlich hinlegte, zur Ruhe kam, die Augen schloss, machte sich das Chaos bemerkbar, das in ihr herrschte. Da knallten die Fragen gnadenlos zwischen ihren Schläfen hin und her wie Billardkugeln. Was wird aus uns werden? Wie lange geht das noch gut? Mache ich alles richtig? Ist es sinnvoll, auf ein Wunder zu hoffen? Sollte ich nicht besser aufs Festland ziehen? Bis Mira immer wieder bei der Ursprungsfrage landete: Was soll nur aus uns werden?

Das konnte einen wahnsinnig machen. Deshalb konzentrierte Mira sich lieber auf ein paar Meter Stoff und Nähgarn, bis sie irgendwann so müde war, dass sie sich nur noch auf die Matratze legen musste und einschlief, bevor die Gedankenmaschinerie in Gang kam. Um sechs Uhr war sie dann wieder wach, weckte die Kinder, machte das Frühstück für die Familie und ab acht Uhr für die Gäste im kleinen Wintergarten. Sie ratterte durch den Tag, sie funktionierte.

Nicht mehr lange, wenn du so weitermachst, unkte Okko. Aber was blieb ihr denn anderes übrig?

Die Hotelküche hatte noch einige Arbeitstage nötig, bemerkte Mira, als sie zwischen den Schränken und Arbeitsflächen stand. Da lag noch etliches herum und das klebrige Fett an der Abzugshaube konnte man sogar im Dämmerlicht erkennen. Außerdem roch es irgendwie nach ungelüftetem Kühlschrank. Wo waren noch mal die Tischdecken? In einem der Schränke, ja, aber hier gab es jede Menge Schränke. Sie begann neben der Speisekammertür, wo allerdings die Kochtöpfe untergebracht waren, arbeitete sich weiter vor, über das Frühstücksgeschirr, die Kerzenständer und das Brotkorbsammelsurium, bis sie dann – nahe an der Durchreiche zum Frühstücksraum – endlich fündig wurde. Stapelweise Tischdecken, gemangelt und gefaltet, da könnte man das ganze Hotel mit Vorhängen versorgen. Vorerst nahm Mira nur vier Stoffpakete mit, die Dinger waren schwer, und sie hatte nur einen kleinen Korb am Fahrrad.

Sie verließ die Küche. Die Tür zum Zimmer 1 hatte sie schon beim Hineingehen gesehen, sie befand sich rechts vom Eingang, der erste Gast würde ab übermorgen einen Ausblick Richtung Gartenpforte haben. Mira legte die Tischdecken auf die Kommode und stutzte. Hatte sie sich verhört? Da drangen Geräusche aus dem Raum, den sie zum Ausmessen der Fenster betreten wollte. Oder? Sie lauschte.

Kein Zweifel, da regte sich etwas hinter der Tür. Nicht laut, nicht bedrohlich, aber es konnte auch kein geöffnetes Fenster sein, das im Wind gegen den Rahmen schlug, nein, das hörte sich anders an. Dies hier klang eher nach Packen und Schieben und Rumräumen. Ein Einbrecher? So ein Quatsch. Also nicht, dass es hier keine Langfinger gab, das Märchen von der heilen Inselwelt glaubte kein Mensch mehr, auch hier wurden manchmal Safes geknackt, Fahrräder entwendet oder Geldbörsen aus Hosentaschen stibitzt. Aber kein Kleinkrimineller würde auf die Idee kommen, am Ende der Insel ein Hotel auszuräumen. Immerhin müsste er das Diebesgut mit einem handelsüblichen Handkarren kilometerweit zum Dorf bringen und dann noch irgendwie aufs Festland schaffen. Das war zu umständlich, da würde sich der Beutezug anderswo deutlich unkomplizierter gestalten.

Es rumste, als wäre etwas Schweres, Hölzernes umgefallen. Oder gab es vielleicht doch noch jemanden, der hier mit anpackte? War Jannike Loog gar nicht allein im Hotel? Auch das erschien Mira wenig glaubhaft. Es gab nur einen Weg vom Dorf zum Hotel, und der führte an ihrem Haus vorbei. Selbst ohne sonderlich neugierig zu sein – sie hätte es mitbekommen, wenn da jemand regelmäßig unterwegs gewesen wäre, so etwas entging ihr nicht.

Langsam wurde ihr das Ganze unheimlich. Was sollte sie tun? Den Inselpolizisten rufen? Oder selbst nach dem Rechten schauen? Mira war kein Angsthase, aber was, wenn die Person sich dann ihrerseits erschrak und glaubte, Mira treibe sich hier unerlaubterweise im Hotel herum …

Sie wünschte, Okko wäre hier. Der wäre schon längst ins Zimmer gegangen und hätte die Sache geklärt. Aber sie konnte ihren Mann schlecht anrufen, der saß in der Ratssitzung und hatte sein Handy bestimmt ausgestellt. So ein Mist!

Plötzlich bewegte sich die Klinke, die Tür ging auf … ganz langsam … Ein Schatten verdunkelte den Lichtstrahl, der aus dem Zimmer dahinter in den Flur fiel. Jemand, der hier ganz offiziell herumwerkelte, würde sich nicht so verstohlen bewegen, oder? Schnell duckte Mira sich hinter die Kommode und hielt die Luft an. Zum Glück hatte sie kein Licht gemacht! Zum Glück!

Close Up

EINE HALBE MILLION ABFINDUNG

Wofür braucht Janni (41) bloß so viel Geld?

Köln aktuell – Wie die Produktionsfirma *4-2-eyes* in Köln-Bocklemünd unserem Magazin gestern schriftlich bestätigte, hat die in einen Schleichwerbungsskandal verwickelte Sängerin und Moderatorin Janni (Duo *Janni & Danni*, größter Hit: *Meeresleuchten*) 500.000 Euro Abfindung kassiert. Im Gegenzug soll sie versprochen haben, gegen die umstrittene Kündigung keine Klage zu erheben. Fans und Freunde der vormals so beliebten Entertainerin sind schockiert und fragen sich: Was will sie mit dem ganzen Geld? Denn dass Janni neben der halben Million auch noch eine unbekannte Summe eines Anbieters von Outdoor-Bekleidung erhalten hat, ist ein offenes Geheimnis. Über ihren derzeitigen Aufenthaltsort ist nichts bekannt, ihr Lebenspartner Danni (39), den sie in der gemeinsamen Luxuswohnung in Köln-Rodenkirchen zurückgelassen hat, hüllt sich in Schweigen. Gerüchten zufolge soll sie das bislang unversteuerte Vermögen in eine eigene Firma investiert haben und auf einer Insel leben. Insider tippen auf Mallorca oder Ibiza, wo es sich das Ex-Show-Sternchen neben anderen ausrangierten TV-Größen gutgehen lässt. Schade, dass es mit Janni so weit kommen musste, immerhin hat sie sich all die Jahre der Öffentlichkeit als bodenständiges Mädchen von nebenan präsentiert. Alles nur Maskerade? «Noch nicht einmal ihre blonden Locken waren echt», verrät ein guter Freund. In Wirklichkeit soll die Sängerin dunkelblondes, glattes Haar haben.

Nein danke, ich …»

Doch der jugendliche Kellner stellte ungerührt das nächste Bier vor Jannikes Nase. «Wohl bekomm's!» Der Schaum lief langsam am beschlagenen Glas herunter.

Die *Schaluppe*, eine Kellerkneipe mit maritimem Interieur – vom Haifischgebiss an der Wand bis zum Rumfasshocker unterm Hintern –, war proppenvoll. Das Nichtraucherschutzgesetz schien sich im nördlichsten Zipfel der Republik noch nicht durchgesetzt zu haben, fast jedem der Kneipengäste klemmte eine Zigarette im Mund. Lange hatte Jannike nicht mehr so intensiv passiv geraucht. Aus den Boxen schallte ein alter Schlager von Udo Jürgens, den Jannike vor ein paar Jahren noch mit dem Künstler höchstpersönlich bei einer Benefizgala im Duett gesungen hatte. *Ich wünsch dir Liebe ohne Leiden …* Mist, mit einem knappen Liter Bier intus stimmte der Song tatsächlich wehmütig: *… dein Leuchtturm steht jetzt anderswo und nicht mehr hier bei mir …*

Bischoff hob sein Glas. «Die Runde geht auf mich!» Der Mann schien den Gerstensaft quasi einzuatmen. Er erfüllte in jeder Hinsicht das Klischee des trinkfesten Friesen: Seine Augen waren glasig, seine Wangen rot, und das wenige noch verbliebene weißblonde Haar stand in alle Richtungen ab.

Nicht alle Ratsmitglieder waren so drauf. Die Gleichstellungsbeauftragte Hanne – seit dem zweiten Bier nannte Jannike die meisten der Anwesenden beim Vornamen – bevorzugte Prosecco, und Okko Wittkamp, ein hagerer Mann, der wohl gegen seine sonstigen Gewohnheiten heute Abend nach der Sitzung ebenfalls mit in die Inselkneipe gekommen war, beließ es bei Apfelschorle. Der etwas verschüchtert wirkende Bürgermeister war ein ganz Schlauer und hatte nach der zweiten Runde seinen Bierdeckel auf das Glas gelegt, seitdem wurde er vom Kellner mit weiteren unbestellten Getränken verschont. Vielleicht war das eine Art Geheimcode, mutmaßte Jannike. Doch gerade als sie die runde, bereits bierdurchnässte Pappe anhob, um sie auf ihr Glas zu legen, schimpfte Bischoff: «Hallo, junges Fräulein! Sie können doch jetzt noch nicht klein beigeben, wir fangen schließlich gerade erst an.»

«Ich muss morgen fit sein», erklärte Jannike. «Der letzte Tag, bevor mein Gast kommt, und die Möbel müssen noch ...»

«Quatsch», sagte Bischoff. «Sie platzen einfach in unsere Sitzung und falten die gesamte Runde mal ordentlich zusammen, da schulden Sie uns jetzt aber noch einen versöhnlichen Abend.» Er erntete zustimmendes Gelächter.

Wie ein Mensch sich so schnell wandeln kann, dachte Jannike. Vor etwas mehr als einer Stunde hatte das noch ganz anders geklungen. Da hatte Bischoff sie ziemlich abblitzen lassen ...

Dass die Rathausstühle, auf denen die Zuhörer Platz nehmen durften, dermaßen unbequem waren, hatte den gravierenden Vorteil gehabt, dass Jannike zumindest nicht befürchten musste, bis zur Bürgerfragestunde eingeschlafen zu sein. Die Ratsmitglieder hatten nach einem unerfreulichen Gespräch über Gästebeschwerden und gefloppte PR-Aktionen weit mehr als eine Stunde darüber debattiert, wann die zweispännige Kutsche für das Altpapier frühestens die Deichstraße passieren durfte. Schließlich befanden sich dort die teuersten Hotels der Insel, deren Gäste beschwerten sich bereits regelmäßig über die Kirchenglocken am Sonntagmorgen um zehn.

Der eine schlug vor, man solle den Gäulen Socken über die Hufe ziehen, der Nächste echauffierte sich über diese Tierquälerei, und der Dritte beschuldigte wiederum den Ersten, ihm ginge es doch nur um sein persönliches Wohl und mehr nicht, weil unter diesen Nobelhotels ja auch sein eigenes sei. Und als dann endlich die Bürgerfragestunde auf der Tagesordnung stand, hatte anscheinend keiner der Anwesenden große Lust auf Wortbeiträge, also wollte der Ratsvorsitzende – eben dieser besagte Bischoff – die Sitzung kurzerhand schließen.

Da war Jannike aufgesprungen, sie hätte da noch eine Frage zum Leuchtturmfest.

«Dies ist eine *Bürger*fragestunde», stellte Bischoff klar.

«Und ich wohne hier», erwiderte Jannike.

«Sind Sie denn schon offiziell Bürgerin dieser Insel?», fragte Bischoff mehr in Richtung Sachbearbeiterin, die an diesem Abend das Protokoll führte.

Diese schüttelte den Kopf. «Kenne ich nicht. Bei mir im Einwohnermeldeamt hat sie sich jedenfalls noch nicht blickenlassen.»

Das war ja wohl die Höhe! «Immerhin bin ich Bürgerin genug, dass Sie mir – ohne mich zu fragen – die komplette Organisation eines ziemlich aufwendigen Inselfestes übertragen haben. Und genau dazu habe ich eine Frage!»

Nach diesem Einstieg waren aus Jannikes Mund ein paar wüste Vorwürfe gekommen, sie hatte bei der langweiligen Debatte zuvor genügend Zeit gehabt, sich in Rage zu denken. Welch Wunder, gab es jedoch niemanden, der ihr Engagement zu später Stunde begrüßt hätte. Selbst der junge Mann mit dem Notizblock auf den Knien, der anscheinend für den *Inselboten* schrieb, hatte kein Interesse an einem Schlagabtausch zwischen Neuinsulanerin und Alteingesessenen gezeigt, nach neunzig Minuten Palaver über die Müllabfuhr mit zwei PS hingen seine Augenlider auf halbmast. Die Luft war stickig und die Stimmung mies gewesen. Nur der Vorschlag von Okko Wittkamp, das Gespräch doch einfach unbürokratisch bei einem kühlen Getränk in der *Schaluppe* fortzusetzen, hatte für eine angenehme Klimaveränderung gesorgt. Und deswegen saß Jannike jetzt hier zwischen lauter Insulanern, hatte schon ein Bier zu viel und mit den meisten Brüderschaft getrunken, aber noch immer keine Antwort auf die Frage, wie sie dieses verwünschte Leuchtturmfest bewerkstelligen sollte.

«Mach dir man keine Sorgen, Mädchen», sagte Bischoff und tätschelte ihr den Unterarm. «Wir halten hier zusammen. Wenn's eng wird, packen wir alle mit an, Piratenehrenwort!»

«Hauptsache, der Shantychor singt ...», rief die Gleichstellungsbeauftragte Hanne Hahn, die tatsächlich ein bisschen wie eine Henne aussah, da ihr die Haut am Hals schlackerte, wenn sie den Kopf hin und her ruckte und neugierige Blicke durch den Raum warf, um nichts zu verpassen.

«Ist angekommen, Hanne!», unterbrach der Bürgermeister ungewöhnlich scharf. «Ich singe auch mit, schon vergessen?»

«Ich meine ja nur. Weil mein Mann Rüdiger ...»

«... beim *Hamborger Veermaster* das Solo singt», ergänzte Okko Wittkamp und rollte mit den Augen. Jetzt war die Gleichstellungsbeauftragte eingeschnappt.

Noch war Jannike sich nicht ganz sicher, ob sie sich eigentlich amüsierte. Klar, als der Bürgermeister vorhin ein paar Anekdoten zum Besten gegeben hatte, worüber die Gäste sich den lieben langen Tag beschwerten – «Herr Bürgermeister, als wir vorhin am Strand waren, mussten wir feststellen, dass man vergessen hatte, das Meer anzustellen!» – «Wir haben gerade Ebbe.» – «Ach so ...» –, war es schön gewesen zwischen diesen Leuten, die sie nach den Startschwierigkeiten dann doch herzlich in ihrer Mitte aufgenommen hatten, ohne zu wissen, wer sie wirklich war. Jannike hatte lange nicht mehr so viel gelacht, und als man sie nach ihrem Lebenslauf fragte, hatte ein vages

«Ich habe lange Jahre bei diversen Medien gearbeitet» vollkommen genügt. Nur dieser Bischoff rückte manchmal eine Spur zu nah an sie heran, und das Getätschel wirkte zu jovial.

«Du bist ja noch völlig neu im Geschäft, Mädchen. Von null auf hundert im Gastgewerbe, da kann vieles schiefgehen. Mein Hotel ist seit drei Generationen in Familienbesitz, ich habe schon in unserem Restaurant serviert, bevor bei mir die ersten Pickel gesprießt sind.» Er lachte dröhnend. «Also, wenn du mal den einen oder anderen Tipp brauchst, meine Tür steht dir jederzeit offen.»

«Okay, danke.» Bevor sie dieses Angebot jemals wahrnehmen würde, müsste schon eine Menge schieflaufen. Aber wenigstens hatten Bischoff und die anderen ihr Unterstützung bei dem Fest zugesagt, und inzwischen entwickelte sich bei Jannike so etwas wie Ehrgeiz, die Sache tatsächlich durchzuziehen. Hoffentlich war das morgen in nüchternem Zustand noch genauso.

Seit einiger Zeit rutschte sie nun schon auf ihrem Rumfasshocker hin und her. Bislang hatte Jannike es vermieden, sich durch den hoffnungslos überfüllten Gang zu quetschen, doch nun forderte die ungewohnte Menge Bier ihren Tribut. «Ihr entschuldigt mich?» Die Toilettentüren befanden sich zwischen zwei blinkenden Dartscheiben.

«Moin», sagte ein junger Typ mit Sonnenbrand und grinste. Sie war seiner puterroten, durchtrainierten Schulter sehr nah gekommen, weil er zu dem Trupp gehörte, der sardinenmäßig vor den Zielscheiben stand und einer Frau beim konzentrierten Pfeilewerfen zuschaute. «Auch hier?»

«Kennen wir uns?»

«Wir haben telefoniert», rief der Typ ihr ins Ohr. Die Musik war hier im hinteren Teil noch lauter als vorne. Udo Jürgens sang gerade die letzten Zeilen. … *wünsch ich dir Liebe ohne Leiden und Glück für alle Zeit! Lalalalalala … lala …*

«Ich bin der Mann, der für den Frachtverkehr zuständig ist. Ingo!» Er prostete ihr zu. «Inzwischen müsste dein Kram ja auf der Insel angelandet sein, oder?»

Sie nickte. «Ja, danke!»

Warum duzte der einfach drauflos? Und woher wusste er eigentlich, wie sie aussah? Erst jetzt bemerkte Jannike, dass er bei weitem nicht der Einzige war, der sie anstarrte: Ihr Toilettengang schien auf allgemeines Interesse zu stoßen, und die Dartspielerin hatte gar keine Augenzeugen mehr, als sie bei ihrem nächsten Wurf das *Bulls' Eye* traf.

«Und? Ganz einsam da draußen im Westen?», fragte ein etwas älterer, glatzköpfiger Kerl, der nur wenige Zentimeter weiter stand und ein Kumpel von Frachtschiff-Ingo zu sein schien. «Keine Angst, wir baggern nicht», ergänzte er und zeigte auf seinen eheberingten Finger. «Kommt nur nicht so oft vor, dass es gutaussehende Frauen auf die Insel verschlägt. So was fällt ins Auge und spricht sich schnell rum. Und da lassen wir halt gerne unseren norddeutschen Charme spielen.»

«Und ich dachte, ihr Friesen seid spröde und stur Neulingen gegenüber.»

Ingo lachte. «Hab ich auch schon tausendmal im Fernsehen gesehen: Insulaner tragen Fischerhemden, essen Krabbenbrote, trinken Küstennebel und reden kein Wort. Totaler Quatsch, kannste dich von überzeugen!»

«Dürfen wir dir eine Gerstenkaltschale ausgeben?», fragte der Mann ohne Haare.

Bevor Jannike ablehnen konnte, hatte sie schon ein Bier in der Hand. Ihre Blase drückte furchtbar, aber wenn sie jetzt einfach weiterlief, würde der Herr über die Frachttransporte ihren Container womöglich in Zukunft stets als letzten auf das Schiff lenken. Wer weiß, wie nachtragend die hier waren. «Prost!»

Doch bevor sie den ersten Schluck nahm, zuckte Jannike zusammen. Nicht schlimm, wahrscheinlich hatte niemand etwas mitbekommen. Das nächste Lied hatte begonnen: *Irgendwer hat im Meer das Licht angestellt, neonhelle Wasserwelle, leuchtend stille Welt …* Ingo und sein Kumpel wiegten sich im Rhythmus, den Refrain grölten sie mit – wie der Rest der Kneipe auch: *… Heute ist Meeresleuchten, komm mit mir runter an den Strand …*

Jannike trank das halbe Bier in einem Zug leer. Das war ihr Lied! Ihr größter Hit, den sie damals mit Danni gelandet hatte, vor zehn Jahren zu Beginn ihrer Karriere. *Meeresleuchten*! Und wie seltsam es war, völlig unvorbereitet an einem Ort, an dem man vorher noch nie gewesen ist, seine eigene Stimme, seinen eigenen Song zu hören, konnte wahrscheinlich nur nachfühlen, wer selbst Musiker oder Komponist war. Es war peinlich, bestimmt war sie rot angelaufen, aber das sah man in diesem Schummerlicht sowieso nicht.

Es war aufregend, denn das Lied schien hier so etwas wie eine Hymne zu sein, alle kannten den Text, alle fingen trotz Platzarmut an zu tanzen, traten sich dabei gegenseitig auf die Füße, rieben ihre nackten Oberarme gegeneinander, verhakten und umschlangen sich, mischten dem blauen Dunst noch etwas feuchten Schweißgeruch unter.

Und es war in ihrem speziellen Fall furchtbar. Sie musste an Danni denken, wie er damals in der Garage mit einem vorsintflutlichen Musikprogramm an der Aufnahme gefeilt hatte, hier noch ein Gitarrenriff, da noch ein kleines Keyboardsolo, er war wie immer ein Perfektionist gewesen. Nur ihm hatte sie es zu verdanken, dass die Radiosender auf ihre Musik aufmerksam geworden waren, sie in den Charts bis unter die ersten zwanzig kletterten, eine goldene Schallplatte bekamen. Verdammt, sie vermisste Danni ganz, ganz schrecklich. Er war ihr bester Freund, ihr Seelenpartner, ihre andere Hälfte – vielleicht sogar die bessere. Warum war ihr das bislang noch nicht aufgefallen?

«Schau mal einer an, die Lady hat das Glas schon leer!», staunte Ingo. Er hatte recht. Diese Situation war nur zu ertragen gewesen, weil Jannike den dicken Kloß im Hals direkt hatte herunterspülen können. «Noch eins?»

Sie wunderte sich selbst, dass sie nickte. «Aber erst mal muss ich dringend ...» Sie stolperte los. «Bin gleich wieder da.»

Wie üblich stand vor dem einzigen Frauenklo eine lange Schlange, auch Hanne Hahn war vor ihr und zwinkerte Jannike zu, als wären sie beste Freundinnen und würden schon seit Jahren gemeinsam das stille Örtchen aufsuchen. Jannike war jedoch zu verwirrt für Smalltalk. Das Bier, der Rauch, die Enge und vor allem das Lied ließen ihre Gedanken schwirren wie aufgescheuchte Schmeißfliegen.

«Schauen Sie mal, *die* hätten wir fast auf die Insel eingeladen!», raunte Hanne und zeigte auf eine Illustrierte, die in einem Wandständer neben dem Zigarettenautomaten hing. *Close Up*, ein furchtbares Klatschmagazin, von dem man sich besser fernhielt, wenn man halbwegs prominent war. Freiwillig würde Jannike das Blatt nicht in die Hand nehmen, noch nicht einmal, um sich die Wartezeit vor dem Kneipenklo zu vertreiben.

«Also, fast *die*», fuhr die Gleichstellungsbeauftragte fort. «Oder eher ihre Nachfolgerin. Der Bürgermeister sollte versuchen, dass die ihre Sendung diesen Sommer bei uns auf der Insel drehen, weil sie im letzten Jahr bei der Konkurrenz nebenan waren und da dann die Gästezahlen ...»

Wovon redete die Frau, um Gottes willen?

«... in die Höhe geschnellt sind. Und da hat der Rat beschlossen, zum Leuchtturmfest soll das Fernsehen kommen.»

Jetzt war Jannike hellwach.

«Das wäre für dich doch sicher auch spannend geworden, oder nicht? Wenn die bei dir da draußen am Leuchtturm mit Kamera und allem Drum und Dran angetanzt wären, um die Sendung aufzunehmen ...»

«Welche Sendung?»

«Na, *Liedermeer.*»

Wie bitte? Jannike war übel. Aber die Sommersendung sollte doch in der Oberlausitz gedreht werden, bei den ersten Planungen war sie noch mit von der Partie gewesen. Und überhaupt, werwiewaswo war hier ihre Nachfolgerin ...?

«Kennen Sie die Sendung nicht? Tolle Musik, tolle Bilder, und die Moderatorin fand ich ja auch super, bis die diesen Mist da gebaut hat ...» Wieder zeigte Hanne Hahn auf die Illustrierte. «Geldgierige Schlampe!»

Erst jetzt erkannte Jannike, was die Titelseite der *Close Up* zeigte: Sie selbst war darauf zu sehen, mit einer Maske vor dem Gesicht und blonden Locken, das Bild war dieses Jahr bei einer Kölner Karnevalssitzung aufgenommen worden. *Eine halbe Million* ... Was zum Henker stand da?

«Na ja, aber wir haben eh eine Absage bekommen. Also, von *Liedermeer.* Die drehen im Osten, typisch, der Osten wird immer bevorzugt.»

Das interessierte Jannike nicht mehr so besonders. Sie griff sich das Klatschmagazin. *Abfindung! Wofür braucht Janni (41) so viel Geld?* Scheiße! Sie schob sich an den Frauen vorbei und riss die Klotür auf, kaum dass die Frau, die bislang dahintergesessen hatte, die Verriegelung löste.

«Halt, Moment mal!», beschwerte sich eine. Und eine andere brüllte: «Was soll das? So geht das aber nicht!»

Doch Jannike konnte nicht anders, sie musste jetzt ganz dringend ungestört sein. «Hab was Falsches gegessen!» Und rums war die Tür zu. Drinnen zitterten ihre Hände dermaßen, dass sie es kaum schaffte, die Seite fünf aufzuschlagen, auf der der ganze Bericht zu finden war. Wie konnte das sein? Wie kamen die auf eine halbe Million Abfindung? Das Geld, das Clemens ihr überwiesen hatte, war als Kredit gedacht gewesen, wie sonst hätte sie das Hotel finanzieren sollen? Jeden Cent wollte sie ihm zurückzahlen, so hatten sie es besprochen. Weil ihre Beine weich wie Grießbrei waren, klappte sie den Klodeckel zu und setzte sich darauf. Ihr eigentliches Anliegen, weswegen sie diese Räumlichkeiten aufgesucht hatte, war nicht mehr wichtig. Draußen pochte jemand verärgert gegen die Tür. «Wird's bald?»

Der Artikel war noch schlimmer als befürchtet. Angeblich hatte die Produktionsfirma die Informationen über die vermeintliche Abfindung an die Presse gegeben. Also Clemens? Oder seine Frau Agnes? Es konnte doch sein, dass die Frau Doktorin irgendwie hinter das Verhältnis gekommen war und nun auf Rache sann … Nein, Clemens war stets dermaßen vorsichtig gewesen, dass kein Mensch mitgekriegt hatte, dass sie drei Jahre lang mehr miteinander getrieben hatten, als eingehend die kommenden Sendungen zu besprechen. Warum stand da überhaupt, sie hätte das Geld nicht versteuert? Und welcher gute Freund hatte ausgeplaudert, dass sie in Wirklichkeit dunkelblond war? Etwa auch Clemens? Oder Danni? Nein, Danni würde so etwas nicht tun, niemals!

«Hallo, du da drin, uns platzt gleich die Blase!»

So, wie Jannike sich fühlte, würde sie womöglich nie wieder

von diesem Klo aufstehen. Sie musste pinkeln, sie musste sich fast übergeben, aber vor allem musste sie erst einmal heulen. Klar, da hatte sie sich seit Wochen das erste Mal wieder geschminkt, weil sie den Inselbürgermeister beeindrucken wollte, und prompt flennte sie die Mascara in schwarzen Rinnsalen über ihre Wangen.

Vom Thekenraum her sang, seltsam verzerrt durch das Stimmengewirr und den engen Flur, Nena über ihren *Leuchtturm. Ich geh mit dir, wohin du willst, auch bis ans Ende dieser Welt …*

Vielleicht war Jannike da schon angekommen, am Ende der Welt. Und zwar nicht nur geographisch. Klar, hinter ihrem Hotel fing das Meer an, aber vielleicht befand sich das wahre, das ultimative Schluss-Ende-Aus von allem hier auf dem Klo der *Schaluppe*. Sie wusste einfach nicht, wohin mit ihrer Verzweiflung. Sogar das Toilettenpapier war alle. Also riss sie kurzerhand die Seite fünf aus der Illustrierten und benutzte sie zum Schnäuzen. Genau dazu taugte dieses Schmierblatt bestenfalls, dass man seinen Rotz darin einwickelte.

«Kann ich helfen?», fragte eine Stimme, die weder zornig noch ungeduldig klang. Es wurde an der Türklinke gerüttelt.

Nein, ihr konnte niemand helfen. Sie war soeben ganz unten angekommen.

«Ich kann auch holen meine Bruder, der macht Tür auf mit Werkzeug, und wir kommen rein.» Die Person schien aus Osteuropa zu stammen, und Jannike wollte nicht so gemein sein und sagen, kann ich mir denken, dass dein Bruder weiß, wie das geht.

Und außerdem wäre es ja noch schöner, dass sie sich aus der Toilettenkabine befreien lassen musste. Mit ihren letzten Kraftreserven hievte Jannike sich in die Senkrechte und schloss auf. Dahinter stand ein Dutzend Frauen, unter ihnen auch Hanne Hahn, die alle mit einer Mischung aus Neugierde und Furcht beobachteten, wer sich da verbarrikadiert hatte und ob diese Person noch komplett und in ganzen Stücken war. Wie hochnotpeinlich!

«'tschuldigung», nuschelte Jannike und schob sich zwischen den Schaulustigen hindurch.

Eine schlanke Hand legte sich auf ihre Schulter, und obwohl es hier drin stickig schwül war, fühlte sich die Berührung angenehm kühl an. «Siehst du schlimm aus. Brauchst du Hilfe?» Die Frau war höchstens dreißig, schlank, schwarzhaarig und selbst ein bisschen blass um die gepiercte Nase. «Bin ich Lucyna. Habe mich Sorgen gemacht.»

«Geht schon wieder!»

«Komm, trinken wir erst einmal ein Bier!»

Lief denn hier alles über alkoholische Getränke? Doch als die Unbekannte sie mit sanftem Druck in den Schankraum manövriert, sie auf einen Holzstuhl gesetzt und ihr dann ein Pils in die Hand gedrückt hatte, sah Jannike ein: Alkohol war sicher keine Lösung auf lange Sicht, aber jetzt im Moment tat er richtig gut.

«Was ist denn passiert?», fragte Lucyna, die etwas Florence-Nightingale-Mäßiges hatte, wie sie sich so zu Jannike herunterbeugte. «Liebeskummer?»

Jannike schüttelte den Kopf. «Ich bin betrunken, und ich muss noch ganz bis zum Leuchtturm. Wie soll ich das schaffen?» Ihre Worte waren alles andere als klar akzentuiert.

«Deswegen weinst du?»

«Ja», log Jannike. Sie konnte dieser Frau doch kaum anvertrauen, dass die Nerven mit ihr durchgegangen waren, weil sie eben aus der Yellow Press erfahren musste, zur *persona non grata* erklärt worden zu sein. Eine gierige, falsche Steuerhinterzieherin. «Und ich kann mir hier ja wohl schlecht ein Taxi bestellen …»

«Das stimmt …» Lucyna wandte sich um und winkte jemanden zu sich heran. «… nicht ganz!»

«Wie? Nicht ganz?»

«Mein Bruder, er fährt eine … so ähnlich wie Rikscha.» Eine männliche Gestalt tauchte aus dem Pulk auf. Nicht so riesig groß, aber gut gebaut, dunkelblonde Locken. «Mattheusz hat ein Fahrrad mit sehr große Gepäckträger. Er kann dich fahren!»

Der Briefträger. Stand da. Nicht in Uniform, sondern in Cargojeans und weißem T-Shirt, die Hände in den Hosentaschen. Begeistert sah er nicht gerade aus. «Was soll ich?»

«Kannst du diese Frau nach Hause bringen?»

Er runzelte die Stirn. «Was ist denn los?»

«Sie ist zu betrunken!»

Wo war das Loch, in das Jannike sich verkriechen konnte?

«Und sie wohnt am Leuchtturm.»

«Ich weiß, Lucyna. Ich bin Postbote, schon vergessen?»

Jannike wusste, wenn es ihr wichtig war, dass irgendjemand sie hier in Zukunft halbwegs ernst nahm, sollte sie sich jetzt zusammenreißen, den Rücken durchstrecken, aufstehen und erhobenen Hauptes zu ihrem eigenen Fahrrad laufen. Doch als sie sich nur wenige Zentimeter von der Stuhlfläche erhob, wurde ihr schon schwindelig. Und sobald sie erst an der frischen Luft wäre, würde ihr Zustand sich garantiert noch verschlimmern.

«Okay», sagte Mattheusz schließlich nach langem Überlegen. «Nie jestem przecież potworem!»

«Was sagt er?», fragte Jannike.

«Mein Bruder ist doch nicht … hm, wie ist deutsches Wort?»

«Unmensch!», sagte Mattheusz und warf sich Jannike umstandslos über die Schulter, als wäre sie ein Sack Kartoffeln. Die Kneipengäste johlten, während sie sich nach links und rechts schoben, um den Weg nach draußen freizugeben. Doch davon bekam Jannike zum Glück nicht viel mit. Sie musste sich viel zu sehr darauf konzentrieren, die Situation nicht noch weiter zu verschlimmern. Es wäre eindeutig klüger gewesen, die Toilette auch noch für etwas anderes zu nutzen, als bloß heulend auf dem Deckel zu hocken und schlechte Magazine zu lesen.

Wortlos packte der Briefträger Jannike in den stabilen Korb, der an seinem Vorderrad befestigt war, dann klappte er den Fahrradständer hoch, setzte sich auf den Sattel und fuhr los. Sie saß in Fahrtrichtung, und ihre Beine baumelten fast bis an die Speichen – früher eine halbwegs bekannte Moderatorin, jetzt ein Stück Sperrgut, eine Extraauslieferung der Post bis direkt an die Haustür. Der frische Wind knallte ihr wie ein nasser Lappen ins Gesicht, und sie musste nach Luft schnappen. Was für eine Tour! Es ruckelte und rumpelte – bequem ging anders. Doch zugegeben, alleine hätte sie die knapp fünf Kilometer nicht bewältigt. «Danke», sagte sie irgendwann zwischen Deichtor und Leuchtturm über die Schulter.

«Ist okay.» Er keuchte nicht und wirkte so, als ob er täglich angetrunkene Frauen im Fahrradkorb herumkutschieren würde.

«Kann ich mich irgendwie re…» Mist, das Bier legte die Zunge lahm. «… irgendwie re-van-gie-ren?» Jetzt verrenkte sich Jannike doch den Hals und drehte sich zu ihm um. Sofort wurde ihr übel.

«Kaffee ist gut!», sagte er schließlich und schaute weiter geradeaus, denn es war stockfinster hier, keine Straßenlaterne und nichts, nur ab und zu warf der Leuchtturm einen Lichtstreifen über den Weg. Zum Glück hatte das Gefährt breite Reifen, damit würden sie hoffentlich nicht bei jedem kleinen Steinchen ins Trudeln kommen.

«Okay, von mir aus gibt es jeden Morgen einen Kaffee, wenn Sie die Post vorbeibringen. Dreimal die Woche, nämlich wenn ich den Leuchtturm aufzuschließen habe, sogar mit Kuchen. Ist das ein Deal?»

Er nickte. Sie fuhren gerade an der *Pension am Dünenpfad* vorbei, dort brannte kein Licht mehr, die Familie Wittkamp schien bereits zu schlafen.

«Und ich habe noch eine Bitte!», sagte Mattheusz.

«Und zwar?»

«Bringen Sie mir den Kaffee zum Tor?»

Jannike stutzte. Sie erinnerte sich, dass er bereits bei seinem Spontanbesuch vor ein paar Tagen deutliches Unbehagen gezeigt hatte, ihr Haus zu betreten. «Sind das Dienstvorschriften? Dürfen Sie während der Arbeitszeit nicht reinkommen und einen Kaffee trinken?»

«Nein, das ist alles erlaubt.» Er lachte. «Ich trinke ab und zu Tee bei Frau Wittkamp, und bei großer Hitze spendiert meine Schwester mir manchmal ein Glas Leitungswasser. Lucyna arbeitet nämlich im *Hotel Bischoff*, genau wie meine Mutter.»

«Was ist es dann?»

«Es geht um … den Hasen.»

«Was?»

«Ich habe Angst vor dem Hasen», sagte er, als redete er über etwas wirklich Furchtbares, über schwerbewaffnete Wachmänner oder den drohenden Weltuntergang. «Bitte, denken Sie nicht, ich bin blöd.»

«Das denke ich nicht.»

«Da wohnt ein riesiges Tier bei Ihrem Haus. Ein Hase, gar nicht niedlich. Ohren wie deutsches Schnitzel! Riesige Zähne! Es hat mir schon oft in die Hose gebissen. Deswegen komme ich nicht gern durch das Tor. Deswegen hängt auch der Briefkasten am Zaun, das hat der Vorbesitzer mir zuliebe gemacht.»

Jannike musste lachen. «Ach, das Kaninchen?»

Er zuckte mit den Schultern. «Nun denken Sie doch, ich bin blöd ...»

«Quatsch, ich bin total erleichtert.» Er wurde langsamer, und erst jetzt bemerkte Jannike, dass sie schon angekommen waren. Die Silhouette des Leuchtturms hob sich schlank und schwarz vor dem Nachthimmel ab, und die langsam kreisenden Strahlen bogen sich weit hinten am Horizont. Bislang hatte Jannike noch gar nicht bemerkt, wie wunderschön das aussah. Kein Wunder, seit sie hier lebte, war sie jeden Abend todmüde ins Bett gefallen, ohne auch nur einen Blick nach draußen zu werfen.

«Erleichtert?», fragte er nach.

Sie krabbelte aus dem Korb und merkte, dass sie wieder halbwegs geradeaus gehen konnte. «Mich hat das Monster auch schon angefallen. Gleich bei meinem ersten Besuch!»

Mattheusz lehnte das Rad gegen den Zaun. «Echt?»

«Ja, und als ich dem Makler davon erzählt habe, dachte der wahrscheinlich, ich wäre nicht mehr ganz nüchtern.» Aber jetzt bin ich es, fügte Jannike in Gedanken hinzu. Wie klar ihr Kopf war, wie sauber die Luft, dann diese Stille – nur das Piepen im Ohr nervte, eine unangenehme Nachwirkung der lauten Musik in der *Schaluppe*.

Alles in allem war heute ein guter Tag gewesen. Der erste richtig gute Tag seit langem. Die Telekommunikation funktionierte genau wie die Kommunikation mit den Gästen und den Einheimischen. Vielleicht war doch nicht alles so furchtbar aussichtslos?

«Ich bringe Ihnen morgen den Kaffee an die Pforte», versprach sie, während sie zum Gartentor ging.

Er stand neben seinem Rad und lächelte. «Also bis dann!», sagte er und hatte es plötzlich eilig, wieder auf sein Fahrrad zu kommen. Netter Typ, absolut. Ihren Briefträger in Köln hatte sie nie zu Gesicht bekommen, aber Jannike war beinahe sicher, dieser hier war der netteste Postbote der Welt.

Als er weg war, blieb Jannike noch einen Moment stehen, wo sie war, und betrachtete ihr Haus. Ihr Haus! Hatte sie sich eigentlich schon mal die Zeit genommen, sich dessen richtig bewusst zu werden? Dieses Gebäude da, mit den roten Steinen, die teilweise zu kunstvollen Verzierungen gemauert worden waren, der weiß-grüne Vorbau, die Sprossenfenster und Hagebuttensträucher im Garten, sie kannte inzwischen jede Ecke drinnen und draußen, aber noch keinmal hatte sie sich hingestellt und zu sich selbst gesagt: «Herzlichen Glückwunsch, Jannike Loog! Du bist verrückt, aber mutig und seit neuestem Besitzerin eines kleinen Inselhotels!»

Die Menschen hier würden ihr nicht den Kopf abbeißen, im Gegenteil, die meisten von ihnen waren freundlich, aufgeschlossen und hilfsbereit. Leicht würde es nicht werden, aber das war das Showbusiness auch nicht.

Kaum hatte sie das Grundstück betreten, hörte sie hinter der Kastanie das inzwischen schon vertraute Klopfen auf Sand. Es raschelte im Dünengras. Das verdammte Kaninchen schien nie zu schlafen. Egal, dann ging sie eben etwas schneller, die Tür musste offen sein, das Vieh würde sie nicht einholen … Sie rannte, das Rascheln wurde lauter, sie nahm die zwei Stufen zur Haustür auf einmal, sprang hinein und warf die Tür hinter sich zu. Puh, geschafft. Bald würde sie auf Kaninchenjagd gehen. Wenn erst Gäste im Haus wären, durfte sie keine angriffslustigen Nagetiere im Garten mehr dulden.

Sie starrte auf die Uhr, die im Flur neben der Kommode hing. Mein Gott, dachte sie, es war nach Mitternacht. Es war Freitag. Und der Tag, an dem sie ihren ersten Gast im Haus haben würde, war schon morgen!

Sie schaute sich um. Irgendetwas war anders. Klar, sie hatte in den letzten Tagen sehr viel hin und her geräumt, aber da hinten in der Ecke neben Zimmer 1 – hatten da nicht die noch verpackten Schlafzimmermöbel gestanden? Ganz sicher, die hatte sie dort abgestellt, weil sie ja morgen in aller Frühe mit dem Aufbau beginnen wollte. Sie schluckte. Mist! Die Tür hatte offen gestanden, das Hotel war für jedermann zugänglich gewesen, das musste jemand beobachtet haben. Und als sie ins Dorf geradelt war ... Bitte nicht!

Vielleicht Mira Wittkamp? Ja, die war wahrscheinlich inzwischen hier gewesen und hatte die Tischdecken geholt. Aber sie würde doch nie im Leben die schweren Kartons in der Gegend herumschleppen. Warum sollte sie das tun?

Jannike wurde schlecht, das durchgeschüttelte Bier im Bauch und der Schreck vertrugen sich überhaupt nicht. Was sollte sie jetzt tun? Knud Böhmer auf dem Fußboden schlafen lassen? Sie könnte ja immer noch die Idee des Maklers mit den Fußbodenmatratzen und dem Apfelsinenkisten-Mobiliar aufgreifen. Aber nach Lachen war ihr nicht zumute.

Sie hatte sich das Zimmer so schön vorgestellt – das erste Zimmer! –, sogar eine Grundrissskizze hatte sie angefertigt und dort auf der Fensterbank bereitgelegt: das Bett mit dem Kopfende an der Wand rechts, sodass man im Liegen zwischen den Ästen der Kastanie hindurch in den Inselhimmel blicken konnte. Der Schrank direkt daneben, der kleine, etwas verschnörkelte Schreibtisch bei der Tür zum Badezimmer. Sogar die Bilder hatte sie im Geiste schon an den Wänden verteilt. Auf Holzplatten gezogene Fotodrucke mit Strandmotiven, nichts furchtbar Originelles, aber schön und für jedermanns Geschmack tauglich. Ach Mann, das war doch nicht etwa auch alles verschwunden?

Mit klopfendem Herzen ging sie zur Zimmertür, drückte die Klinke und knipste den Lichtschalter an. Und meinte, im nächsten Moment in Ohnmacht zu fallen. Sie hatte vieles erwartet, aber das mit Sicherheit nicht: Das Zimmer war fix und fertig eingerichtet! Alle Möbel aufgebaut und an den richtigen Stellen platziert. Über dem Bett hingen die drei Bilder mit den Strandkörben. Statt der nackten Glühbirne strahlte das Deckenlicht warm durch das Papier der Kugellampe. Natürlich war das Bett noch nicht bezogen, und auch die Fenster zeigten sich gardinenlos. Trotzdem, es war schön, richtig schön!

Aber wer, um Himmels willen, hatte ihr das bloß angetan?

Schiffsfahrt Reederei Fresena

Insel hin und zurück

0306

Das Erste, was Knud Böhmer vertraut vorkam, war der Geruch. Und er wusste nicht, ob er den überhaupt in der Nase haben wollte. Eigentlich war er da nicht so empfindlich, sein Riechorgan ließ ihn normalerweise in Frieden. Er mochte die olfaktorische Note, wenn er seine Hemden aus der Reinigung holte und die Schutzfolie aufriss, das erinnerte ihn an die Bügelstube seiner Mutter. Und wie jeder andere normale Mensch mochte er die Aromen von Kaffee, frischem Brot oder Sommerregen. Aber für eine Karriere als Parfumeur hätte das sicher nicht gereicht.

Deswegen überwältigte ihn dieser Sinneseindruck geradezu: der schwere, ölige Dieselausstoß der Schiffsmotoren, gepaart mit den Ausdünstungen des von den Schrauben aufgewühlten Wattenmeers, als der Kapitän mit geübtem Manöver die Fähre an den Kai lenkte. Es gab einen sanften Ruck, dann waren sie da. Alle drängten sich von Bord, nur Knud Böhmer blieb stehen und versuchte, vom Oberdeck aus etwas Übersicht zu gewinnen.

Das Hafengebäude war neu, es musste in den achtziger Jahren gebaut worden sein. Auch führte kein Holzsteg mehr an Land, sondern eine überdachte Gangway. Die ersten Menschen, die von Bord gingen, steckten ihre Plastiktickets in kantige Apparate, früher hatten die Matrosen die Fahrkarten noch mit einer Lochzange entwertet. Es hatte sich so vieles verändert. Nur der Geruch war noch derselbe.

Knud Böhmer hatte Angst. Und das war ein Gefühl, das er sich eigentlich im Laufe seines Lebens gründlich abtrainiert hatte. Als Geschäftsführer einer Firma mit mehr als fünfhundert Angestellten konnte man sich Furcht nicht leisten. Da hatte man sachlich zu sein, konsequent und manchmal kompromisslos. Wer da das Zittern kriegte, war schnell raus. Aber er hatte es geschafft, beharrlich und unerschütterlich, bis ganz nach oben, in die Chefetage einer Hamburger Werft. Knud Böhmer hatte eine tolle Aussicht auf die ganze Welt genossen, alle Häfen bereist, alle Länder erobert, alle Ziele erreicht.

Warum schlotterten ihm bloß jetzt, hier auf dieser mickrigen Insel, die nur eine halbe Tagesreise von Hamburg entfernt war, die Knie? Er hätte erhobenen Hauptes zurückkehren sollen. Doch er war ein Wrack.

«Im Namen der Reederei verabschieden wir uns von unseren Fahrgästen und wünschen Ihnen allen eine erholsame, sonnige Zeit auf der Insel.» Dann ließ der Kapitän das Nebelhorn erschallen.

Böhmer wusste, das hier würde nicht erholsam werden, und ob die Sonne dabei schien, war ihm herzlich egal. Als bereits alle Gepäckcontainer vom Deck gerollt waren, ging er als einer der Letzten langsam von Bord. Und dann setzte er nach fast vier Jahrzehnten wieder einen Fuß auf die Insel. Ein kleiner Schritt für die Menschheit, dachte er, ein großer Schritt für mich.

Niemand holte ihn ab. Niemand erwartete ihn, außer vielleicht seine Gastwirtin, bei der er ein Zimmer gemietet hatte.

Ansonsten würde ihn wohl auch kaum noch jemand erkennen. Er war dicker geworden, klar, nach fünfunddreißig Jahren, die er vorzugsweise auf Bürostühlen gehockt hatte. Sein Kopf war fast kahl und das Resthaar hellgrau, eine Brille hatte er damals auch noch nicht getragen. Da müsste schon jemand ganz genau hinschauen, um darauf zu kommen, dass er Knud war, Knud Böhmer, der Aushilfsmatrose, der die schönsten Sommer seiner Jugend auf dieser Insel verbracht hatte. Wilde Strandpartys hatten sie gefeiert. Die meisten von ihnen waren Studenten gewesen, die sich in den Sommermonaten ein paar Mark dazuverdienten als Kellner, Rettungsschwimmer oder Mädchen für alles. Die lebten jetzt mit Sicherheit überall, nur nicht hier.

Er hatte vergessen, in welchem Container sein *Samsonite* stand, rot und kastig war der Wagen gewesen, hatte er sich gemerkt, doch jetzt fiel ihm auf, dass alle Frachtanhänger rot und kastig und nur durch Buchstaben und Nummern zu unterscheiden waren. Früher waren sie kunterbunt gewesen. Da hatte man sich hellblau gemerkt oder zitronengelb und musste nicht lange suchen, um den Koffer zu finden. Sein Gepäck wartete ziemlich verlassen in A23, die meisten Passagiere hatten schon alles in die Handkarren verstaut und waren unterwegs Richtung Dorf. Böhmer blickte sich um, konnte aber keinen Wagen entdecken, auf dem *Hotel am Leuchtturm* stand. Diese Frau Loog schien noch ganz neu im Geschäft zu sein, das war ja auch aus ihrer Bestätigungspost herauszudeuten gewesen. Die wusste sicher nicht, dass es auf den Inseln üblich war, den ankommenden Gästen einen Bollerwagen oder Ähnliches für den Transport bereitzustellen. Egal, sein Koffer war stabil und hatte gummibereifte Rollen, damit würde er es auch bis ganz in den Westen schaffen. Ohnehin wollte Böhmer sich Zeit lassen für den Weg. Er hatte es nicht eilig. Er hatte fast vierzig Jahre gewartet, da musste er jetzt nicht hektisch werden.

Er entschied sich für den Weg durchs Dorf. Natürlich hätte er auch über die Deichpromenade laufen können, das wäre vielleicht sogar kürzer gewesen, doch er wollte sich der Begegnung mit dem prallen Inselleben stellen. Sehen, was sich verändert hatte, und sehen, was noch genauso war wie Ende der Siebziger. Der Kurpark zum Beispiel: Die Konzertmuschel war neu, aus festem Stein, damals hatten die Musiker in einer Konstruktion aus Holz und gelbstichigen Fenstern gesessen. Doch dafür spielten sie dasselbe: *An die Nacht* von *Richard Strauss*. Damals hatte er damit nichts anfangen können, schmalziger Klassikmist, in der Dünendisco hatten sie lieber *Sultans Of Swing* von den *Dire Straits* gehört. Und bei *Stay* von *Jackson Browne*, das immer um zehn vor zwei nachts, also kurz vor dem Zapfenstreich gespielt wurde, da hatte man geknutscht und sehr eng getanzt. Wer es bis dahin nicht zu Körperkontakt gebracht hatte, ging in dieser Nacht eben leer aus. Ihm war das selten passiert. Böhmer musste lächeln, er konnte sich nicht erinnern, jemals vorher oder nachher so wild auf einen Song gewesen zu sein. Heute war das anders. Heute hörte er Richard Strauss.

Gedankenverloren schlenderte er weiter, vorbei am *Hotel Bischoff*, welches damals schon das beste Haus am Platze gewesen war. Sah recht feudal aus, mit Spa-Bereich und Cocktailbar, wie die Außenwerbung prahlte. Strandkörbe im Vorgarten, ein paar majestätische Flaggen flatterten im Wind: *Göttlich genießen im Bischoff*, was für ein verunglückter Slogan. Normalerweise würde er hier absteigen, unter vier Sternen schlief Böhmer selten, warum auch, er musste wirklich nicht jeden Cent umdrehen. Doch heute war nicht normalerweise.

Und das *Hotel am Leuchtturm* war ihm geradezu ideal erschienen für das, was er vorhatte. Da konnte er gut und gern auf Room-Service und Swimmingpool verzichten.

Ein Freund hatte gefragt, was er vorhabe, so in den ersten Wochen des wohlverdienten Ruhestands. Mit noch nicht ganz sechzig Jahren sei er ja noch jung genug, alles das zu unternehmen, wofür im stressigen Manageralltag immer die Zeit gefehlt hatte. Deswegen sei er ja auch sicher schon vorzeitig aus dem Berufsleben ausgestiegen, spekulierte man in Hamburg. Einen Mann wie Knud Böhmer, den zog es in die Welt hinaus, der würde sich auf den Bahamas an den Strand legen und Getränke mit Obstdekoration am Glasrand schlürfen oder vielleicht auch mit dem Kreuzfahrtschiff rund um den Globus reisen. Ein Mann wie Knud Böhmer würde im Handumdrehen eine attraktive Begleitung finden, die ihm das Rentnerdasein versüßte, Frauen standen doch auf erfahrene Kerle mit Geld auf dem Konto und Reiselust im Blut. Die Belegschaft hatte ihm zum Abschied rein symbolisch eine Badehose geschenkt, im Tuttifrutti-Design, Ananas und Bananen und Kirschen auf dem kreischbunten Stoff, alles Gute, Chef, du hast alles richtig gemacht und kannst jetzt von den Früchten deiner Arbeit zehren …

Er hatte gelacht und den Champagner entkorkt. Doch was genau er vorhatte in seinen ersten Wochen des Ruhestands, das hatte er keinem verraten. Das ging niemanden etwas an. Und hier, auf diesem Eiland am Ende der Welt, und doch nur eben um die Ecke, da würde ihn bestimmt kein Mensch vermuten.

Jetzt trat er durch die Deichscharte, und der lange Weg bis zum Leuchtturm lag vor ihm. Das Pflaster war holperig, sein *Samsonite* hopste. Frische Pferdeäpfel lagen in der Mitte der

Straße, die Spatzen hüpften darauf herum und suchten etwas fürs Kröpfchen, Böhmer machte einen Bogen um den Haufen.

Mein Gott, gab es hier viel Zeit. Ja, auch frische Luft und weiten Himmel und alle diese Dinge, die man auf Nordseeinseln erwartete. Doch vor allem gab es hier Zeit im Überfluss. Man konnte kilometerweit spazieren gehen und bekam doch nicht das Gefühl, zu langsam zu sein.

Natürlich, mit Anfang zwanzig hatte er diesen Vorzug der Insel überhaupt nicht wahrgenommen, da hatte er Zeit noch nicht als größten Schatz überhaupt empfunden. Da hatte er nicht schnell genug die schweren Taue um die Polder am Hafen werfen und den Maschinenraum auswischen können. In seinen Semesterferien hatte er immer bei der Reederei *Fresena* angeheuert, hatte drei Monate lang auf der Fähre gejobbt. Sechs Stunden täglich war er für gutes Geld zwischen Insel und Festland gependelt. Geschlafen hatte er, der nach der mittleren Reife schon einmal auf großer Fahrt gewesen und schaukelnde Betten gewohnt war, in der Kajüte an Bord oder im Bett eines hübschen Mädchens, das er in der Dünendisco aufgerissen hatte. Ja, das war ihm damals das Wichtigste gewesen: klar Schiff machen und dann los ins Getümmel! Das konnte nie schnell genug gehen. Mit Anfang zwanzig hätte er nie für möglich gehalten, jemals Gefallen am Spazierengehen zu finden.

Die Dünen wurden immer höher, und die Spitze des Leuchtturms erhob sich zwischen den sandigen Kämmen wie sein höchstpersönlicher Wegweiser. Er musste fast die Hälfte der Strecke geschafft haben, inzwischen lag der Griff seines Rollkoffers immer schwerer in der Hand, und er wechselte den Arm. Eine kleine Abzweigung am Weg, dort lag, etwas geduckt zwischen Silberpappeln, die *Pension am Dünenpfad*. Er wurde langsamer. Hübsches Haus. Vielleicht ein bisschen zu viel Kitsch im Vorgarten, aber ... Er blieb stehen. Im Garten spielten zwei Kinder, beide hellblond und – so schätzte er, der sich mit Kindern überhaupt nicht auskannte – Grundschüler. Der Junge schaukelte sich fast in den Himmel, das Mädchen hockte auf dem Rand eines Sandkastens, spielte gar nicht, saß einfach nur da, träumte vor sich hin oder las ein Buch, das konnte Knud Böhmer nicht erkennen, denn sie hatte ihm den Rücken zugewandt. Zwei wirklich nette Kinder. Er musste sich zwingen, weiterzugehen.

Als er schon hinter der nächsten Düne verschwunden war, hörte er eine Frauenstimme: «Theelke, Tjark, kommt rein, Essen ist fertig.» Mehr als ein Rufen, fast ein Gesang, das Lied einer Mutter, die wahrscheinlich jeden Tag auf dieselbe liebevolle Art und Weise Sohn und Tochter an den Tisch bat. Konnte man aus diesen paar Worten heraushören, ob sie eine glückliche Familie waren? Nein, dazu musste man weit mehr über sie in Erfahrung bringen.

Endlich kam das Hotel in Sicht. Obwohl, konnte man dieses Haus überhaupt als solches bezeichnen? War das nicht eher eine etwas bessere Frühstückspension?

Vor dem weißen Gartentor stand eine Frau um die vierzig, schlank und mittelgroß, nicht unattraktiv, doch für seinen Geschmack als Hotelherrin etwas zu leger gekleidet. Das knielange Blümchenkleid taugte eher für den Strand denn als Berufsdress.

«Herzlich willkommen, Herr Böhmer», sagte sie, und es gelang ihr kaum, ihre Aufregung zu verbergen. Wild plapperte sie drauflos, stellte sich noch einmal vor und betonte, dass sie unglaublich nervös sei, ihn als ersten Gast zu begrüßen, und dass sie sich jetzt schon entschuldige, wenn nicht alles glattliefe, aber er könne auf der Terrasse ja schon mal einen Kaffee trinken, oder einen Tee, ganz nach Belieben, Kuchen habe sie auch gebacken, aber er solle aufpassen, im Garten lebe ein wildes Kaninchen, es sei ihr noch nicht gelungen, das Tier einzufangen (Kaninchen, ja, klar – offensichtlich war die Dame leicht irre, doch er sagte nichts dazu), und ob denn seine Anreise angenehm verlaufen sei.

«Meine Anreise wäre deutlich angenehmer verlaufen, wenn Sie einen Gepäckkarren am Hafen abgestellt hätten», unterbrach er ihren Wortschwall, und ihm war gleich bewusst, dass sein Ton mal wieder schärfer klang als beabsichtigt. Das war ihm in der Firma auch oft passiert.

Jannike Loog zuckte zusammen. «Stimmt, daran habe ich wirklich nicht gedacht. Mist, oh, Entschuldigung, es tut mir wirklich leid, aber …»

«Kann ich jetzt mein Zimmer beziehen? Ich bin sehr müde von der Reise.»

«Ja, natürlich!» Sie stolperte fast über ihre eigenen Beine, als sie vor ihm den Weg zur Eingangstür nahm. Auf den Gedanken, ihm nun nach dem langen Marsch von einem Pagen das Gepäck abnehmen zu lassen, kam sie leider nicht. Diese Frau musste noch viel lernen.

Die Atmosphäre im Haus war dann doch angenehmer als erwartet. Seine Befürchtung, über Farbeimer steigen zu müssen, hatte sich zum Glück nicht bewahrheitet, und das Zimmer 1, welches für ihn reserviert war, war geräumig und mit neuem Interieur ausgestattet. «Da sind ja gar keine Gardinen!», fiel ihm sofort auf.

Wieder eine schuldbewusste Geste. «Ja, stimmt, die bringt eine Bekannte von mir gleich noch vorbei. Sind erst gestern genäht worden …» Sie ging zum Fenster und schaute hinaus, fast als warte sie darauf, dass diese Bekannte ihr den Gefallen tat, die Geschichte sofort zu bestätigen. «Sind Sie das erste Mal auf der Insel?», nervte sie weiter.

«Ja», log Böhmer.

«Und darf ich fragen, wie Sie ausgerechnet auf mein Haus gekommen sind? Ich meine, es gab ja keinerlei Werbung im Internet oder so, das Hotel gehört mir erst seit ein paar Wochen ...»

Was sollte er darauf antworten? Die Wahrheit wäre verräterisch. Er beließ es bei einem Schulterzucken und einem genuschelten «War ja sonst nichts frei».

Und dann kam da tatsächlich eine Frau auf das Gartentor zugeradelt. «Sehen Sie, da ist sie schon!», freute sich seine Gastwirtin. «Eine sehr nette Nachbarin von mir. Als sie hörte, dass am Samstag schon mein erster Gast kommt, hat sie sich spontan bereit erklärt, aus ein paar Tischdecken die Fensterdeko zu nähen.» Sie schlug sich auf die Lippen. «Oh, nicht dass Sie denken, hier wäre alles so behelfsmäßig organisiert, aber die alten Vorhänge hatten einfach ein scheußliches Muster, das hätte ich Ihnen nicht zumuten wollen.»

Je mehr diese Frau versuchte, ihn mit ihrem Charme zu gewinnen, desto stärker wuchs in Böhmer das Verlangen, sich unbeliebt zu machen. Eine alte Macke von ihm, die sein Leben nicht gerade erleichterte. Doch wieso rückte diese Jannike Loog ihm auch derart auf die Pelle? Was interessierte ihn, wer hier auf der Insel wem Gefälligkeiten erwies?

Das Geplapper ging gnadenlos weiter: «Da war ich schon überrascht, solche Nachbarschaftshilfe kenne ich aus Köln weniger. Wissen Sie, die Frau ist meine Nachbarin, Sie müssen gerade eben an ihrem Haus vorbeigegangen sein. Die *Pension am Dünenpfad*. Ihr Name ist ...»

Knud Böhmer kannte den Namen. Und auf einmal war er doch interessiert, wer da gerade ankam. Er trat ans Fenster und sah, wie die Frau von ihrem Rad stieg.

Der Schweiß kroch ihm aus allen Poren.

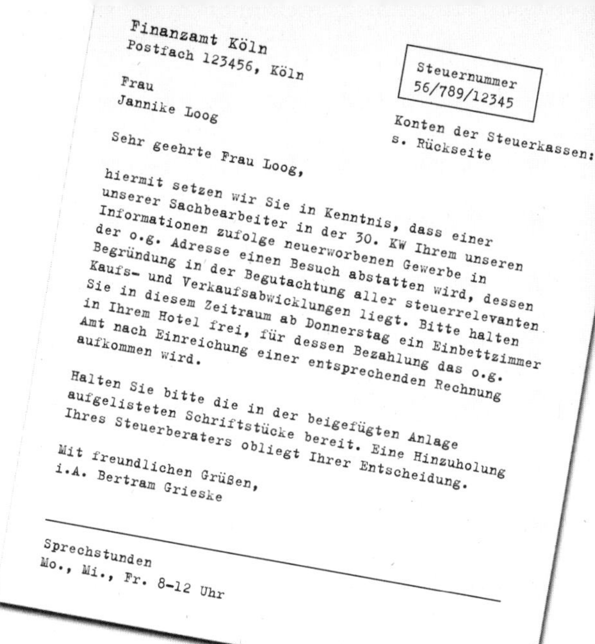
Finanzamt Köln
Postfach 123456, Köln

Steuernummer
56/789/12345

Frau
Jannike Loog

Konten der Steuerkassen:
s. Rückseite

Sehr geehrte Frau Loog,

hiermit setzen wir Sie in Kenntnis, dass einer unserer Sachbearbeiter in der 30. KW Ihrem unseren Informationen zufolge neuerworbenen Gewerbe in der o.g. Adresse einen Besuch abstatten wird, dessen Begründung in der Begutachtung aller steuerrelevanten Kaufs- und Verkaufsabwicklungen liegt. Bitte halten Sie in diesem Zeitraum ab Donnerstag ein Einbettzimmer in Ihrem Hotel frei, für dessen Bezahlung das o.g. Amt nach Einreichung einer entsprechenden Rechnung aufkommen wird.

Halten Sie bitte die in der beigefügten Anlage aufgelisteten Schriftstücke bereit. Eine Hinzuholung Ihres Steuerberaters obliegt Ihrer Entscheidung.

Mit freundlichen Grüßen,
i.A. Bertram Grieske

Sprechstunden
Mo., Mi., Fr. 8-12 Uhr

Und, wie ist der erste Gast so?», fragte Mattheusz, als er – wieder standesgemäß in hellblauer Uniform und mit Postlermütze auf den Locken – am Montagmorgen ganz selbstverständlich seinen Pott Kaffee am Gartentor entgegennahm. Am Freitag und Samstag war er auch schon da gewesen, und immer hatte Jannike die Gelegenheit für einen kurzen Plausch genutzt. So schnell konnte also ein Ritual etabliert werden.

Jannike schaute sich um, ob Knud Böhmer, der nach dem Frühstück sofort das Haus verlassen hatte, nicht zufällig in Hörweite war. «Er ist ein furchtbarer Stinkstiefel!»

Mattheusz lachte. «Schönes deutsches Wort!»

«Ich weiß überhaupt nicht, was ich dem getan habe. Ständig hat er was zu meckern.» Mann, tat das gut, die Wut loszuwerden, merkte Jannike. Seit dieser Mann im Zimmer 1 hauste, war es aus mit dem Frieden im kleinen Inselhotel. Waren etwa alle Gäste so? «Dass kein Handkarren am Hafen stand, war wirklich blöd von mir, okay, dafür habe ich mich entschuldigt. Aber dann machte der immer weiter: Die Vorhänge sind ihm nicht dunkel genug, um die Strahlen des Leuchtturms zu verdecken. Als ich sagte, er könne gern die Fensterläden von außen schließen, war ihm das aber auch nicht recht, angeblich würde er sich dann eingepfercht fühlen …»

«Aha!»

«Und ich habe mir solche Mühe mit dem Frühstück gegeben. Rührei und Speck und Tomaten und Marmelade und … na ja, eben alles, was so dazugehört.»

«Und?»

«Knud Böhmer wollte natürlich unbedingt frisch gepressten Orangensaft. Den gab es aber nicht. Wo soll ich denn so schnell eine Saftpresse auftreiben? Und Orangen? Jetzt im Hochsommer auf einer Insel mit einem sehr überschaubaren Frischobstangebot im proppevollen *Inselkoopmann!*» Sie seufzte. «Und dann fragte der nach Darjeeling, ich hatte aber Ostfriesentee. Statt Speck wollte er kleine Würstchen, und dann war ihm auch noch der Stuhl im Speiseraum zu unbequem. Mensch, am liebsten wäre ich diesem Motzkopf in seine arrogante Visage gesprungen!»

Hätte sie es mal getan. Wäre bestimmt gut für ihren Gefühlshaushalt gewesen, sie hatte in letzter Zeit sowieso viel zu viel runtergeschluckt. Und hier hätte es zumindest keinen Falschen getroffen. Knud Böhmer hatte sowieso kein einziges Mal gelächelt, sie hätte ihm dann kurzerhand seine herunterhängenden Mundwinkel auseinandergezogen und ihm mit Reißzwecken ein Dauergrinsen ins Gesicht gepinnt. Was wollte der hier überhaupt? Der Inselaufenthalt schien ihm jedenfalls nicht besonders zu gefallen. Er hockte feist an seinem

Tisch, die Serviette ultraspießig in den Kragen gesteckt, kaute lustlos sein Frühstück, danach verschwand er im Zimmer, um kurz darauf das Haus zu verlassen und erst am Abend zurückzukehren. So hatte er es zumindest gestern gemacht, und der heutige Morgen war ganz ähnlich verlaufen. Jannike war ratlos. «Außerdem hat er sich beschwert, weil sein Bett noch nicht gemacht worden war, während er beim Frühstück saß. Als ich ihn darüber aufklärte, dass ich ganz allein im Hotel und während seiner Morgenmahlzeit zu beschäftigt sei, um auch noch gleichzeitig das Zimmermädchen zu spielen, sagte er, ich solle mal nicht frech werden! Stell dir das vor!»

«Steht dir gut, wenn du wütend bist!» Jetzt grinste Mattheusz und pustete in seinen Kaffee. «Vielleicht ist der deswegen so ein … wie sagst du? Riechschuh?»

«Stinkstiefel!»

«Er ärgert dich, weil er es süß findet, wenn du wirst rot im Gesicht und hast Feuer in den Augen.»

Vielleicht war das lieb gemeint. Jannike war trotzdem mies drauf. «Hast du wenigstens Post für mich?»

Er stellte die Tasche auf den Gartenzaun und kramte kurz, dann holte er einen Brief hervor. Was Offizielles. Vom Finanzamt in Köln. Der Tag schien nicht besser zu werden. Jannike riss das Kuvert an Ort und Stelle auf und überflog die Zeilen.

«Was ist?», fragte Mattheusz.

«Ich verstehe von dem Beamtendeutsch auch nur die Hälfte, aber es scheint nichts Gutes zu verheißen.» Irgendein Sachbearbeiter Grieske wollte ihre Unterlagen zum Hauskauf überprüfen. Der hatte wahrscheinlich die *Close Up* gelesen und hielt Jannike jetzt für eine hinterhältige Steuersünderin. «Gewerbeanmeldung, Umsatzprognosen, Unkostenaufstellung … Die spinnen wohl!»

Wieder einmal zog Mattheusz die Schultern hoch, als trüge er indirekt die Schuld an schlechten Nachrichten, die aus seiner Postlertasche stammten.

«Als ob ich nichts anderes zu tun hätte!» Jannike spürte, dass ihr Hals trocken wurde. Sie hatte wirklich genug um die Ohren, in einer Woche begannen die Sommerferien in drei Bundesländern, und es gab zwei vage Anfragen von potenziellen Gästen, also musste sie so schnell wie möglich mit den Zimmern weiterkommen. Wann sollte sie da noch Finanzamtskram erledigen, von dem sie überhaupt keine Ahnung hatte? «Woher haben die überhaupt meine Adresse?»

Natürlich wusste Mattheusz darauf keine Antwort, und plötzlich hatte er es mächtig eilig, weiter die Post auszutragen. So attraktiv war Jannike dann anscheinend doch nicht, wenn sie sich aufregte. Jedenfalls ergriff der Briefträger kurzerhand die Flucht.

Während sie wieder ins Hotel ging, überflog sie das Schreiben ein weiteres Mal. Dieser Grieske kündigte sein Kommen an. Ausgerechnet in der Woche vor dem Leuchtturmfest, wenn die Saison brummte, wollte er für drei Nächte im Hotel absteigen, um ihr angeblich beratend zur Seite zu stehen und die Unterlagen auf steuerrechtliche Aspekte hin zu begutachten. So etwas nannte man auf gut Deutsch doch Betriebsprüfung, oder? Diese unangenehme Maßnahme, die Unternehmern blühte, wenn sie ihre Buchführung nicht im Griff hatten oder Steuern hinterzogen. Das war ja albern, hier wohnte gerade mal seit zwei Nächten ein einzelner zahlender Gast. Selbst wenn Jannike vorgehabt hätte, Schwarzgeld abzuzweigen, würde das die Fahrtkosten des Finanzbeamten nicht annähernd decken. Nein, es war klar, die hatten es wegen der angeblichen Abfindungssumme auf sie abgesehen. Nun, da hatte sie kein schlechtes Gewissen, da dürften die ruhig bohren. Ein Anruf bei Clemens, und 4-2-*eyes productions* würde sofort eine schriftliche Bestätigung schicken, dass es sich dabei um einen Privatkredit handelte, und die Sache wäre geklärt.

Die Putzutensilien waren in der Vorratskammer hinter der Küche: Handschuhe, Putzeimer, Ökoreiniger, Staubsauger, Lappen und Tücher. Dann schloss Jannike mit dem Generalschlüssel Zimmer 1 auf. Sie musste sich einen regelrechten Schubs geben, es kam ihr nach wie vor seltsam vor, auf diese Weise in die Privatsphäre von Knud Böhmer einzudringen. Doch dies hier war ein Hotel, und sie war sowohl Direktorin als auch Zimmermädchen, es war nicht nur normal, dass sie zwischen den höchst persönlichen Utensilien ihrer Gäste herumhuschte, es wurde sogar von ihr erwartet. Trotzdem …

Sie begann damit, das Bett zu machen. Aha, Knud Böhmer trug im Hochsommer also einen karierten XXL-Flanellpyjama, als müsste er in Sibirien übernachten. Kein Wunder, wer sich so kaltschnäuzig verhielt, musste sich auf anderem Wege Wärme verschaffen. Seine benutzten Papiertaschentücher versteckte er unter dem Kopfkissen. Sollte sie die jetzt wegwerfen oder liegen lassen? Was war reinlich – und was indiskret? Die unzähligen Male, die sie selbst in Hotels übernachtet hatte, hatte sie sich nie Gedanken über solche Dinge gemacht.

Jannike hoffte, dass ihr diese Griffe eines Tages wie von selbst von der Hand gehen würden. Ohne Ekel und Anspannung einfach nur Decke und Kissen ausschütteln und dabei über etwas völlig anderes nachdenken. Über den Typen vom Finanzamt beispielsweise.

Das würde schon gutgehen, wiederholte sie fast mantrahaft, während sie mit dem Staublappen über das Nachttischchen und den Sekretär wischte. Es geht gut! Schließlich habe ich mir nichts zuschulden kommen lassen! Also passiert auch nichts Schlimmes! Doch diese Gewissheit wurde von Minute zu Minute schwächer. Klar gab es Gesetze und so etwas wie Gerechtigkeit. Aber hatte sie nicht erst vor kurzem schmerzhaft erfahren, dass es ein Klacks war, durch eine völlig aus der Luft gegriffene Beschuldigung von einem Tag auf den anderen alles zu verlieren? Sie hatte niemals Geld für das publikumswirksame Tragen von Wetterjacken bekommen, weder gab es diesbezüglich Verträge, noch gab es auch nur die geringsten Indizien, die auf eine Zusammenarbeit mit der Outdoor-Bekleidungsfirma hinwiesen – dennoch war sie deswegen gefeuert worden, nach mehr als sieben Jahren im Showgeschäft, in denen sie immer pünktlich, fleißig und gewissenhaft gewesen war. Eine falsche Anschuldigung von einem ehemaligen *Springtide*-Mitarbeiter, dem sie noch nie in ihrem Leben begegnet war, eine Lüge über Bezahlungen in fünfstelliger Höhe – und aus der Traum. Und dabei hatte sie diese Jacken sogar gehasst, sie waren steif und unbequem, man schwitzte darin, und sie sahen auch noch bescheuert und klobig aus. Doch 4-2-*eyes* war für die Garderobe zuständig gewesen. Da hatte sie eben getragen, was zurechtgelegt worden war. Das war alles.

Als sie in dem kleinen Bad damit begann, die schon leicht angetrockneten Zahnpastareste aus dem Waschbecken zu kratzen, war ihr Optimismus auf dem Tiefpunkt: Konnte sie sich wirklich auf Clemens verlassen? Würde er die bösen Gerüchte dem Finanzamt gegenüber aus der Welt räumen? Mal ehrlich, was hatte ihr ehemaliger Liebhaber in den letzten Wochen unternommen, um Jannikes Haut zu retten? Nichts! Überhaupt nichts! Vielmehr sah es doch so aus, als ob er Jannike ohne großes Mitleid ins offene Messer hatte laufen lassen. Nicht ein Anruf von ihm, keine Mail, nichts. Spätestens nach dem Schundartikel in der *Close Up* hätte Clemens sich bei ihr melden müssen, um sie irgendwie zu beruhigen und das Missverständnis mit der halben Million aufzuklären. Aber er hatte sie im Stich gelassen. Und das würde er auch ein weiteres Mal tun, zweifelsohne.

Clemens war mittlerweile weder ihr Freund noch ihr Liebhaber, nicht einmal ein wohlgesonnener Weggefährte. Ohne dass es je einer von ihnen ausgesprochen hatte: Es war vorbei. Der Mann, mit dem sie sich in den letzten vier Jahren eine Zukunft erträumt hatte, war Vergangenheit. Inzwischen putzte sie die Kloschüssel. Ihre Tränen wischte sie am Ärmel ihres Sweatshirts ab. So ein Mist!

Was würde Danni dazu sagen? Der Gedanke schnürte Jannike fast die Kehle zu. Ich hab dich doch von Anfang an gewarnt, Jannike, der Typ ist ein Arsch, halt dich fern von dem. Seine Kenntnis in Männerfragen war schon immer deutlich präziser gewesen als ihre. Manchmal hatte Jannike ihn dafür gehasst, wenn er ihr mal wieder schonungslos die Meinung gesagt hatte: «Schatzi, besser nicht, der wird dich nur unglücklich machen, das sehe ich auf den ersten Blick.» Aber seine Prophezeiungen hatten sich immer erfüllt. Trotzdem wäre es jetzt wunderbar, sich an Dannis Schulter auszuheulen statt in das vierlagige Klopapier, dessen Ende sie hinterher zu einem Dreieck falten musste.

Sie stand auf. Das Zimmer war sauber, das Bad auch.

Und es nutzte ja nichts, sie musste sich irgendwie am Riemen reißen und etwas unternehmen. Auf keinen Fall durfte sie unvorbereitet auf diesen Grieske treffen, wenn er demnächst hier auf der Matte stand. Und weil nicht abzusehen war, wann sie in nächster Zeit dazu kommen würde, sich mit der Materie zu beschäftigen, musste sie es gleich angehen. Jetzt und sofort.

Sie brauchte handfeste Tipps von jemandem, der sich im Hotelgewerbe auskannte. Da fiel ihr nur Bischoff ein – immerhin hatte er bei der Begegnung in der *Schaluppe* seine Hilfe angeboten. Heute würde sie ihn beim Wort nehmen. Zum Glück hatte Mattheusz ihr am Samstag das Fahrrad aus dem Ort wieder mitgebracht, so musste sie nicht zu Fuß gehen, das hätte zu viel Zeit gekostet.

Sie zog ihre Putzklamotten aus, wählte das Blümchenkleid, das sie auch zur Begrüßung ihres ersten Gastes getragen hatte, weil es so fröhlich und nach Sommerlaune aussah und hoffentlich von ihrer Regenwetterstimmung ablenkte. Sogar Lippenstift legte sie auf. Und dann radelte sie los. Was war bloß mit dem Fahrrad passiert? Es fuhr beinahe wie von selbst. Kein Scheppern und Schleifen, die Reifen prall aufgepumpt, der Sattel in Idealhöhe. Oder hatte sie sich inzwischen einfach an diese ungewöhnliche Fortbewegungsart gewöhnt? Jedenfalls kostete es Jannike kaum Anstrengung, auf dem Dünenweg voranzukommen, in beachtlichem Tempo radelte sie um die Kurven – und musste plötzlich scharf bremsen: Ein Mann stand in der Abzweigung zur *Pension am Dünenpfad* hinter einem Sanddornstrauch, halb auf dem Weg, halb im Geäst, gerade jetzt machte er einen unachtsamen Schritt zurück, und nur ganz knapp gelang es Jannike auszuweichen. Im ersten Moment sah es aus, als ob er dort etwas unfein sein kleines Geschäft erledigt hätte, solche Kerle gab es ja leider immer und überall. Doch als er sich erschrocken umdrehte, erkannte Jannike, dass er ein Fernglas in der Hand hielt. Und dass es Knud Böhmer war. Ach nee!

«Passen Sie doch auf!», blökte er.

«Entschuldigung», stammelte Jannike. Was machte der da? Warum versteckte er sich am helllichten Tag hinter einem

Busch – mit einem Feldstecher im Anschlag? «Wenn Sie sich für Wasservögel interessieren, Herr Böhmer, dann kann ich Ihnen gern die Tür zum Leuchtturm aufschließen, von dort oben hat man eine tolle Aussicht auf das Wattenmeer!»

«Was? Wie ... Vögel?»

Alles klar, dachte Jannike. Sie hatte ihren Gast auch nicht ernsthaft für einen Hobby-Ornithologen gehalten, auch wenn naturkundliche Beobachtungen eine gute Erklärung wären, warum der Mann sich nach dem Frühstück aus dem Haus schlich und erst abends wiederkam. Doch wer sich für gefiederte Inselbewohner begeisterte, würde sich eher in das kleine Wäldchen im Osten oder direkt an die Salzwiesen zum Wattenmeer hin begeben. Von dort, wo er gerade stand, hatte der lediglich die noch hellgrünen Sanddornbeeren vor der Linse – oder das Haus der Familie Wittkamp. War es das? Beobachtete er Mira, Okko und die Kinder? Oder deren Feriengäste? Doch was gab es da zu sehen?

Im Garten saß niemand, die unteren Fensterläden waren wieder geschlossen, das kam Jannike schon merkwürdig vor. Und dann sah sie das Auto hinter dem Haus stehen. Ein alter, silberner Golf, der auf dieser abgasfreien Insel eigentlich nichts zu suchen hatte. Hier gab es keine PKWs, nur die Feuerwehr war motorisiert, das Rote Kreuz und ... Das musste es sein: Hinter Miras Haus parkte der Inselarzt. Der durfte, wenn es schnell gehen musste und der Patient zu krank war, um selbst in die Praxis zu kommen, das Auto nehmen. War es das, was Böhmer so brennend interessierte, dass er sich in seinem Voyeurismus fast vom Rad seiner Vermieterin überrollen ließ? Dann war der Gast aus Hamburg noch scheußlicher, als sie ihn ohnehin schon fand.

«Gibt es da was Spannendes zu sehen?», fragte sie in einem

Ton, der ihm deutlich machen musste, was sie von seiner Neugierde hielt.

«Das geht Sie gar nichts an», blaffte er zurück.

Wütend stieg Jannike wieder auf ihr Rad. Wie konnte man nur so sein? Kostete das nicht wahnsinnig viel Energie? Außerdem ging es diesen Kerl überhaupt nichts an, was in der *Pension am Dünenpfad* los war. Hoffentlich nichts Schlimmes, dachte Jannike. Ein Gast mit ernsthaften Gesundheitsproblemen? Ein Unfall? Meine Güte, was in einem Ferienhaus so alles passierte. Gaffer konnte man da am allerwenigsten gebrauchen.

Sie würdigte Böhmer keines Blickes mehr, sondern trat in die Pedale und war wenig später im Ort und vor dem schicken *Hotel Bischoff* angekommen.

Die Frau an der Rezeption, die laut Namensschild Annalena hieß, guckte schief, als Jannike den Hoteldirektor zu sprechen wünschte. «In welcher Angelegenheit?»

«Ein Gespräch unter Kollegen», gab sich Jannike vage. Sollte sie dieser Frau etwa erzählen, dass sie Probleme mit dem Finanzamt hatte? «Herr Bischoff hat mich ausdrücklich eingeladen.»

«Er ist gerade in einer Besprechung.»

Die Ausrede kannte Jannike. Das hatte Clemens auch immer behauptet, wenn er in Wirklichkeit mit ihr gerade alles getan hatte, außer zu sprechen. «Ich warte gern.»

«Einen Moment, bitte.» Die Rezeptionistin war noch sehr jung und wirkte trotz ihrer streng zurückgekämmten Frisur und dem dicken Make-up verschüchtert. Ihre Finger zitterten ein wenig, als sie nach dem Telefonhörer griff und eine Nummer eintippte. «Ja, hier Annalena. Hier ist Besuch für Herrn Bischoff … Ich weiß, aber die Dame möchte trotzdem warten …» Sie schielte auf ein Blatt Papier, auf dem sie vorhin

Jannikes Namen notiert hatte. «Eine Kollegin, ihr Name ist Jannike Loog.» Sie legte auf und lächelte dünn. «Eine Viertelstunde dauert es mindestens. Ich kann Ihnen aber leider nicht versprechen, dass der Chef dann ...»

«Schon gut», unterbrach Jannike. Sollte sie sich jemals eine eigene Empfangsdame leisten können, so würde es ganz sicher nicht so ein verhuschtes Wesen sein. Da war es einem als Gast direkt peinlich, überhaupt eine Frage zu stellen. Man wollte die Frau ja nicht quälen. «Ich schaue mich einfach mal ein bisschen um. Ist das okay?»

Ohne eine Antwort abzuwarten – bestimmt musste Annalena erst noch irgendwelche Vorgesetzten um Erlaubnis fragen, wer sich wie, wo und wann umschauen durfte –, lief Jannike los. Gut, sie hatte natürlich schon etliche Hotels von innen gesehen, weit noblere als dieses hier, und früher, vor ihrer Karriere, hatte sie auch ab und zu in Kaschemmen übernachtet. Doch jetzt, wo sie selbst Besitzerin eines Gästehauses war, sah sie die Räumlichkeiten natürlich mit völlig anderen Augen. Irgendwie wirkte hier alles viel professioneller. Beispielsweise die grünen Schilder, die zum nächsten Notausgang wiesen. Waren die etwa Pflicht? Der Feuerlöscher in der Ecke bei der funkelnden Bar – so etwas gab es in ihrem kleinen Inselhotel auch nicht. Ihr wurde ganz anders.

Das *Bischoff* hatte laut Prospekt, den Jannike aus einem Ständer an der Wand zog, die größte und modernste Spa-Abteilung der Insel, mit Seenebelgrotte, Strandnixensauna und Meerwasserschwall-Erlebnisdusche. Hörte sich mondän an. In Jannikes Hotel gab es bloß fließend Kalt- und Warmwasser und eine Dusche pro Zimmer. Eine Übernachtung im Bischoff'schen Doppelbett kostete dafür auch dreimal so viel wie das, was Knud Böhmer derzeit für sein Zimmer 1 zu zahlen hatte. Gut, ihr kleines Inselhotel bot weder Sonnenaufgangs-Fitnessfrühstück noch Langschläfer-Schlemmerbrunch und auch kein Restaurant, in dem man fünf Gänge zu Abend essen konnte, heute gab es in der *Sanddornstube* Austernschaumsüppchen und Fasanenbrust. Wahrscheinlich sollte man die beiden Häuser einfach nicht miteinander vergleichen. Bestimmt hatte Bischoff nur so kollegenhaft getan, in Wirklichkeit lachte er sich kaputt über die bescheidene Hütte da draußen am Ende der Insel, und über deren unbedarfte Neubesitzerin noch dazu. Am liebsten hätte sich Jannike sang- und klanglos davongeschlichen. Doch nun war ihr Name an der Rezeption notiert, und sie hatte sich ja partout so aufspielen müssen, da gab es jetzt keine Möglichkeit mehr, unauffällig zu verschwinden.

Hinter den Aufzügen führte eine Treppe ins Kellergeschoss, wo es leicht nach Schwimmbad roch und in den beleuchteten Vitrinen teuer aussehende Kosmetika ausgestellt waren. Jannike begegnete einem entspannt wirkenden Pärchen, beide trugen flauschige Bademäntel und Pantoffeln, auf denen das Hotellogo eingestickt war. *Göttlich erholen im Bischoff.* Ihr reichte es, sie machte kehrt. Doch dann bemerkte sie eine angelehnte Tür, auf der in eleganten Lettern *Nur für Personal* geschrieben stand. Sie blickte durch den schmalen Spalt direkt in die Waschküche, riesige Bullaugen, hinter denen schneeweiße Frotteewäsche im Kreis geschleudert wurde, glotzten sie an, es roch nach Sauberkeit und Bügelstärke. Das war schon sehr interessant, fand Jannike, denn sie selbst hatte nur eine handelsübliche Waschmaschine zur Verfügung, einen Trockner, ein Bügelbrett mit Dampfeisen, mehr nicht. Hinter dieser Tür aber eröffnete sich eine wahre Manufaktur der Reinlichkeit. Sie schlich hinein, schaute sich um, kein Mensch da. Und wenn sie doch jemandem begegnen sollte, würde sie einfach behaupten, sich verlaufen zu haben, das wäre zwar etwas unangenehm, aber nicht verboten.

In einem Nebenraum standen drei Heißmangeln, in den Regalen stapelten sich zusammengefaltete Laken vom Boden bis an die Decke.

Dann hörte Jannike eine Stimme, ein Mann, sehr laut. «... für was ganz Besonderes, oder wie?» Die Sätze drangen aus dem Gang, der, an den Bügelmaschinen vorbei, weiter hinten bei den Kellerfenstern lag. Wer immer da brüllte, musste sicher sein, dass das Dröhnen der Waschtrommeln ihn übertönte.

«... bist nicht hier, um irgendwelche Extrawünsche zu äußern, sondern um die Wäsche zu machen, basta!»

«Aber ...» Eine klägliche Frauenstimme.

«Kein Aber!» War das Bischoff? Platzte sie etwa gerade in seine «Besprechung»?

Jannike schlich an der Wand entlang. Dieser Umgangston passte überhaupt nicht zur plüschigen Atmosphäre des Hotels. Das hier war eine knallharte Ansage.

«Chef, muss ich zum Arzt, meine Finger ist entzündet!» Jetzt konnte Jannike die Person, die den Groll des Hoteldirektors über sich ergehen lassen musste, erkennen. Sie trug einen hellblau gestreiften Arbeitskittel und saß blass und schmal auf einem Holzstuhl, schwarze Haare, Nasenring. Das war eindeutig Lucyna, die Schwester von Mattheusz, die sich letzte Woche, nach ihrem Horrortrip auf dem Kneipenklo, so rührend um Jannike gekümmert hatte. An ihrer linken Hand löste sich ein provisorischer Verband in seine Bestandteile auf.

«Du kannst in deiner Freizeit zum Arzt gehen!», schnauzte Bischoff. Er stand in einer Ecke, die aus Jannikes Position nicht einsehbar war. Doch es gab keinen Zweifel, dass er es war, immerhin hatte dieser Mann sie vor ein paar Tagen auf der Inselratssitzung ebenso zusammengefaltet, der Ton war unverwechselbar.

«Freizeit? Wann ich habe Freizeit?»

«Wenn du deine verdammte Arbeit erledigt hast, Mädchen. Weniger rumjammern, mehr bügeln, dann kommst du auch dazu, zum Onkel Doktor zu gehen mit diesem albernen Kratzer da.»

Am liebsten hätte Jannike die Krallen ausgefahren, wäre wie eine Wildkatze in den Gang gesprungen und hätte diesen Mistkerl angefaucht, dass er die Klappe halten und seine Angestellten gefälligst anständig behandeln solle. Doch das war Quatsch, eine solche Aktion würde niemandem helfen, am wenigsten der armen Lucyna. Warum ließ sie sich das überhaupt gefallen?

«Chef, arbeite ich schon seit sechs Uhr heute Morgen. Und gleich ist Mittagstisch, da ich muss in die Spülküche. Hat Frau Bunge gesagt. Mit meinem Daumen, Chef, das geht nicht. Kann ich nicht spülen.»

«Dann räumst du eben das Geschirr weg! Wirklich, ich habe keine Zeit und keine Lust, solche Sachen mit meinem Personal zu besprechen. Dafür haben wir eine Hausdame. Und wenn Frau Bunge dir sagt, was du zu tun hast, dann gibt es keine Diskussion, verstanden?»

«Aber …»

«Du willst doch den Job behalten, oder?» Als er darauf keine Antwort bekam, wurde Bischoff eindringlicher: «Oder deine Mutter, hm?»

«Ist gut, Chef! Mache ich alles. Aber heute Nachmittag, bitte, brauche ich frei. Sagen Sie das Frau Bunge? Heute Nachmittag ich muss gehen zum Arzt.»

Und jetzt sah Jannike ihn. Bischoffs massige Gestalt bewegte sich auf Lucyna zu, er fasste die junge Frau unters Kinn und kam mit seinem Gesicht eindeutig zu nah an das ihre. «Gut, mein Mädchen, das verspreche ich dir. Heute nach dem Spüldienst hast du frei! Bis sechs Uhr, okay?»

«... okay!» Das klang ängstlich.

«Siehst du, es bringt doch immer etwas, wenn man Probleme direkt anspricht, oder?» Er grinste gönnerhaft. Jannike machte behutsam einen Schritt zurück. Hoffentlich kam er jetzt nicht direkt auf sie zu ... Nein, sie hatte Glück. Bischoff tätschelte noch einmal kurz die Wange der jungen Frau, als wäre sie irgendein dressiertes Tier, das seine Sache gut gemacht hatte und nun ein Leckerli erwarten durfte. Doch dann verschwand er Gott sei Dank in die andere Richtung.

Was war das denn? Jannike bekam kaum Luft. Gab es so etwas wirklich? Hier, auf dieser Insel? Wurden in der Oase der Ruhe und des Friedens Menschen behandelt wie minderwertige Arbeitskräfte, die betteln mussten, um zum Arzt gehen zu dürfen? Das durfte nicht wahr sein! Das ...

«Hallo? Was machst du denn hier?», fragte Lucyna, und erst jetzt wurde Jannike bewusst, dass sie bewegungslos dort an der Wand stand und nicht mitbekommen hatte, wie die eben Heruntergeputzte aufgestanden und in den Bügelraum getreten war. «Bist du schon lange da?»

«Lange genug!», sagte Jannike. Warum sollte sie so tun, als hätte sie nichts mitbekommen? Das wäre albern, feige obendrauf. Nein, nach dem, was sie eben gesehen und gehört hatte, könnte sie sowieso nicht mehr fröhlich in Bischoffs Büro spazieren und ihn um ein Gespräch unter Kollegen bitten.

«Du bist doch die Frau vom Leuchtturm, oder?» Lucyna schien genauso durcheinander zu sein. Ihre Arme hingen herab, als wäre sie eine Marionette, bei der man eben die Fäden durchtrennt hatte. Diese Erscheinung hier hatte nichts gemein mit der tatkräftigen Person, die vor ein paar Tagen dafür gesorgt hatte, dass Jannike halbwegs manierlich aus der Kneipe nach Hause gekommen war. «Es ist … Es war …»

«Es war eine riesige Sauerei, wie der dich behandelt hat!»

«Nein, es ist in Ordnung. Manchmal er hat so seine … wie sagt man in Deutsch? Seine zehn Minuten?»

«Fünf Minuten – und selbst das wäre zu viel!» Sie machte einen Schritt auf Lucyna zu. «Lass mal deine Hand sehen.»

Natürlich versteckte diese ihre Verletzung sofort hinter dem Rücken. «Nicht so schlimm!»

«Mensch, Lucyna, ich bin keine Ärztin, die dir da jetzt was amputieren will. Es ist aber sicher mehr als nur ein Kratzer, wie Bischoff behauptet, oder?»

Lucyna nickte. «Habe mich vorgestern bei der Küchenarbeit geschnitten. Eigentlich ich glaube, hätte das genäht werden müssen, aber …»

«Keine Zeit?»

Sie nickte. Und dann zog sie ihren Arm doch nach vorn. Der Daumen, den sie aus dem durchnässten Verband schälte, war dick geschwollen, die Schnittwunde sah ziemlich scheußlich aus. Das musste richtig weh tun.

«Damit solltest du sofort zum Arzt, nicht erst heute Nachmittag!»

Sie zuckte mit den Schultern.

«Was wird denn schon groß passieren, wenn du jetzt einfach gehst?»

Lucyna machte große Augen. «Werde ich gefeuert! Sofort!»

«Um den Job ist es wirklich nicht schade! Und ich brauche ganz dringend eine Hilfe im Hotel. Gut, es ist nicht so schick bei mir, keine Profi-Waschmaschinen, keine Heißmangel, alles eine Nummer kleiner eben. Aber ich verspreche dir, in einem solchen Ton wird in meinem Haus niemand mit dir reden!»

Das Lächeln, welches sich allmählich auf Lucynas Lippen schlich, blieb fast unsichtbar. «Ist das nicht so einfach.»

«Wieso nicht? Du gehst jetzt zum Arzt, und der wird dich ohnehin erst einmal krankschreiben, möchte ich wetten. Und wenn dein Chef dich entlässt, kommst du einfach zu mir, sobald du wieder gesund bist. Was soll daran so schwer sein?»

«Meine Mutter. Sie arbeitet auch hier. Glaube ich, sie muss dann auch gehen. Und mein Bruder Mattheusz bei der Post, keine Ahnung, sein Chef ist Freund von meine Chef, und er kennt sowieso die halbe Insel. Wenn Bischoff uns feuert, haben wir alle keine Arbeit mehr. Aber brauchen wir das Geld, verstehst du? Haben wir eine große Familie zu Hause in Polen, Papa, Geschwister, kranke Oma, die warten auf Überweisung.»

Jannike überlegte nur kurz, dann war der Entschluss, den sie spontan fasste, auch schon ausgesprochen: «Bring doch deine Mutter einfach mit!» Zwar hatte Jannike keine Ahnung, ob das so eine gute Idee war. Wenn sie wirklich zwei Mitarbeiter bezahlen müsste, dann war es höchste Zeit, viele Gäste ins Haus zu bekommen. Wer nur rote Zahlen auf dem Konto hat, kann sich ein gutes Herz einfach nicht leisten. Andererseits: Sie musste sich eingestehen, dass sie den Aufwand, den ein ausgebuchtes Hotel bedeutete, hoffnungslos unterschätzt hatte. Das war ihr erst auf diesem heimlichen Rundgang hinter den Kulissen des *Bischoff* wirklich klargeworden. Wenn sie es richtig machen wollte – und das wollte sie hundertprozentig –, dann würde sie mit nur einer Mitarbeiterin ohnehin nicht über die Runden kommen. Selbst mit zwei fleißigen Helferinnen an ihrer Seite würde es stressig genug werden. Es gab also nur die beiden Möglichkeiten: eingestehen, dass man sich verkalkuliert hatte, und aufgeben, bevor das Ganze in einer finanziellen Katastrophe endete. Oder mutig sein, investieren, Personal einstellen, Werbung schalten, Gäste anlocken, Service bieten – und trotzdem hoffen, dass das Ganze nicht in einer finanziellen Katastrophe endete.

«Wirklich?», fragte Lucyna. Und jetzt schaffte das Lächeln es endlich vollständig in ihr Gesicht.

«Und ob!», antwortete Jannike.

«Herr Bischoff wird ausflippen!»

«Na und?»

«So kurz vor der Hauptsaison!»

«Nicht unser Problem, oder?» Das würde sie schon aushalten, dachte Jannike. Mit Arschlöchern kannte sie sich aus, oder nicht? Dieser Mann hatte kein Mitleid verdient. Und sie wollte Bischoff auch keinen Tag länger eine nette Kollegin sein. Dieser Mann brauchte dringend jemanden, der ihm die Stirn bot. Ernstzunehmende Konkurrenz zum Beispiel! Okay, das war vielleicht ein bisschen wie David gegen Goliath. Aber wer bitte schön hatte denn damals den Kampf gewonnen?

Strophe:
Wenn ich irgendwo bin und es ist schön
doch ich denke trotzdem: Schöner wäre es, wenn du
neben mir wärst.
Wenn ich ein Lied höre und mitsinge
und denke dabei: Schöner wär es, wenn du mich hörst.

Refrain:
Dann ist das nicht normal
dann ist das nicht mehr komisch
dann ist das nicht mental
und vor allem nicht platonisch

Platonisch – der neue Song, den Danni geschrieben hatte, war gar nicht so schlecht, musste Clemens Micke zugeben. Ein peppiger Sound, mal was anderes, und im Text ging es um irgendein Techtelmechtel, um Hoffnung und Enttäuschung. *Wenn ich im Bett liege und träume, und meine Hand streichelt zärtlich das leere Laken neben mir* … das Thema war an sich nicht neu, doch Danni hatte etwas Originelles daraus gebastelt: *Wenn ich dann aufstehe und küsse das Kissen, doch der Morgengruß gilt dir* … Eingängig, gefühlvoll und nicht zu schmalzig. Schien so, als habe Danni etwas Neues am Laufen und sei davon inspiriert worden. Zu gönnen wäre es dem armen Kerl, nicht aus persönlichen Motiven, nein, es ging Clemens eher um Dannis Produktivität. Dieser Mann war schrecklich gefühlsduselig, Komponieren und Dichten ging anscheinend nur gepaart mit den ganz großen Gefühlen. Und ohne Janni wirkte er schon ziemlich verloren.

Das Stück war hitverdächtig, hatte Clemens gedacht, nachdem Danni ihm die Sounddatei geschickt hatte. Und ein Hit war bitter nötig, um Gila der Fernsehnation schmackhaft zu machen. Die Umfragen, von der Frau Doktorin bei der Sitzung vor zwei Wochen herumgereicht, waren niederschmetternd. Niemand kannte Gila Pullmann, und keiner konnte sie sich als Nachfolgerin von Janni vorstellen. Trotzdem hatte sie ganz bald ihre erste Sendung, die sowieso schon nicht einfach werden würde. Zwar hatte die Hochwasserlage in der Oberlausitz sich entspannt, doch das Ausmaß der Schäden war noch nicht absehbar, der Drehtermin stand auf sehr wackeligen Beinen.

Clemens stellte sein Handy auf lautlos. *Ruhe bitte! Aufnahme!* stand auf dem knallroten Schild an der Tür zum Studio. Er schlich sich hinein. Zwei Tontechniker blickten sich zuerst vorwurfsvoll um, doch als sie erkannten, dass der Vizechef persönlich den Raum betreten hatte, nickten sie ihm respektvoll zu.

Gila stand in einem Extraraum vor dem Mikrophon, ihre honigblonden Haare wurden von Kopfhörern platt gedrückt, und sie schminkte sich gerade im Spiegel der Glasscheibe die Lippen nach. Als sie ihn sah, winkte sie überdreht.

«Du musst dir das unbedingt anhören, Mausebär!», hatte Gila ihn gestern Abend aufgefordert. «Wir sind schon fast fertig mit dem Song, und ich finde, es klingt total super!» Dann hatte sie den Refrain vor sich hin geträllert, und Clemens war sich gar nicht so sicher, ob es wirklich super klang. Gila neigte manchmal wirklich zur Selbstüberschätzung. Sie war eben erst Mitte zwanzig und etwas naiv und unkritisch, was ihr Talent anging. Aber sie war auch anschmiegsam; sobald sie alleine waren, legte sie Wert auf Körperkontakt, rieb ihre Pfirsichhaut an seiner Wange, spielte mit ihren neugierigen Fingern an seinen Hemdknöpfen und säuselte ihm Sachen ins Ohr, die man zwar nicht auf ihre Tiefsinnigkeit hin analysieren durfte, die aber trotzdem guttaten. Von spitzzüngigen Kommentaren hatte er genug, seine Frau Agnes war schließlich unangefochtene Meisterin darin.

Er erkannte die anderen Musiker hinter der dicken Glasscheibe. Alles Profis, die schon seit Jahren fürs Fernsehen arbeiteten. Schlagzeug, Bass, Gitarre, Keyboards. Sie hatten sich die Kopfhörer von den Ohren geschoben, weil Danni gerade eine Ansage machte. Glücklich sah dadrin keiner aus.

«Kann ich mithören?», fragte Clemens den schlaksigen Kerl, der an den unzähligen Reglern saß. Es war der Praktikant, der so gern mit der Bürokauffrau im zweiten Lehrjahr knutschte.

«Klar», sagte der und drückte einen Knopf. «Ist aber dicke Luft!»

«Warum?»

«Sagen wir es so: Die neue Stimme ist dünner als chinesisches Reispapier, und ihre Treffsicherheit, was die Töne angeht, lässt ziemlich zu wünschen übrig.» Der in der Firma etabliertere Kollege mit dem Ziegenbart versuchte heimlich, dem redseligen Techniker unter dem Tisch einen warnenden Tritt zu verpassen, das entging Clemens nicht. Alles klar, der eine wusste Bescheid, wem Gila ihren Karriereschub zu verdanken hatte, der andere nicht. Der Praktikant war einfach noch nicht lange genug dabei, um schlüpfrige Interna erzählt zu bekommen. Also machte er munter weiter: «Okay, die Schnecke sieht geil aus, zum Gucken ist das jetzt schon eine eindeutige Verbesserung. Aber wenn es um die Akustik geht, tja, Chef, da vermisse ich unsere gute alte Janni mehr als nur ein bisschen!»

Jetzt saß der unsanfte Stoß gegen das Schienbein, und das Gerede stoppte abrupt.

«Und weswegen gibt es Ärger dadrin?», fragte Clemens und kramte nervös seine E-Zigarette aus der Brusttasche.

«Am besten selber reinhören.» Der Schlaksige schob einen Regler nach oben.

Danni hielt einen Vortrag über die Dynamik des Songs. Und obwohl Clemens diesen Mann einfach nicht ausstehen konnte, musste er zugeben, was er da von sich gab, hatte Hand und Fuß. «Es ist wichtig, dass wir an dieser Stelle das Tempo drosseln, denn direkt danach gehen wir in die Bridge, und die ist deutlich langsamer. Wenn wir den Rhythmus durchhämmern wie ein Presslufthammer, geht die ganze Emotion flöten!»

Die Musiker nickten. «Das ist klar, Danni», sagte Manfred, der Bassist. «Aber wir haben das schon tausendmal versucht. Das Problem ist nicht die Band, das Problem ist ...» Alle Blicke richteten sich auf Gila, die in ihrer schalldichten Bude allerdings nichts davon mitbekam, sondern gerade damit beschäftigt war, an ihren Fingernägeln herumzufeilen. Wenn Clemens es nicht besser wüsste, er würde sie für eine gelangweilte Telefonistin halten statt für eine ambitionierte Fernsehpersönlichkeit. Ihm wurde ganz flau im Magen, und er versuchte, sich mit einem tiefen Lungenzug aus seiner Plastikkippe zu beruhigen. Was, wenn sie es tatsächlich verbockte?

«Machen wir endlich weiter?», fragte Gila durchs Mikro. «Ich hab nicht ewig Zeit.»

«Also gut, dann jetzt noch mal ab dem zweiten Refrain, und bitte achtet alle auf das Ritardando.» Danni zählte den Takt an.

«Ich kenne keinen Richard Dando», rief Gila zwischen die ersten Töne. «Außerdem bist du hier der Mann, auf den ich achten soll, Danni. Wenn du als Dirigent das nicht hinkriegst und wir alle deswegen Überstunden machen müssen, dann ...»

«Ritardando bedeutet: verzögertes Tempo!» Danni konnte nicht verbergen, wie genervt er war. «Gila, ab dem zweiten Mal *Und vor allem nicht platonisch* werden wir alle etwas langsamer!»

«Kein Problem», sagte Gila und grinste zu Clemens herüber, machte ihm Zeichen, dass sie alles ganz toll fand, ganz easy, Supersache. Meine Güte, dachte er, die hatte wirklich überhaupt keine Ahnung, was sie da tat. Wo sollte das enden?

Der Song wurde angespielt. Gila begann zu singen. *Wenn ich irgendwo bin und es ist schön ...* Gut, das war jetzt echt keine Stimme, die einen vom Hocker riss, aber auch nicht so schlimm wie erwartet. Immerhin sah Gila attraktiv aus, wenn sie sang. Sie spitzte dabei ihren Mund, als wolle sie das Mikro küssen. Kurz vor sexy, fand Clemens. Und als die Melodie etwas höher ging, schloss Gila ihre Augen, die langen Wimpern lagen auf ihren Wangen, sie zog die Nase kraus, ja, das hatte durchaus was Zuckersüßes. Das würden die Fernsehzuschauer nicht ignorieren können. Und am Sound konnte die Technik ja durchaus noch basteln. Vielleicht einen satten Backgroundchor dazumischen oder so.

«Stopp!», schrie Danni. Die Musiker ließen von ihren Instrumenten ab, nur Gila sang weiter. «Stopp, hab ich gesagt!»

Der Gesang verebbte. «Was war denn jetzt schon wieder?»

«Du bist schneller geworden statt langsamer! Gila, wie oft muss man dir das eigentlich erklären?»

Gila riss ihre Augen auf. Clemens kannte diesen Blick nur zu gut. Den hatte sie auch immer dann, wenn er wieder die Klamotten anzog, um zu seiner Familie zu fahren. Manchmal kam es ihm so vor, als würde Gila durch das Auseinanderschieben der Lider nur Platz machen für die Tränen, die spätestens drei Sekunden später zu tropfen begannen. «Ich habe mich strikt an den Takt gehalten!», protestierte sie und konnte nicht sehen, dass der Schlagzeuger sich an die Stirn tippte. «Leute, ich bin echt fertig mit den Nerven. Wenn das so weitergeht mit euch, haben wir ja nie Feierabend.»

Niemand ging auf ihren Vorwurf ein. Mannomann, der Techniker hatte untertrieben, hier war mehr als nur dicke Luft, hier drohte gleich das ganze Studio zu explodieren, so aufgeladen war die Atmosphäre.

Hoffentlich kam Gila jetzt nicht her … O doch, sie tat es! Sie setzte die Kopfhörer ab, warf sich gegen die Tür und ging mit verschränkten Armen schnurstracks auf Clemens zu. «So läuft das nicht! Bitte, tu etwas, du siehst doch selbst, was hier abgeht.»

Die Tontechniker duckten sich synchron und starrten ihn von der Seite an. Was erwarteten die nun von ihm? Okay, was Gila erwartete, war klar. Sie wollte, dass er sich auf ihre Seite schlug, den Musikern, allen voran Danni, die Schuld an den Schwierigkeiten gab und ihr bestätigte, wie unglaublich toll sie ihre Sache machte.

Doch jeder hier im Studio wusste, dass es sich andersherum verhielt. Clemens hasste Situationen, in denen er Stellung beziehen musste. Natürlich war seine Geliebte im Unrecht. Aber wenn er ihr das vor versammelter Mannschaft sagte, würde sie die Sendung womöglich schmeißen. Und das wäre furchtbar, weil er ja seit Wochen immer wieder betont hatte, dass Gila sein vollstes Vertrauen genoss, der Sache gewachsen und eine würdige Nachfolgerin bei *Liedermeer* war. Sollte er ihr jedoch beipflichten und Danni und seine Jungs beschimpfen für etwas, woran sie eindeutig keine Schuld trugen, dann war er auf immer und ewig als Waschlappen abgestempelt. Er zog an seiner Zigarette, der geruchlose Dampf verschwand, kurz nachdem er dem Mund entwichen war.

Inzwischen war Danni dazugekommen. Eine tiefe Falte zog sich quer über seine Stirn. In diesem Moment konnte man sich nicht vorstellen, einen Mann vor sich zu haben, der ein Experte für romantische Liebeslieder war. Im Moment wirkte er eher wie Heavy Metal. «Ich glaube, das hier wird nicht gut ausgehen», sagte er, und in jeder Silbe klang die zurückgehaltene Wut mit. «Besprechen wir das Ganze lieber unter vier Augen, was meinst du?»

Clemens nickte. Das war bestimmt das Beste.

Sie verschwanden beide in der Black Box, einem Raum, der komplett mit dunklem Schaumstoff ausgeschlagen und somit schallisoliert war. Hatte ein bisschen etwas von einer Gummizelle, dachte Clemens, und eigentlich war dieses Theater auch wirklich zum Verrücktwerden.

Nachdem sie die Tür hinter sich geschlossen hatten, versank jeder Ton, den sie von sich gaben, im Wandpolster, selbst das Klicken des Schalters, mit dem Clemens seine E-Zigarette ausknipste, erreichte kaum das Ohr. Ein unangenehmes Taubheitsgefühl umgab ihn.

«Du weißt, dass ich im Recht bin», kam Danni gleich zur Sache. «Das wird nichts, deine Gila hat genauso viel Charisma und Überzeugungskraft wie diese alberne Pseudozigarette.»

«Meine Gila? Das ist rein platonisch.»

Danni zog eine Augenbraue hoch. «Du weißt, dass ich weiß, wie es mit dir und Janni gelaufen ist. Seit Jahren hab ich dich im Visier, Clemens, und ich durchschaue dich. Wetten, ihr trefft euch im selben kleinen Stadtappartement, in dem du dich auch mit Janni vergnügt hast? Erzählst du ihr denselben Müll, dass du nur sie wirklich liebst und dich ganz bald von Agnes trennst und ...»

«Danni, ich warne dich, ich kann auch ...»

Clemens hob den Finger, doch die Wirkung der Drohgebärde schien ebenso verschluckt zu werden wie seine Worte.

«Und wenn dir die schnuckelige Gila dann auch zu langweilig wird, machst du es genau wie mit Janni: Du bastelst dir eine miese kleine Intrige zurecht und sorgst dafür, dass deine Gattin höchstpersönlich die Entsorgung der Exgeliebten übernimmt und sie fristlos entlässt.»

«Pass auf, was du sagst!» Ausgerechnet jetzt vibrierte Clemens' Handy in der Hosentasche. Er holte es heraus, schaute kurz aufs Display, das war Regine, die Redakteurin, die konnte warten, also drückte er das Gespräch weg. «Umgekehrt weiß ich auch eine Menge über dich und deine Lebensgewohnheiten. Den trauernden Verlobten nehme ich dir jedenfalls nicht ab, Dankmar Verholz.»

«Na und?»

«Was meinst du, wie sich die bunten Blätter dafür interessieren, dass Janni & Danni, das Traumpaar der deutschen Musikszene, von Anfang an ein Fake gewesen ist?» Touché, Dannis Selbstsicherheit schrumpfte merklich.

«Das kannst du Janni nicht antun!», jammerte er.

«Janni? Wenn die Welt erfährt, dass du eigentlich vom andern Ufer bist und deine Liedtexte für irgendeinen warmen Bruder geschrieben hast, dann ...»

«Meinst du, damit kannst du heutzutage noch irgendjemanden schockieren?» Danni lachte bitter. «Nein, Janni hat die Sache mit der Verlobung damals mir zuliebe mitgespielt, weil ich meiner superkatholischen Mutter kein Coming-out in der Öffentlichkeit zumuten wollte. Doch die Zeiten haben sich geändert, Clemens, meine Familie weiß inzwischen Bescheid und akzeptiert mich, wie ich bin. Wenn du also jetzt mit der Wahrheit über meine sexuelle Orientierung um die Ecke kommst, schadest du nur Janni, die ohnehin schon am Boden ist. Willst du das wirklich?»

Es war schrecklich unangenehm, diesem Menschen auf so engem Raum zu begegnen. Insbesondere, weil all diese Dinge, die sie sich gerade an den Kopf warfen, ziemlich lange zwischen ihnen gestanden hatten. Wenn Clemens ehrlich war, so konnte er sich noch an die nagende Eifersucht erinnern, die ihn gequält hatte, immer wenn er Janni und Danni zusammen gesehen hatte. Wie gut sie sich verstanden, wie viel Spaß sie miteinander hatten – und wie wenig Stress und Ärger, die bei ihm zu Hause leider auf der Tagesordnung standen. Nein, Clemens hatte überhaupt kein Problem mit Schwulen, doch Danni hatte er mehr als einmal die Pest an den Hals gewünscht. Weil dieser nur so mit Charme um sich warf, geradezu verschwenderisch, und alle Frauen fuhren darauf ab. Ja, Clemens wollte ihn loswerden, diesen Kerl, er wollte dessen Porsche nicht mehr mit der allmorgendlichen Verspätung auf den Innenhof fahren sehen, er wollte seine sensiblen Songtexte nicht mehr im Kopf haben müssen, und vor allem wollte er nie wieder diesem vorwurfsvollen Blick begegnen, der ihn damit konfrontierte, dass er sich bei der Geschichte mit Janni nicht ganz astrein verhalten hatte.

«Also, wie regeln wir das?», fragte Danni, dem das hier auch keinen Spaß zu machen schien. «Wir können beide ausplaudern, was wir vom jeweils anderen wissen. Aber ob es uns das Leben leichter machen wird, daran zweifele ich ehrlich gesagt.»

Wieder vibrierte das Handy. Regine war heute ungewöhnlich hartnäckig. Was die wohl so dringend von ihm wollte?

«Wir können es aber auch dabei belassen», machte Danni weiter. «Wir wollen ja beide keinen weiteren Schaden anrichten. Doch eines sag ich dir: Wenn ich mir das Elend da im Studio noch länger anhören muss, wird es mir verdammt schwerfallen, meine Klappe zu halten.»

Clemens wurde ganz weich vor Erleichterung. «Du willst kündigen?» Das wäre ja zu schön, um wahr zu sein …

Und das war es leider auch. «Nein, ich möchte, dass du mich entlässt. Fristlos. Heute noch.»

Ach, daher wehte der Wind. Der hatte es auch auf eine Entschädigung abgesehen. Es ging doch letztlich immer nur um den schnöden Mammon. «Wie viel?»

«Hunderttausend und dein Schweigen.»

«Wie meinst du das?»

«Du darfst nichts mehr von dir geben, was Jannis Ruf weiter schadet. Wenn die Presse dich anruft, dann hältst du dich in Zukunft zurück. Und die Kohle überweist du bis Ende des Monats auf mein Konto. Damit wären wir beide ein für alle Mal aus der Nummer raus.»

Clemens überlegte. Langsam wurde es eng mit den Geldern. Den Artikel in der *Close Up* hatte er vor der Frau Doktorin und der Buchhaltung ganz passabel erklären können, alles ein Missverständnis, die Presse aber auch immer, verstand absichtlich alles falsch, natürlich sei die halbe Million für Janni nur ein Kredit und so weiter … Wenn er aber jetzt schon wieder eine sechsstellige Summe abzwackte, könnte es kompliziert werden. Andererseits war die Aussicht, Danni loszuwerden und das leidige Thema erledigt zu wissen, einfach zu verlockend. «Ich kann das Geld nicht so mir nichts, dir nichts aus dem Hut zaubern …», versuchte er erst einmal zu verhandeln. «Dazu müsste ich eine Gegenleistung verbuchen können.»

«Die da wäre?»

«Der Song.» Ja, das war eine gute Idee, das könnte er in der

Firma erklären. «*Platonisch* geht mit allen Rechten an 4-2-*eyes productions*.» Und wer weiß, dachte Clemens, vielleicht wird es wirklich ein Hit, und dann würde sich der Deal als ein lohnendes Geschäft erweisen: Tantiemen kassieren *und* einen unliebsamen Mitarbeiter für immer los sein … sehr reizvoll!

«Kannst du haben. Schenk ich dir. Ich kann das Lied ohnehin nicht mehr hören, Gila hat es mir auf ewig verleidet.»

Kurz überlegte Clemens, die Sache per Handschlag zu besiegeln, doch erstens erschien ihm diese Geste aufgrund der schlechten Stimmung dann doch unpassend, und zweitens vibrierte nach wie vor das Handy in seiner Hosentasche. «Meine Assistentin setzt einen entsprechenden Vertrag auf», sagte er also kurz angebunden. Dann verließ er die Black Box.

Vor der Tür standen Gila, die Band und sogar die beiden Tontechniker. Alle blickten ihn mit unverhohlener Neugierde an. «Was steht ihr hier so rum! Alle wieder ins Studio – und jetzt bitte mit neuer Konzentration, der Song muss diese Woche noch fertig werden, wir wollen ihn schon in der Oberlausitz-Sendung präsentieren, und die ist in zwei Wochen.» Er lief durch die Menge der Wartenden hindurch. «Ach ja, und bis dahin übernimmt übrigens Manfred am Bass die musikalische Leitung. Herr Dankmar Verholz ist mit sofortiger Wirkung kein Mitarbeiter der 4-2-*eyes productions* mehr.»

Die Musiker empörten sich, Gila hingegen ließ ein zufriedenes Glucksen hören, doch das alles bekam Clemens nur noch mit einem Ohr mit. An das andere hatte er bereits sein Handy geklemmt. «Was ist denn so furchtbar eilig, Regine?»

«Es geht um die Oberlausitz …» Im Hintergrund vernahm Clemens Telefonklingeln, Tastengeklapper und hektische Gespräche, in der Redaktion schien wohl gerade eine Bombe eingeschlagen zu sein. «… die haben jetzt endgültig abgesagt.»

«Was?» Nein, nicht das noch!

«Heute Vormittag ist das Uferplateau, auf dem wir drehen wollten, durch einen Erdrutsch zerstört worden. Ich habe mit Engelszungen geredet, Clemens, das musst du mir glauben, aber die Leute sind unerbittlich: *Liedermeer* kann auf keinen Fall dort stattfinden.»

«Das ist eine Katastrophe!» Ihm schwirrte der Kopf und er war sogar zu nervös, die E-Zigarette zu aktivieren. Am liebsten hätte Clemens sich in sein Auto gesetzt und wäre irgendwohin abgehauen, wo ihn niemand finden konnte. «Die Techniker sind bereits gebucht, die Musiker, die Leute von der Maske, das darf ich gar nicht zusammenrechnen. Und wir haben die Bühne in Auftrag gegeben. Auf den Kosten bleiben wir auch hängen! Ganz zu schweigen davon, dass die Konkurrenz die Chance nutzen und uns kurzerhand den Sendeplatz streitig machen wird. Du musst eine Lösung für das Problem finden, Regine, sofort!»

«Es gibt tatsächlich eine Alternative», verriet diese. «Du erinnerst dich? Wir hatten vor kurzem eine Anfrage von dieser Nordseeinsel ...»

Ja, er erinnerte sich dunkel, ein kleiner Sandhaufen in Norddeutschland, ganz ähnlich dem Drehort des letzten Jahres. Die Frau Doktorin hatte den Brief gleich vom Tisch gefegt. «Was ist damit?»

«Ich hab direkt beim Bürgermeister angerufen und mal unverbindlich nachgefragt, ob die auch kurzfristig einspringen würden. Immerhin steht dort an dem betreffenden Wochenende ein Traditionsfest auf dem Programm, irgend so eine typische Sause rund um den Leuchtturm, das gäbe eine nette Kulisse ab ...»

«Und, was hat der Bürgermeister gesagt?»

«Sie wären dabei, meinte er. Schien mir echt ein unkomplizierter Typ zu sein. Und wenn du mich fragst, Clemens, das ist genau das, was wir jetzt brauchen. Ein williger Bürgermeister und ein Leuchtturmfest sind besser als gar nichts. Die Bühne würde sich auch dort aufbauen lassen, das ursprüngliche Team könnten wir einfach woanders einsetzen, ob Nordsee oder Oberlausitz, macht finanziell keinen Unterschied.»

Er zögerte. «Was sagt meine Frau dazu?»

«Agnes weiß noch gar nichts von den aktuellen Entwicklungen. Ich wollte erst dich fragen.»

Als ob er der richtige Mann für Entscheidungen wäre. Immerhin konnte er sich zu einem vagen Okay durchringen. Dann bat er die Redakteurin um eine kurze Bedenkzeit, in einer halben Stunde könne man sich im Chefbüro treffen und Nägel mit Köpfen machen.

Die Zwischenzeit nutzte Clemens für einen Spaziergang zum Büdchen. Dort kaufte er ein Feuerzeug und Zigaretten, ohne Filter, genau die Dinger, die er vor seiner Ehe schachtelweise geraucht hatte. Noch im Gehen zündete er sich eine an. Agnes würde das mit Sicherheit sofort riechen. Doch der Nikotingestank würde wenigstens seinen Angstschweiß überdecken.

Einladung

Liebe Insulaner!

Wie Sie bestimmt schon alle wissen, steht das kleine Hotel am Leuchtturm seit ein paar Wochen nicht mehr leer. Ich – Jannike Loog aus dem Rheinland – habe das Haus kurzentschlossen gekauft und freue mich auf mein neues Leben hier auf der Insel. Mein Neustart wurde mir durch das herzliche Willkommen vieler hilfsbereiter Inselbewohner deutlich leichter gemacht. Dafür möchte ich mich herzlich bedanken und lade am kommenden Mittwochabend zu einem Grillfest auf meine Sonnenterrasse ein. Bei der Gelegenheit können wir auch gemeinsam das ganz bald anstehende Leuchtturmfest planen, auf das ich mich schon freue.

Aus dem Inselwesten grüßt

Jannike Loog

Überraschung!», rief der Mann, der plötzlich in ihrer Küche stand, gerade als Jannike sich bückte, um das saubere Frühstücksgeschirr ihrer inzwischen fünf Hotelgäste aus der Spülmaschine in den Küchenschrank zu räumen. Er streckte die Arme zur Begrüßung aus und grinste von einem Ohr zum anderen. Fast wäre ihr vor Schreck das Porzellan aus den Händen gerutscht.

Sie hatte sich unbeobachtet gefühlt und mit niemandem gerechnet. Bogdana putzte gerade die Zimmer, und Lucyna war beim Arzt. Heute sollten die Fäden gezogen werden, nachdem die entzündete Schnittwunde am Daumen vor knapp zwei Wochen einer regelrechten Notoperation unterzogen werden musste. Das hätte keine Stunde länger unbehandelt bleiben dürfen, hatte der Mediziner gesagt und die junge Polin vorwurfsvoll angeschaut, weil sie nicht eher gekommen war. Anschließend war Lucyna nur noch ein einziges Mal ins *Hotel Bischoff* zurückgekehrt, nämlich um sich eine Standpauke von ihrem Exchef und direkt danach ihre Siebensachen abzuholen, seitdem lebte sie bei Jannike unterm Dach. Arbeiten durfte sie erst wieder seit Anfang der Woche. Doch Bogdana – Lucynas und Mattheusz' Mutter –, die gleich am selben Tag mit ins Hotel am Leuchtturm gezogen war, konnte dermaßen schnell und gründlich putzen, dass es eine Freude war. Insbesondere, weil die neue Arbeit der kleinen Frau mit dem dicken schwarzgrauen Dutt Spaß zu machen schien. Jannike hatte Bogdana noch nie nicht lächeln sehen, egal, ob diese gerade ein jahrealtes Haarknäuel aus dem Duschabfluss in Zimmer 5 entfernt oder ein schmackhaftes Frühstücksomelette nach polnischer Art zubereitet hatte.

Jannike hatte die so gewonnenen Stunden genutzt und inzwischen alle acht Gästezimmer bezugsfertig eingerichtet. Mattheusz war auch ein paarmal außerhalb seiner Arbeitszeiten da gewesen, offiziell um seine Schwester und seine Mutter zu besuchen, inoffiziell hatte er immer sofort zum Akkubohrer gegriffen und die Möbel zusammengeschraubt, einfach so, für eine Tasse Kaffee, mehr nicht. Dass er bei seinen Stippvisiten immer durch den Garten sprintete, als säße nicht nur ein Kaninchen, sondern der Leibhaftige hinter dem Busch, sorgte inzwischen für allgemeine Belustigung. «Bringst du immer so schnell die Post, Bruderherz, dann hast du halbe Tag frei!», kommentierte Lucyna. «Kannst du mehr arbeiten in deine Lieblingshotel!» Was für eine nette Familie, fand Jannike. Und mit jedem Tag, den sie miteinander arbeiteten und lachten, fühlte sie sich mehr in ihrer Mitte aufgenommen – und vergaß mitunter, dass sie eigentlich die Chefin war. Wirklich, darauf kam es nicht mehr an.

Die herzensgute Nachbarin Mira Wittkamp hatte weiterhin fleißig Tischdecken umgenäht und an die Fenster gehängt. So war Jannike genug Zeit geblieben, die kackbraunen Raufasertapeten in frischem Weiß zu streichen und Bilder aufzuhängen. Ja, die Saison konnte von ihr aus starten. Und die neuen Gäste aus dem ersten Stock – zwei befreundete Paare, die zum Glück nicht halb so miesepetrig waren wie der alte Knud Böhmer aus Zimmer 1 – fühlten sich bereits wohl, selbst wenn Luxus etwas anderes war und letzte Schönheitsreparaturen noch ausstanden.

Alles, wirklich alles schien sich zum Guten zu wenden, und Jannike hatte ihre spontane Entscheidung, gleich zwei Arbeitskräfte einzustellen, noch nicht eine Sekunde bereut.

Und genau darüber hatte sie gerade nachgedacht, bevor dieser unerwartete Besucher sie aufschreckte. «Danni! Was machst du denn hier?»

«Freust du dich gar nicht?» Seine Enttäuschung war nicht zu übersehen. Holly, die er tatsächlich im Katzenkorb mitgeschleppt hatte, maunzte ebenfalls beleidigt.

Jannike zog sich an der Arbeitsplatte hoch. «Doch, ich ... aber hatten wir das nicht ganz anders ausgemacht?» Sie wusste, es war unfair, sich nicht zu freuen. Danni hatte ihr nichts getan, im Gegenteil, er war der Mensch auf der Welt, dem sie am meisten vertraute. Doch wie er so dastand, mit seinen blonden Strähnchen im Haar, dem maisgelben Sakko und der viel zu modernen Dreivierteljeans, eine Luxus-Katzentasche in der Hand, war klar, dass er sich seit Betreten des Eilandes so unauffällig bewegt haben musste wie ein quietschbunter Papagei zwischen grauen Seemöwen. Jeder auf der Insel würde ihn bemerkt haben. Es war nicht auszuschließen, dass einige darunter gewesen waren, denen er bekannt vorgekommen war. Den hab ich doch schon mal irgendwo im Fernsehen gesehen. Irgend so ein Musiker, ganz sicher, ist das nicht der Pianist von … na, von dieser Sängerin, die *Liedermeer* moderiert hat? Es war nur eine Frage der Zeit, bis Dannis Identität geknackt war. Und von da war es nur ein halber Schritt bis zu Jannikes Enttarnung. Das war der einzige, jedoch sehr plausible Grund, weshalb sie ihrem Langzeitverlobten nach vier Wochen Trennung nicht freudestrahlend um den Hals fiel.

Blöde Situation, jetzt standen sie mit hängenden Schultern voreinander und schwiegen. Jeder, der in diesem Moment hereingekommen wäre, hätte die Szene völlig anders interpretiert: zwei Menschen, die sich absolut nichts zu sagen haben …

«Ach egal», überkam es Jannike dann doch, sie umarmte Danni, drückte ihm einen Kuss auf den Mund und brachte es sogar über sich, das verwöhnte Katzentier durch die Gitterstäbe des Korbes zu kraulen. Holly schnurrte wohlwollend. «Ich hab aber gar kein Futter für dich da!»

Prompt holte Danni aus seiner Umhängetasche ein kleines edles Döschen, auf dem *Entenleberragout extrazart* stand. Seine Katze hatte noch nie unter ihrem Niveau gefuttert. «Darf ich sie aus der Tasche lassen?»

Jannike nickte und füllte den Doseninhalt in eine angeschlagene Müslischale, die man ohnehin nicht mehr für die Gäste verwenden konnte. Holly stürzte sich maunzend darauf.

«Aber jetzt musst du mir erklären, wie du dazu kommst, mir einen Überraschungsbesuch abzustatten! Ihr steckt schließlich mitten in der Vorbereitung für die Juli-Sendung, Clemens gibt dir doch nie im Leben während dieser heißen Phase Urlaub!»

«Mein Urlaub ist wesentlich länger als nur ein paar Tage», sagte Danni, dann ließ er sich auf einen der Küchenstühle fallen. «Machst du mir 'nen Kaffee? Ich glaube, ich habe inzwischen den Umgang mit der Maschine verlernt.»

«Klar!» Jannike stellte eine Tasse unter die Düse und betätigte den Knopf. In den Lärm des Mahlwerks fragte sie: «Verstehe ich das richtig: Du bist gefeuert?»

Er nickte. «Das war für uns alle das Beste. Ohne dich war es nicht mehr auszuhalten. Die Stimmung war auf dem Nullpunkt, und deine Nachfolgerin …»

«Meine Nachfolgerin? Wer ist das, um Himmels willen?»

«Gila Pullmann. Kennst du nicht. Hast auch nichts verpasst.»

Na ja, gedacht hatte Jannike sich etwas in der Art schon, und zum Glück hatte die Information, so mir nichts, dir nichts ersetzt worden zu sein, sie nicht vor zwei Wochen erwischt, als sie noch niedergeschlagen und mutlos gewesen war. Inzwischen war ihr Fell erheblich dicker, da konnte sie Neuigkeiten wie diese ganz gut händeln. «Jünger als ich?»

«Ja, aber ebenfalls blonde Haare. Auf Wunsch eines einzelnen Herrn …»

Clemens, der Arsch. Bastelte sich seine nächste Moderatorin zurecht. Womöglich auch seine nächste Geliebte … Nein, den Gedanken unterdrückte Jannike direkt nach seinem Auftauchen. So dick war ihr Fell nun auch wieder nicht.

Sie stellte den Kaffee auf den Tisch und setzte sich neben Danni. So intensiv sie sein vertrautes Gesicht auch betrachtete, es war keine Spur Unglück darin zu erkennen.

«Hast du auch Zucker und Milch für mich?», fragte er.

«Sorry, hab ich glatt vergessen.»

Sie sprang auf und holte beides.

«Mein üblicher Kaffeebesuch trinkt immer schwarz.»

Er zog interessiert die Augenbrauen hoch. «Dein üblicher Kaffeebesuch?»

«Nur der Postbote ...»

«Klar!» Danni grinste so lange, bis sie ihm alles haarklein berichtet hatte, von ihren schwierigen Anfängen auf der Insel, von den auf wundersame Weise über Nacht aufgebauten Möbeln und all den hilfsbereiten Menschen im Ort – und natürlich von dem schrecklichen Gast in Zimmer 1, Knud Böhmer, der sich immer noch abweisend und wortkarg gab, aber wenigstens nicht mehr so viel zu meckern fand.

«Wahnsinn, was du alles auf die Beine gestellt hast!» Und dann, mit der inzwischen zweiten Tasse Kaffee in der Hand, begann Danni zu erzählen, von neuen Songs, die überhaupt nicht funktioniert hatten, obwohl sie eigentlich richtig gut waren. Von den Musikern, die trotz jahrelanger Erfahrung im Showbusiness kapituliert hatten angesichts der Allüren dieser Gila Pullmann. Von aufdringlichen Reportern vor ihrem Haus und noch aufdringlicheren Finanzbeamten in ihrer Wohnung.

«Ich weiß, ein Bertram Grieske. Er kommt in ein paar Tagen auf die Insel und wohnt hier im Hotel.»

«Hast du denn was ausgefressen?», fragte Danni.

«Quatsch, hab ich nicht. Erst habe ich mich deswegen ziemlich aufgeregt, aber inzwischen sehe ich das gelassener. Mir fehlt sowieso die Zeit, da jetzt tausend Unterlagen zusammenzusuchen, die meine Unschuld beweisen. Es wird sich schon alles irgendwie regeln.»

Er rührte bereits seit einer Minute in seiner Tasse herum. «Ich hab's verbockt, Janni. Dieser Grieske tauchte plötzlich vormittags bei uns auf und hat durch ein blödes Missgeschick herausgefunden, wo du jetzt lebst. Das werde ich mir nie verzeihen.»

«Halb so schlimm.»

«Er war dann noch ein paarmal da, besonders nach dem Bericht in der *Close Up* wurde es penetrant mit ihm.» Danni nippte an seinem Kaffee, dann schaute er sich um, zum ersten Mal seit seiner Ankunft. «Übrigens: Schön hast du es hier!»

«Findest du?» Jannike musste zugeben, das Lob freute sie ganz besonders. Denn erstens war Dannis Besuch eine Art Premiere, weil mit ihm jemand aus ihrem alten Leben aufgetaucht war, der somit einen direkten Vergleich anstellen konnte, ob ihre Entscheidung richtig gewesen war. Und zweitens war Danni ein Fachmann in Sachen Stil und Schönheit. Schon in ihrer gemeinsamen Wohnung in Köln war immer er es gewesen, der die Kissen auf dem Sofa zurechtgerückt und die Blumen in den Vasen drapiert hatte. Er hatte sowohl das richtige Auge als auch die geschickten Hände, die man für so etwas brauchte. Vor seiner Karriere als Musiker hatte er eine Ausbildung zum Schaufensterdekorateur gemacht.

«Ja, natürlich, das Hotel hat Charme.» Man sah ihm deutlich an, dass er eigentlich noch mehr sagen wollte, sich aber höflich zurückhielt.

«Aber?»

«Mir würden da schon noch ein paar Sachen einfallen, wie man das Ganze etwas aufpeppen könnte ...» Er stand auf, als hätte er vor, sofort loszulegen. «Zum Beispiel fehlt mir im Eingangsbereich die anheimelnde Atmosphäre. Die Kommode am Treppenaufgang mit der Uhr darüber ist ja schon ganz nett. Aber so ein bisschen maritimes Flair wäre auch nicht verkehrt, vielleicht eine rustikale Holzwand aus Brettern, die so aussehen, als hätte man sie am Strand gefunden, indirekt beleuchtet, ein schöner alter Sessel davor, mit Kuscheldecke über der Lehne, das sähe super aus!» Inzwischen war er schon durch die Küchentür verschwunden und inspizierte den Frühstücksraum, Jannike folgte ihm amüsiert. «Mir gefallen deine türkisfarbenen Kerzen auf den Tischen, aber die Bilder an den Wänden sind der blanke Horror, ich wette, die stammen aus dem Apothekenkalender.»

«Die hat mein Vorbesitzer hier aufgehängt», verteidigte sich Jannike.

«Die Rahmen kann man ja durchaus lassen, eventuell etwas aufgebrezelt durch eine leicht schimmernde Lasur. Aber dann solltest du dich schleunigst nach ein paar hochwertigen Kunstdrucken umsehen.»

Jannike seufzte. «Dazu fehlen mir leider zwei elementare Dinge: Zeit und Geld.»

«Hmm», machte Danni und strich mit skeptischem Blick über den Tisch, auf dem morgens das Frühstücksbuffet aufgebaut wurde. Der angetackerte Stoff war zerschlissen, es war ja nicht so, dass Jannike das nicht selbst schon bemerkt hätte, und die paar Flecken, die sich einfach nicht herauswaschen ließen, musste sie sorgfältig mit Servietten kaschieren. Aber ihre Prioritäten hatten in den letzten Wochen einfach woanders gelegen. «Was hältst du davon, die eine Wand gegenüber der Fensterfront sonnengelb zu streichen und dann mit Blattgold-Imitat zu überziehen, das hätte Noblesse.»

«Wie schon gesagt, Danni, wenn ich könnte, wie ich wollte …»

«Und wie steht es um die Gästezimmer?» Er drehte sich zu ihr um, die Augenbrauen fragend hochgezogen, die Hand kritisch ans Kinn gelegt, als ginge es um einen Patienten mit heftiger Diagnose.

«Frisch gestrichen, weiße Vorhänge und nagelneue Echtholzmöbel, da habe ich extra was Schlichtes, Zeitloses gekauft …» Allmählich kam es Jannike so vor, als müsse sie sich für ihren Geschmack rechtfertigen. «Du kannst es dir gern anschauen. Bis auf Zimmer 1, 3 und 7 sind alle frei. Den Schlüssel hat Bogdana, meine Hausdame.»

«Echt, du hast eine Hausdame?» Das immerhin beeindruckte Danni.

«Sie schließt dir gern auf.»

Das ließ Danni sich nicht zweimal sagen, wippenden Schritts lief er die Treppe hinauf.

Jannike ging wieder in die Küche, die Gläser mussten noch poliert werden, und außerdem war heute wieder Leuchtturmtag, und sie wollte noch den selbstgebackenen Tortenboden mit frischen Erdbeeren belegen und Sahne aufschlagen. Inzwischen schien es sich auf der Insel herumgesprochen zu haben, dass es dreimal die Woche auf ihrer Terrasse Kaffee und Kuchen gab, letzte Woche waren sogar bei Regenwetter einige Touristen aufgetaucht. Der Umsatz hatte sich bereits verdreifacht, die Sitzplätze wurden manchmal knapp.

Ja, eigentlich war der Laden richtig gut ins Laufen gekommen, deswegen konnte Jannike sich auch nicht so recht über Dannis Besuch freuen. Es hatte nicht direkt mit ihm zu tun; an seinen Hang zur Perfektion, der mitunter etwas Zwanghaftes hatte, war Jannike nach all den Jahren gewöhnt. Doch ihr bester Freund schien ein bisschen Köln mitgebracht zu haben – ein bisschen 4-2-*eyes*, ein bisschen Clemens – und das löste in ihr das Gefühl aus, eben doch vor allen diesen Dingen davongerannt zu sein, statt sich ihren Problemen zu stellen. War ihr kleines Inselhotel vielleicht nichts anderes als ein selbstgewähltes Asyl?

Holly, die den Napf leer gefressen hatte, strich erwartungsvoll um ihre Beine. «Du willst gern raus?», riet Jannike. «Da musst du dich erst noch ein bisschen an die neue Umgebung gewöhnen. Aber wenn es dann so weit ist, Holly, verspreche ich dir im Garten etwas besonders Feines: *Kaninchen, extragroß.*» In Köln hatten Jannike und die hellbeige Katze mit den eisblauen Augen stets auf Kriegsfuß miteinander gestanden. Schon der Geruch des Katzenfutters am Morgen war eine Zumutung gewesen, selbst wenn da noch so appetitliche Dinge auf dem Etikett standen. Doch wehe, Danni füllte das Ragout nicht exakt um neun Uhr auf das schwarze Porzellantellerchen, dann wurde die Mieze kratzbürstig. Mehrfach hatte Jannike aus Geruchsgründen das Frühstück in ihr Zimmer verlagert. Abends ging es dann genauso weiter, wenn Jannike aus dem Studio nach Hause gekommen war, hatte es stets Streit um den Sessel neben dem Steinway gegeben – und meistens hatte Holly gewonnen. Ob sich ihr Verhältnis hier auf der Insel verbessern würde? Man durfte gespannt sein. Vorerst musste man natürlich aufpassen, dass Holly sich von den Gästezimmern fernhielt. Jannike wollte sich lieber nicht ausmalen, was Knud Böhmer wohl von Tierhaaren auf seiner Bettwäsche hielt.

«Moin!», hallte ein sonorer Bass durch den Flur. Das war nicht Danni, nein, der hatte weniger Sound in der Stimme. Gab es heute etwa den zweiten Überraschungsbesuch? «Jemand hier?»

Jannike trat aus der Küche, und sofort stahl sich auch die Katze in den Flur. «Halt, Holly, nicht dahin gehen, das ist für die Gäste!» Was dem Tier natürlich egal war.

Siebelt Freese stand in der Haustür, der Bürgermeister höchstpersönlich, er hatte noch die Klinke in der Hand. «Hallo Frau Loog. Ich hoffe, ich störe nicht! Hätten Sie einen Moment Zeit für mich?»

«Aber gern», antwortete sie und führte ihren Besucher in den Frühstücksraum. «Kaffee, Tee oder Kuchen?»

«Danke, nein, mein Kreislauf ist auch so schon mächtig in Schwung, aber ein Glas Wasser wäre nicht schlecht.» Er wischte sich den Schweiß von der Stirn und setzte sich auf den ihm angebotenen Stuhl, schien ziemlich abgehetzt zu sein, der Ärmste. Der mächtigste Mann der Insel war eine von Grund auf sympathische Erscheinung, das hatte Jannike schon bei ihrem Besuch in der Ratssitzung gedacht. Ein grau melierter Kapitänsbart, ein rotes Halstuch, ein kleiner, gemütlicher Bauchansatz. Fast zu klischeehaft, um wahr zu sein. Dankbar nahm er das Glas entgegen.

«Geht es um das Leuchtturmfest?», kam Jannike gleich zum Punkt, denn was sollte der Bürgermeister anderes von ihr wollen. «Inzwischen habe ich ja zwei fleißige Angestellte, Sie können mich also fest einplanen. Was soll ich übernehmen? Dekoration, Essen und Getränke? Am liebsten würde ich den Kuchen backen, da bin ich inzwischen gut in Übung. Die Leute können gern meine Toiletten im Erdgeschoss benutzen, das ist kein Problem.»

Er lachte und nahm einen Schluck Wasser. «Na, Sie geben jetzt ja richtig Vollgas.»

«Na ja, Sie haben mir keine Wahl gelassen, ob ich diese Party überhaupt will, und wenn ich nun schon muss …»

Mit beschwichtigender Geste unterbrach er sie: «Nein, Frau Loog, das haben Sie falsch verstanden, wir wollen niemanden zwingen, aber …»

«Schon gut, ist angekommen. Was ich eigentlich sagen wollte: Wenn das Fest hier auf meinem Grundstück stattfindet, dann möchte ich es auch ein kleines bisschen nutzen, um mich bei den Insulanern für das herzliche Willkommen zu bedanken.»

Das schien dem Bürgermeister zu gefallen. «Was haben Sie vor?»

«Ich würde gern vorab alle Beteiligten zu einem Planungstreffen einladen und bei der Gelegenheit meine Sonnenterrasse als Grillplatz einweihen. Ich hab dabei an nächsten Mittwoch gedacht, ich weiß, das ist ziemlich kurzfristig, aber die Idee ist mir erst gestern gekommen, und Mattheusz – also der Briefträger – hat sich netterweise bereit erklärt, die Einladungen heute auf der Insel zu verteilen. Auf Ihrem Schreibtisch müsste bereits ein Brief liegen!»

«Aber an dem Abend probt der Shantychor – und seien Sie sicher, wir haben jede Probe bitter nötig bis zum großen Fest!»

«Dann proben Sie bei mir im Wohnzimmer. Da ist viel Platz, weil ich noch nicht zum Einrichten meiner Privaträume gekommen bin.» Sie grinste. «Wenn ich in meiner alten Heimat erzähle, dass ein Haufen kerniger Seemänner bei mir zu Besuch war, werden meine alten Freundinnen bestimmt ganz neidisch.»

«Gut, dann kommen wir natürlich gern. Das ist wirklich eine schöne Idee!» Er nahm einen Schluck Wasser. «Dann scheinen Sie sich ja inzwischen akklimatisiert zu haben.»

«Es tut mir leid, wenn ich auf der Ratssitzung vor zwei Wochen etwas schroff aufgetreten bin, aber da hatte ich das Gefühl, mir wächst alles über den Kopf. Inzwischen geht es mir besser, die Menschen hier sind so hilfsbereit, da möchte ich mich irgendwie erkenntlich zeigen. Selbst Herr Bischoff hat angeboten, mit anzupacken, wenn ich das anschließende Beisammensein in der *Schaluppe* noch richtig in Erinnerung habe.»

Siebelt Freese verzog seinen Mund. «Das war wahrscheinlich noch, bevor Sie ihm seine besten Arbeitskräfte ausgespannt haben.»

«Ach so.» Jannike war nicht wirklich perplex. Sie hatte damit gerechnet, dass Bischoff die Sache nicht einfach so hinnehmen und es böses Blut geben würde. «Ich hab ihm niemanden ausgespannt. Die beiden Frauen sind von ihm entlassen worden, und ich habe händeringend nach Saisonkräften gesucht.»

«Bischoff erzählt die Geschichte ein bisschen anders», verriet der Bürgermeister. «Aber ich kenne diesen Mann schon etwas länger, und seien Sie sicher, ich weiß seine Glaubwürdigkeit recht gut einzuschätzen.»

Trotzdem war Jannike beunruhigt. Diese Insel war klein und Bischoff darauf eine große Nummer. Es wäre ein Klacks für ihn, sie ins Gerede zu bringen. Das war ja wohl eine Unverschämtheit!

«Wegen des Leuchtturmfestes kommt meine Sekretärin Uda noch mal auf Sie zu, aber heute geht es um etwas anderes.» Jetzt öffnete er seine Fahrradtasche und holte ein paar Papiere heraus. «Ich bräuchte dringend ein paar Zimmer, für fünf Nächte, mit Frühstück, wenn's geht.»

«Oh!», entfuhr es Jannike. Da war ihre Laune gleich wieder besser. «Wann genau?»

«In einer Woche, also am Leuchtturmfest, von Donnerstag bis Dienstag.»

«Und wie viele genau?»

«So viele Sie frei haben. Eine größere Gruppe hat recht kurzfristig ihr Kommen angekündigt, und ich versuche jetzt, ein paar Unterkünfte zu organisieren, was in der Hochsaison ein ziemliches Unterfangen ist.»

Jannike ahnte, es wäre professioneller, wenn sie nun aufstehen, in die Küche gehen und so tun würde, als müsste sie da erst umständlich den Belegungsplan studieren. Doch sie wusste genau, eines der beiden Paare war bis dahin wieder abgereist, und sonst hatten nur Knud Böhmer und dieser nervige Mann vom Finanzamt Zimmer reserviert. Also sagte Sie wahrscheinlich viel zu schnell: «Kein Problem. Ich habe fünf Doppelzimmer.»

Freeses Bart schob sich auseinander, mittendrin erschien ein Lächeln, das ihm richtig gut stand, er hatte perlweiße Zähne. «Das ist großartig! Es geht da nämlich um eine wichtige Sache. Eine PR-Aktion für die Insel.»

«Dann freut es mich umso mehr, wenn ich etwas dazu beitragen kann.» Sie nannte ihm den Preis pro Zimmer und Nacht und überschlug im Kopf, welch hübsche Summe da für sie zusammenkommen würde. Der Bürgermeister erhob sich feierlich von seinem Stuhl und besiegelte das Geschäft per Handschlag. Vielleicht war sie zu billig gewesen, wenn er so schnell einverstanden war?

«Ach, und ich habe noch eine Bitte ...» Freese kam ein wenig näher. «Sie wissen wahrscheinlich noch nicht, wie das hier auf der Insel so läuft. Es wird unglaublich viel getratscht, sogar in der Hochsaison finden die Insulaner Zeit dafür. Und diese PR-Aktion, nun, da will ich Ihnen gar nicht näher sagen, worum es geht. Und ich möchte Sie bitten, auch nichts davon zu erzählen.»

Warum machte der jetzt so ein Geheimnis darum? Kam die Queen oder was? Egal, Jannike setzte ihr vertrauenerweckendstes Lächeln auf und nickte. «Ich schweige wie ein Grab.»

«Wenn die Sache klappt, wird das eine tolle Werbung für uns alle. Allerdings gab es im Vorfeld so ein Hin und Her, dass ich es erst glaube, wenn die Herrschaften tatsächlich angereist sind.»

«Ach so», sagte Jannike ernüchtert.

«Keine Sorge, die Zimmermiete bekommen Sie natürlich auf jeden Fall beglichen, dafür stehe ich gerade.» Jetzt war er an der Reihe, integer rüberkommen zu wollen, und irgendwie schaffte er es auch, dass seine Schultern noch etwas breiter wirkten.

In diesem Moment kam Danni ächzend ins Zimmer, er trug eine Vase von der Größe eines Kleinkindes. Das Teil war am Rand angestoßen, bundeswehrgrün und völlig verstaubt, Jannike konnte sich dunkel erinnern, es irgendwo oben auf dem Dachboden schon einmal gesehen zu haben.

«Janni, guck mal, hab ich entdeckt, da kann man etwas Dünengras drumrum flechten und dann Äste hineinstellen, ein super Blickfang für den Treppenaufgang!» Erst als er das Monster abgestellt hatte, bemerkte er den Besuch und schmierte sich bei dem Versuch, gleichzeitig die Hände zu säubern und ein paar Strähnen hinters Ohr zu schieben, einen staubig grauen Streifen ins Gesicht, der sich wunderbar von seinen verlegenheitsroten Wangen abzeichnete. «Oh, hallo! Sind Sie etwa der Postbote, der hier immer Kaffee trinkt?»

«Na ja, so ähnlich!» Freese lachte. «Ich bin der Bürgermeister, der hier zum ersten Mal ein Glas Wasser kredenzt bekommen hat.»

Die beiden standen voreinander. Danni so schlank und schick und gerade vom Feuereifer gepackt. Und Freese mit Plauze und jener Portion Gelassenheit, die Jannike von Anfang an imponiert hatte. Und es war offensichtlich, dass es hier funkte.

Blöderweise sagte Danni aber: «Ich bin Jannikes Verlobter.» Wie tollpatschig er immer sein konnte, wenn er einen Mann traf, der ihm auf den ersten Blick gefiel.

«Ach, das wusste ich ja gar nicht», sagte der Bürgermeister etwas monoton. «Und Sie wohnen auch hier?»

Danni nickte. «Ich bin eben hier eingezogen!»

Ach, das wusste ich ja gar nicht, wollte Jannike nun echogleich sagen. Danni war hier eingezogen? Hatte sie irgendetwas verpasst? Hatte er sie gefragt, während die Kaffeemaschine so laut gewesen war? Das musste sie gleich mal klären …

Doch Siebelt Freese kam ihr zuvor: «Schön, willkommen auf der Insel. Und was machen Sie beruflich?»

«Hier im Haus werde ich mich um all das kümmern, was unserer lieben Jannike nicht so liegt. Also das Ambiente, die Gäste betüddeln, den Garten auf Vordermann bringen. Aber eigentlich bin ich Musiker …»

O Mann, Danni, halt den Sabbel! Erzähl ihm nicht auch noch, dass du *Meeresleuchten* komponiert hast und der männliche Part von Deutschlands beliebtestem Musikpaar bist, sonst können wir gleich beide die Koffer packen und verschwinden, weil ich darauf nämlich überhaupt keine Lust habe!

«Musiker! Ach!» Freese holte tief Luft. «Haben Sie Ahnung von der Leitung eines Chores?»

«Chor?» Danni wog unentschlossen den Kopf. «Bislang habe ich eher mit Bands gearbeitet, aber versuchen würde ich das schon. Warum?»

«Wir haben einen Shantychor, und der hat in wenigen Tagen einen wichtigen Auftritt beim Leuchtturmfest. Aber wir hatten noch nie einen Chorleiter. Und entsprechend klingen wir auch!»

Dannis Augen leuchteten. Die vom Bürgermeister auch.

«Und Sie sind der Bass, stimmt's?»

Freese nickte.

«Wann soll ich wo sein?»

«Am Mittwochabend hier im Wohnzimmer Ihrer …» Er zögerte. Wahrscheinlich war er längst skeptisch, was das Verhältnis zwischen Danni und ihr anging, jedenfalls unterdrückte er ein Grinsen, «… Ihrer Verlobten!»

Jannike wusste, es war zwecklos, hier noch irgendetwas vom Stapel zu lassen. Die beiden waren sich einig.

KLINIK OLDENBURG · ABTLG. INNERES Seite 2

RETENTIONSWERTE

Untersuchung vom 16. Juli	
Serumkreatinin:	12 mg/dl
Serum-Harnstoff:	175 mg/dl
ph-Wert:	7,1 (BE -10 mmol/l)
Kalium:	7,3 mmol/l

Blutdruck stark erhöht

Urinuntersuchung gab Hinweis auf deutlich erhöhte Eiweißausscheidung.

Glomeruläre Filtrationsrate: deutlich unter 10 %

Mira saß schon seit mehr als einer halben Stunde bewegungslos auf dem Stuhl im Hauswirtschaftsraum. In der Nähmaschine war das Lämpchen angeknipst und das weiße Garn eingefädelt, der Saum des Vorhangs lag gebügelt und mit Nadeln festgesteckt vor ihr. Eigentlich könnte sie sofort loslegen. Nur noch drei Bahnen mussten genäht werden, dann hatte sie alle Tischdecken umgearbeitet. Das war ein Klacks. In einer halben Stunde erledigt. Und Jannike wartete wahrscheinlich schon darauf.

Draußen schien die Sonne im schönsten Sommergelb, ein paar Gäste entspannten sich im Garten, und die Meteorologen hatten versprochen, dass es noch eine ganze Weile so weitergehen würde. Ein Bilderbuchsommer, Strandwetter vom Feinsten mit Gute-Laune-Garantie.

Doch seit das Fax angekommen war, ging für Mira nichts mehr. Ebbe. Flaute. Stillstand.

Jede Woche um diese Uhrzeit schickte der Internist aus der Klinik in Oldenburg die Laborergebnisse. Und heute war es Mira so vorgekommen, als klänge das Rattern des Faxgerätes anders, irgendwie gewichtiger, nach Schicksal. Es hatte sie regelrecht Überwindung gekostet, in die Papierausgabe zu greifen und das Blatt umzudrehen. Sie war auf der Hut gewesen, hatte sich gegen den Schrecken gewappnet. Dennoch hatten die Zahlenreihen, die für Normalsterbliche wahrscheinlich nichtssagend waren, Mira komplett aus der Bahn geworfen.

Noch hatte sie niemandem davon erzählt. Okko war im Ort und brachte Altpapier zum Container am Hafen, danach musste er noch kurz ins Rathaus wegen einer PR-Sache. Tjark war von seinem Freund zum Krabbenfischen abgeholt worden und ohnehin zu klein für eine solche Botschaft. Und Theelke lag seit zwei Stunden nebenan an der Dialyse. Wie jeden zweiten Tag. Nebenbei hörte sie zum x-ten Mal ihre Märchen-CD mit den Einhörnern, Elfen und Zauberern, die sie schon auswendig kannte, die jeder in ihrer Familie auswendig kannte, gerade war sie an der Stelle, wo der Drache von der frechen Elfe an der Nase herumgeführt wird, von da ab dauerte es noch fünf Minuten, dann würde Theelke die CD wechseln und eine nicht ganz so aufregende Folge ihres liebsten Kinderkrimis hören. Natürlich wusste Miras Tochter, dass etwas nicht in Ordnung war. Seit vier Wochen durfte sie keinen Sport mehr treiben, hätte sie auch gar nicht gekonnt, schlapp, wie sie war. Selbst im Garten schaffte sie es gerade mal, am Rand des Sandkastens zu sitzen und hin und wieder ein Förmchen zu füllen, obwohl sie für solche Spielereien eigentlich auch schon zu alt war. Doch an Schaukeln oder Ballspielen war nicht mal zu denken. Zudem der Kopfschmerz und die anhaltende Übelkeit. Letzte und vorletzte Woche hatte der Inselarzt kommen müssen, weil ihr Blutdruck bedenklich gestiegen war.

«Ach, Mama», sagte Theelke immer etwas altklug. «Mach dir doch nicht solche Sorgen. Das wird schon!» Womöglich war ihre Tochter trotz ihrer acht Jahre diejenige in der Familie, die mit all dem am besten umgehen konnte.

Oft hatte diese kindliche Zuversicht die ganz dunklen Wolken vertrieben. Doch heute war es anders. Das Fax hatte jeden Anflug von Zweckoptimismus im Keim erstickt. Das, was dort grau auf weiß gedruckt stand, ließ kein krampfhaft positives Denken mehr zu. Es musste etwas passieren. Und zwar ein Wunder!

Die Glocke am Hausgiebel bimmelte. Mira blieb, wo sie war. Es bimmelte ein zweites Mal.

«Mama, da ist jemand an der Tür», rief Theelke von drüben.

Mira erhob sich schwerfällig von ihrem Stuhl. Sie wollte niemandem begegnen. Keinen Gast begrüßen, keinem Freund die Hand schütteln, überhaupt keinem Menschen nur in die Augen blicken. Sie wollte allein sein. Das war nur leider auf einer Insel in den Sommerferien unmöglich. Selbst am äußersten Zipfel, da wo das Eiland sich in seine Bestandteile auflöste, zur Sandbank zerbröselte wie ein Keks, den man ins Meerwasser getunkt hatte, selbst da musste man damit rechnen, wanderwütigen Urlaubern zu begegnen. Womöglich war ihr Hauswirtschaftsraum unter diesen Umständen der beste Ort zum Verkriechen. Aber selbst hier ließ man sie nicht in Ruhe.

Wieder das Bimmeln. «Mama, mach endlich auf, ich werd sonst noch ganz hibbelig», rief ihre Tochter. Früher, als sie noch gesünder gewesen war, war stets Theelke als Erste zur Tür gelaufen, wenn es geläutet hatte. Mit schnellen, ungeduldigen Schritten. Sie liebte Besuch. Sie liebte Leben im Haus.

Manchmal war sie deswegen auch eine kleine Nervensäge gewesen. Aber vielleicht hatte sie damals schon auf Vorrat gelebt. Als ob sie geahnt hätte, dass mal eine Zeit kommen würde, in der jeder Fremde im Haus ein Risiko darstellte. Keine Infektionen, kein unnötiger Schmutz, alles viel zu gefährlich …

Mira schaute durch die Lamellen der zugezogenen Fensterläden. Es war Jannike Loog, sicher brauchte die ihre Vorhänge. Zu dumm, Mira hätte sich diese Arbeit niemals aufhalsen dürfen, Okko hatte recht, wenn er mit ihr schimpfte, weil sie zu gut war für diese Welt. Seit drei Wochen schon nähte sie in jeder freien Minute, und eigentlich hatte diese Arbeit sie wie erhofft gnädig abgelenkt von den quälenden Gedanken, genau deswegen hatte sie die Aufgabe ja mehr oder weniger an sich gerissen. Doch seit es Theelke schlechter ging, hatte Mira keine Kraft mehr gefunden. Der Stoff, die Nadeln und die Nähmaschine warteten schon seit Tagen auf Mira, dass sie das Pedal treten und die letzten Meter Naht vollenden würde.

Und genau jetzt, als ihre neue Nachbarin an der Tür stand und klingelte, wurde Mira klar, dass sie es nie schaffen würde. Die letzten Vorhänge würden ungenäht bleiben.

In Theelkes Zimmer war das Märchenhörspiel zu Ende, klassische Musik tönte herüber, dann das Klackern des CD-Players, wenn die Abdeckung geöffnet wurde. Das Gerät würde ganz bald seinen Geist aufgeben. Genau wie Theelkes Nieren. Die Laborwerte waren ein Desaster.

Mira atmete durch, quälte ein freundliches Lächeln auf ihr Gesicht und öffnete die Tür einen Spalt, der breit genug war, um nicht völlig abweisend zu wirken. Aber auch schmal genug, um deutlich zu machen, dass der Moment unpassend war.

Jannike grüßte. «Komme ich ungelegen?»

«Nein», sagte Mira natürlich. «Ist nur gerade viel zu tun. Und die Vorhänge, also ... die schaffe ich diese Woche eventuell nicht ...»

Doch deswegen schien die neue Nachbarin nicht gekommen zu sein, denn der letzte Satz löste keinerlei Enttäuschung aus. «Das eilt nicht. Und notfalls kann ich das auch selbst hinbekommen, wenn du mir vielleicht deine Nähmaschine ausleihst. Würdest du das machen? Ich habe ja inzwischen zwei, nein, drei Angestellte!» Sie grinste und sah deutlich entspannter aus als bei ihrem letzten Treffen, als sie noch unter dem nörgelnden Gast aus Zimmer 1 und einem Haufen unerledigter Arbeit gelitten hatte. Das freute Mira, die neue Nachbarin war ihr von Anfang an sympathisch gewesen, und unter anderen Umständen hätte sie auch Interesse daran, etwas wie eine Freundschaft zu ihr aufzubauen. Aber so ...

«Zwei sehr fleißige Frauen aus Polen und einen Mann aus Köln!», erzählte Jannike munter weiter.

«Ein Mann?», ging Mira halbherzig darauf ein, bloß um irgendetwas zu sagen. «Wie ungewöhnlich.»

«Ja, mein ... Verlobter ist mir auf die Insel gefolgt.»

Das klang ja wirklich nach einem Happy End für Jannike Loog. «Wie schön!»

«Und einer von den dreien kann bestimmt nähen, da bin ich fast sicher!»

«Na dann ... Warte kurz!» Mira schloss die Tür, lief in den Hauswirtschaftsraum und legte eilig den Stoff zusammen, die Nähmaschine war auch zügig verpackt. Dann ging sie mit vollen Händen zurück in den Flur, betätigte mit dem Ellenbogen die Klinke und drückte Jannike das ganze Zeug in den Arm. «Hier, bitte schön!»

Jannike ging unter dem Gewicht der Maschine fast in die

Knie, wohl auch, weil sie nicht damit gerechnet hatte, wie ein Esel beladen zu werden. Sie starrte Mira an. «Ist irgendwas?»

«Nein, was soll sein?»

Skepsis schlich sich in Jannikes Gesicht. «Bist du sauer?»

«Nein!»

«Weil ich noch nicht richtig danke gesagt habe für alles, was du für mich getan hast?»

«Nein!»

«Aber deswegen bin ich ja auch eigentlich gekommen. Ich wollte mich endlich richtig bei dir bedanken. Und dich mit deiner Familie zu meinem Willkommensfest am nächsten Mittwoch einladen.» Umständlich stellte Jannike das schwere Paket in den Fahrradkorb, verhedderte sich etwas mit dem Kabel, dann hatte sie die Hände frei und holte aus ihrer Handtasche eine Karte, auf der groß und knallbunt *Einladung* geschrieben stand. «Eigentlich verteilt Mattheusz die Karten, aber dir wollte ich den Brief persönlich vorbeibringen. Wir werden grillen, und ich mache ein Fässchen auf. Wer will, kann die Gelegenheit nutzen, um das Leuchtturmfest zu planen, aber in erster Linie soll es ein fröhliches Zusammensein werden. Kommst du?»

Wieder wollte Mira einfach nur *nein* sagen, denn sie wusste, sie würde keinesfalls auf ein fröhliches Fest gehen, bei dem es Würstchen, Bier und jede Menge Leute gab. Danach war ihr überhaupt nicht zumute. Sie hatte sehr viel Energie aufgewandt, damit Theelkes Erkrankung von den Insulanern halbwegs unbeachtet blieb. Die wenigsten wussten wirklich, was bei ihnen zu Hause los war. Sonst würde man nämlich ständig und an jeder Ecke damit konfrontiert: «Wie geht es denn der Kleinen?» – «Habt ihr endlich eine passende Niere gefunden?» – «Ich hab jetzt auch einen Organspenderausweis, nur wegen der Sache mit Theelke, die hat mich wachgerüttelt.» –

«Wir beten für euch.» – «Es gibt da einen Kristall, der soll positive Strahlung aussenden und die Selbstheilungskräfte stärken.» – «Wie lange hat deine Tochter noch?»

Mira lebte schon immer auf der Insel. Sie kannte die Menschen auf diesem Fleckchen Erde. Sie wusste, wie sie tickten, dass sie es meist gut meinten, aber gern mal über das Ziel hinausschossen. Dass sie keine Grenzen kannten und das Leid anderer auch zu ihrem eigenen machten. In dieser kleinen, von Wasser umspülten Welt gab es keine Privatsphäre. Das war Segen und Fluch zugleich. Davor hatten sie und Okko ihre kleine Familie unbedingt schützen wollen.

«Also, was ist? Bring doch bitte deinen Mann und deine Kinder mit, Mira. Ich würde mich so freuen, euch alle näher kennenzulernen. Und bitte keine Geschenke, deine Unterstützung war das größte Geschenk, das du mir machen konntest.» Sie streckte ihr die Hände entgegen, eine herzliche Geste, doch Mira blieb stehen wie ein Stock. Es ging nicht, sie bekam das nicht hin.

«Mal schauen, ob wir es schaffen», sagte sie lahm.

Plötzlich drehte Jannike sich um, als gäbe es hinten bei den Sanddornbüschen etwas Spannendes zu sehen. «Kann ich dich mal was fragen?» Nun tat sie einen kleinen Schritt in den Flur und wies mit dem Kinn unauffällig über ihre Schulter. «Kennst du diesen Mann da?»

Mira blickte in die angezeigte Richtung. Im selben Augenblick duckte sich jemand weg. Nur kurz hatte sie weißes Haar auf einem runden Altherrenkopf gesehen. «Warum?»

«Das ist mein Gast, Knud Böhmer, von dem ich dir erzählt habe. Der immer so meckert …»

«Hm.» Was sollte Mira machen, um das Gespräch hier zu beenden? Manchmal war ihr diese Jannike doch eine Spur zu forsch. Neulich, als sie sich aus dem Schuppen die Luftpumpe genommen hatte, war sie auch so redselig gewesen. «Den hab ich mal ganz kurz gesehen, als ich das erste Mal die Vorhänge ins Hotel gebracht habe. Aber sonst ... nein. Wieso fragst du?»

«Es ist jetzt schon das zweite Mal, dass ich ihn bei dir vor dem Haus erwische. Versteckt hinter einem Busch, mit einem Fernglas in der Hand.»

Das war seltsam, ja, aber Mira hatte andere Sachen im Kopf.

«Vielleicht ist das Unsinn, und ich bin ein bisschen hysterisch», Jannike drehte sich noch einmal um, doch der Mann war verschwunden, «oder es liegt daran, dass ich den Kerl einfach nicht ausstehen kann. Aber ich finde das irgendwie verdächtig. Ich meine ja nur, wegen deiner Kinder ...»

Mira nickte. «Okay, danke, dass du mich darauf hingewiesen hast.» Sie hörte selbst, wie unfreundlich das klang.

«Und sonst? Alles in Ordnung?»

Jannike Loog war heute wirklich hartnäckig. Oder bemerkte sie, dass etwas nicht stimmte? Egal. Mira faselte etwas von Bergen von Mangelwäsche, die noch auf sie warteten, dann schob sie Jannike die Tür vor der Nase zu, was blieb ihr anderes übrig, wenn die Frau nicht von selbst ging.

Aus Theelkes Zimmer kam ein Rufen. Sie erkannte es am Klang ihrer Stimme. Es ging ihr nicht gut. Es ging ihrer Tochter gar nicht gut.

Sie trug Körbe mit frischen Brötchen in den Garten und verteilte sie auf den Stehtischen. Gleich musste sie unbedingt an die Kräuterbutter denken, die war noch im Kühlschrank. Sonst alles startklar?

Als Gastgeberin war Jannike das letzte Mal so nervös gewesen, als sie an ihrem sechzehnten Geburtstag einen Haufen Jungs aus der zwölften Klasse eingeladen und eine Disco im Keller ihres Elternhauses eingerichtet hatte. Exakt das Gefühl beschlich sie heute: Würden alle erscheinen? Würde man sie nicht für sonderbar halten, weil sie auf die Idee gekommen war, eine solche Party zu schmeißen? Und vor allem: Würde das Bier reichen? Damals war ihr Geburtstag als ein totaler Flop in die Annalen ihres Heimatstädtchens eingegangen, denn nur die untollen Jungs waren gekommen, und die selbstgebaute Lichtorgel hatte nach einer Viertelstunde den Geist aufgegeben.

Und heute? Würden die Leute wohlwollend sein oder nur bestätigt finden, dass Jannike es nicht draufhatte, die Terrasse zu sandig, der Flur schlecht beleuchtet und das Geschirr angestoßen war? Dann hätten sie morgen im *Inselkoopmann* und in der *Schaluppe* genügend Stoff zum Tratschen. Nein, bitte, heute musste alles klappen. Verbockte Partys mit sechzehn waren bald vergessen, verbockte Willkommensfeste hingegen konnten als schlechtes Omen gewertet werden.

Das Wetter spielte schon mal mit: Makelloser Himmel, kaum Wind, der Geruch von warmem Sand und Meer lag in der Luft.

Zudem konnte sie auf tatkräftige Unterstützung bauen: Bogdana hatte bergeweise Kartoffelsalat gemacht, Lucyna sämtliche Gläser poliert und nach draußen getragen, genau wie Geschirr und Besteck. Danni war selbstredend für das Ambiente zuständig, er hatte aus alten Einmachgläsern, die im Hotelkeller gelagert waren, Windlichter gebastelt, die Tische originell mit Paketpapier verkleidet und sogar Musikboxen installiert, aus denen chillige Musik – so nannte er das zumindest – ertönte. Als Höhepunkt des Abends kündigte er den Moment an, wenn er bei Einbruch der Dunkelheit die neuen Ölfackeln entzünden würde.

Es war eine Freude, Danni zuzusehen, es war, als habe man ihm neues Leben eingehaucht. In Köln hatte er ständig und fast zwanghaft nach dem Rechten sehen müssen und sich trotzdem dauernd verzettelt. Hier ging er es deutlich lockerer an, strahlte mit der Julisonne um die Wette, brachte Bogdana und Lucyna zum Lachen und flirtete mit den Leuten, als hätte er nie etwas anderes gemacht, als Hotelgäste zu bespaßen.

Inzwischen war Jannike froh, dass Danni auf die Insel gekommen war. Da er auf ihre dringende Bitte hin seinen Look kurzerhand geändert und die blonde Schlagermusik-Strähnchenfrisur gegen einen schmucken Beinahe-Kahlschlag mit Dreitagebart getauscht hatte, war er bislang zum Glück unerkannt geblieben. Das Versteckspiel konnte nicht ewig gutgehen, das wusste Jannike, irgendwann würde jemand herausfinden, wer sich hinter Dankmar Verholz und Jannike Loog verbarg. Doch bis dahin sollte so viel Zeit wie möglich verstreichen, damit die Wunden heilen konnten. Auch Danni schien eher unsanft aus der Zusammenarbeit mit 4-2-*eyes* katapultiert worden zu sein. Wer gab schon freiwillig einen festen Job als Musiker bei einer erfolgreichen Produktionsfirma auf? Aber er weigerte sich, darüber zu sprechen, also fragte Jannike nicht nach.

«Dein Verlobter ist wirklich ein netter Typ», sagte Mattheusz. Er hatte heute den Grill übernommen und trug die Schürze auf nacktem Oberkörper, was ihm gar nicht mal so schlecht stand. Die Kohle glühte bereits satt vor sich hin. In zehn Minuten könnten die Würstchen aufs Gitter. Wenn bis dahin jemand aufgetaucht war … Sonst müssten sie zu fünft tagelang Gegrilltes essen. Hätte sie besser um konkrete Anmeldung bitten sollen? Kommen Sie zu meiner Party, kreuzen Sie an: *ja*, *nein* oder *vielleicht*. Quatsch, das war zu kompliziert, sicher handhabte man hier auf der Insel diese Dinge locker und unverbindlich.

«Kennt ihr euch schon lange?»

«Danni und ich?»

Mattheusz nickte und stocherte in der Glut herum, dass die Hitze um ihn herum flirrte. Seine Locken kringelten sich im Nacken, und Jannike bemerkte mit Erstaunen, dass sie Lust hätte, damit zu spielen. Huch, sie nahm einen Mann wahr. Hieß das, sie war auf dem Weg der Besserung?

«Ja, wir kennen uns schon eine Ewigkeit!», antwortete sie schließlich. Warum widerstrebte es ihr, dem Postboten etwas über Danni zu erzählen?

«Er kann dir gut helfen», sagte Mattheusz. «Für manche Sachen brauchst du schon einen Mann im Haus.»

«Na ja.» Jannike lachte. Ob Danni ihr in puncto «Männerarbeit» von Nutzen sein würde, war eher unwahrscheinlich. Löcher in die Wand bohren, tropfende Wasserhähne reparieren und Möbel aufbauen konnten sie beide eher schlecht als recht, da hatten sie sich in Köln schon aus Zeitgründen lieber per Kleinanzeige einen Studenten gesucht, der sich mit so was auskannte.

Oder spielte Mattheusz auf etwas ganz anderes an? Auf ihr Liebesleben etwa? Für das in Köln ja tatsächlich Clemens zuständig gewesen war. Sie schaute den ihr inzwischen fast schon vertraut gewordenen Kaffeebesucher skeptisch von der Seite her an, das konnte Mattheusz doch nicht gemeint haben ... «Was ist eigentlich mit dir? Bist du verlobt?»

«Ich?» Er griff nach den Grillhandschuhen und hob den Rost etwas höher. «Klar! In Polen.»

«Und wie heißt sie?»

Irgendwie kamen Jannike die Handgriffe, die er mit voller Konzentration ausführte, völlig übertrieben vor, als hantierte er mit hochempfindlichen technischen Instrumenten und nicht mit einem handelsüblichen Würstchengrill. «Maria», verriet er schließlich.

«Dann seht ihr euch aber nur sehr selten», bohrte sie weiter nach. «Wenn du hier auf der Insel bist und sie zu Hause in Danzig ...»

Er bückte sich und hob noch eine Handvoll Kohle aus dem Papiersack. «Ich werde bald wieder zu ihr fahren. In ein paar Tagen oder so ...»

Dieser Gedanke traf Jannike an einer Stelle, die eigentlich zu tief saß, dafür, dass sie sich kaum kannten. «In ein paar Tagen schon? Echt? Und dein Job?»

Er zuckte mit den Schultern. «Liebe ist wichtiger.»

«Aber wer trinkt dann mit mir am Morgen Kaffee?»

Nun richtete Mattheusz sich wieder auf und schaute sie direkt an. «Ich schätze mal, dein Verlobter, oder?»

Ja, mein Verlobter, wiederholte Jannike im Stillen. Sie seufzte. «Mensch, wo bleiben die denn alle? Was machen wir bloß, wenn niemand kommt?»

Und als hätten alle nur auf dieses Stichwort gewartet, wurde es plötzlich laut im Garten. Zwei Dutzend Männer in blauen Fischerhemden schoben sich durch die Pforte und stellten sich in Reih und Glied auf. Maritime Akkorde erklangen aus dem Schifferklavier, das jemand mitgebracht hatte, dann summten tiefe Stimmen die ersten Takte, bis ein hagerer Mann anhob: «*Wo de Nordseewellen trecken an de Strand …*» Bei der nächsten Zeile setzte der gesamte Shantychor ein, es klang zugegebenermaßen ein bisschen schief, doch der gute Wille war erkennbar. «… *Wor de geelen Ginster bleuhn int gröne Land …*»

Danni kam angelaufen, legte den Arm um Jannike und raunte ihr ins Ohr: «Wow, was für ein prächtiger Anblick!»

Sie kannte seine Vorliebe für gestandene Kerle mit grauen Schläfen und musste grinsen. «Und die darfst du in Zukunft als Dirigent anleiten, vergiss nicht, das hast du dem Bürgermeister höchstpersönlich versprochen.»

«Wie könnte ich das vergessen!» Als Danni ihr einen Kuss auf die Wange drückte, bemerkte sie zwei Augen, die auf sie gerichtet waren, etwas sauer, etwas verwundert, irgendwie unbeschreiblich. Es war Mattheusz' Blick, der – gleich nachdem er von Jannike aufgefangen worden war – wieder abgewandt wurde. Mit zackigen Bewegungen legte der Grillmeister nun die Würstchen auf den Rost und schaute stur geradeaus.

«… *Wor de Möwen schrieen gell int Stormgebrus, dor is mine Heimat, dor bün ick to Hus!*»

Jannike klatschte und hätte am liebsten jeden einzelnen ihrer Gäste umarmt, doch Bogdana und Lucyna kannten die hiesigen Gepflogenheiten wohl besser, denn sie standen bereits parat, jede mit einem Tablett voller Schnapsgläschen, die randvoll gefüllt waren mit Klarem oder rotem Genever. Das kam eindeutig besser an als das Geherze einer völlig gerührten Gastgeberin. Nun tauchten auch einige Frauen auf, nannten ihre Namen, die Jannike vor lauter Aufregung jedoch gleich wieder vergaß. Sie war regelrecht erleichtert, mit Hanne Hahn auch ein bekanntes Gesicht unter ihnen zu entdecken.

«Schön hast du es hier!», fand diese. «Hab schon gehört, dein Liebster ist ein Deko-Spezialist!» Jetzt zeigte sie auf den hageren Mann, der eben das Lied begonnen hatte: «Und das ist meine bessere Hälfte, Rüdiger singt solo im Chor, toll, oder?»

Jannike fand in diesem Moment gerade alles toll.

Es lief wie am Schnürchen: Die Menschen luden sich Salat, Brot, Kräuterbutter und Würstchen auf ihre Teller, ließen sich von Jannike höchstpersönlich Bier ins Glas zapfen oder schenkten sich Wein, Prosecco oder Limonade ein. Die gute Stimmung erfüllte den frühen Sommerabend, in allen Ecken hörte man Gelächter und Gespräche, inzwischen waren auch die Hausgäste dazugestoßen und amüsierten sich.

«Danke, Frau Loog, dass Sie und Ihr Lebensgefährte uns einen so tollen Abend ermöglichen», sagte Frau Reuter aus Zimmer 7, während Jannike den Gerstensaft ins Glas sprudeln ließ. «Ich hab Ihnen das ja noch nicht gesagt, aber normalerweise steigen mein Mann und ich immer im *Hotel Bischoff* ab. Doch dieses Jahr war alles voll, deswegen sind wir zu Ihnen gekommen.»

«Oh, das ist aber doch ein gewaltiger Unterschied, was den Standard angeht», sagte Jannike.

«Klar, die Sauna ist schon nett und das Essen toll. Aber das, was Ihnen an Ausstattung fehlt, machen Sie durch Ihre Freundlichkeit wieder wett. Wann hat man sonst als Tourist mal die Möglichkeit, an einem echten Eingeborenenfest teilzuhaben.» Eingeborenenfest? Jannike musste grinsen. Sie war jetzt auch fast so etwas wie eine Eingeborene, dem seltenen Naturvolk der Friesen zugehörig, weit ab von der Zivilisation und den Traditionen verpflichtet. *Dor is mine Heimat, dor bin ick to Hus* ... Sie wusste nicht, ab wann man eigentlich ein Insulaner war. Ob das schon mit dem Stempel im Pass einherging? Oder waren noch ein paar harte Inselwinter zu überstehen, bevor man richtig dazugehörte? Egal, sie hatte jedenfalls im Moment keine Sorgen, dass es schwierig werden würde.

Sogar Knud Böhmer kaute an einer Wurst und sah nicht ganz so griesgrämig aus wie sonst, auch wenn er sich ein Plätzchen am Rand der Terrasse gesucht hatte und lieber für sich blieb. Ein seltsamer Kerl. Nun war er schon seit mehr als zwei Wochen hier und blieb dabei fast unsichtbar, weil er überwiegend schweigend am Frühstückstisch saß und danach für den Rest des Tages verschwand, wahrscheinlich um seine seltsamen Beobachtungen zu machen. Doch irgendwie war ihr das in diesem Moment egal. Solange er niemandem schadete, sollte Knud Böhmer sein Eigenbrötlerdasein fristen, wenn es eben das war, was er sich von seinem Inselurlaub versprach. Mira schien sich ja nicht sonderlich an seiner Anwesenheit gestört zu haben, als Jannike sie neulich bei ihrem Kurzbesuch darauf aufmerksam gemacht hatte.

Apropos Mira? Jannike schaute sich um, konnte ihre Nachbarin aber nirgendwo entdecken, auch Okko Wittkamp schien der Einladung nicht gefolgt zu sein. Wie schade!

Sie nickte Danni zu, der, von Shantychorsängern umringt,

vollkommen in seinem Element war und wild gestikulierte – wahrscheinlich sprach er gerade über Musik, dann konnte er nie still stehen. Es war Zeit für die Begrüßungsrede.

Er kam zu ihr und knipste das Mikrophon an, das mit der Musikanlage verbunden war, und reichte es Jannike. Sie räusperte sich, so etwas Ähnliches wie Lampenfieber legte sich auf ihre Stimmbänder. Obwohl sie vor kurzer Zeit noch im Fernsehen ein Millionenpublikum souverän durch den Abend geführt hatte, war sie jetzt schrecklich aufgeregt, vor all diesen Leuten zu sprechen.

«Moin!», begann sie und erhielt ein fröhliches Echo. «Schön, dass ihr alle da seid. Worum es mir bei diesem Fest geht, habe ich ja schon in meiner Einladung geschrieben, und da möchte ich auch nicht zu gefühlsduselig werden, sonst wird diese kleine Rede noch peinlich, weil ich vielleicht ein Taschentuch brauche ...» Ihre Gäste lachten, gut so! «Extra hervorheben möchte ich aber doch ein paar Menschen, die mir in besonderer Weise geholfen haben. Das sind Bogdana und Lucyna, zwei tolle, fleißige Mitarbeiterinnen, durch die das Hotel erst richtig ins Laufen gekommen ist, genau wie Mattheusz, der heute am Grill steht und auch sonst ganz oft da war, wenn man ihn brauchte. Er ist mein absoluter Lieblingsbriefträger!» Es gab einen kurzen, herzlichen Applaus, und Jannike bemerkte, dass einige Insulaner tuschelten. Entweder hatte sich bereits rumgesprochen, dass Mattheusz täglich eine Tasse Kaffee von ihr kredenzt bekam, oder es war noch immer Stadtgespräch, dass sie die beiden Frauen aus dem Luxushotel abgezogen hatte, immerhin war der beleidigte Bischoff dem Fest trotz Einladung ferngeblieben. «Und dann freue ich mich, dass Dankmar Verholz nun auch mit von der Partie ist. Und ich soll von ihm ausrichten, dass sich der Shantychor in zehn Minuten zur

Probe in meinem Wohnzimmer trifft.» Ein paar Männer hasteten direkt zum Bierfass, um die Gläser auf Vorrat zu füllen. «Aber mein innigster Dank gehört einer Frau, die ich leider nicht entdecken kann, oder hat jemand Mira Wittkamp gesehen?» Allgemeines Kopfschütteln. «Jedenfalls war sie die Erste, die mir gezeigt hat, dass die sprichwörtliche Sturheit der norddeutschen Küstenmenschen zum Glück nur ein Gerücht ist. Ich möchte behaupten, viele Menschen hier auf der Insel sind freundlicher und aufgeschlossener als so mancher Kölner im Karneval.» Das gab natürlich wieder Beifall, dann tat die Menge es Jannike gleich und erhob das Glas. «Auf die Saison, auf das Leuchtturmfest nächste Woche und auf unsere wunderbare Insel!»

«Prost!»

Danni stellte die Musik wieder etwas lauter, und Jannike ließ sich erschöpft auf den Mauervorsprung sinken. Jetzt war Zeit für ein erstes Bier, entschied sie und nahm einen ordentlichen Schluck aus dem Glas, das Danni ihr hinhielt.

Hanne Hahn kam auf sie zu. «Das war doch schon ganz ordentlich. Wenn du noch ein bisschen mehr in Übung bist, kannst du ja mal irgendwann die Ansage beim Leuchtturmfest übernehmen.» Die beiden stießen ihre Gläser gegeneinander. Dann rückte Hanne etwas näher heran. «Wegen den Wittkamps ...»

«Ja?» Es wunderte Jannike nicht, dass die Gleichstellungsbeauftragte eine Story auf Lager hatte. Schon bei ihrem ersten Treffen in der *Schaluppe* hatte sie sich als Tratschtante erster Güte zu erkennen gegeben.

«Die haben doch dieses Problemchen ...»

Bitte, ich möchte nicht neugierig nachfragen müssen, flehte Jannike im Stillen. Erzähl einfach, was du weißt. Es schien eh auf Hanne Hahns Seele zu brennen, und sie machte nach einer kurzen Kunstpause weiter: «Die Tochter ist ganz schwer krank. Eine Nierengeschichte!»

«Davon hat Mira mir nichts erzählt.»

«Nee, das macht sie grundsätzlich nicht. Obwohl wir alle ihr ja gern helfen würden. Aber die möchte das wohl lieber allein durchstehen, das muss man dann auch akzeptieren.»

Jannike trank einen Schluck Bier, und Mattheusz kam mit einem Teller vorbei. «Hier, du musst auch was essen, und diese Wurst ist mir besonders gut gelungen!» Er grinste. Sie hatte keinen Appetit, trotzdem nahm sie ihm den Teller ab und nickte ihm dankend zu.

Hanne Hahn flüsterte weiter, so als wäre das, was sie zu erzählen hatte, irgendwie unanständig. «Die Kleine ist acht Jahre, und die kaputte Niere hat sie bestimmt schon ihr halbes Leben. Eine solche Krankheit sollte man besser nicht bekommen, wenn man auf einer Insel lebt. Sie mussten Theelke eine eigene Dialysestation kaufen, sonst hätte die ganze Familie Wittkamp gleich aufs Festland ziehen können.»

«So ein Ding ist bestimmt sehr teuer!»

«Aber hallo! Und die Krankenkasse zahlt da längst nicht alles.» Jetzt setzte sich der Shantychor in Bewegung, Hanne Hahn winkte ihrem solosingenden Rüdiger zu. Dann kam sie wieder auf das Thema zurück: «Soweit ich mitgekriegt habe, nutzt das mit der Blutwäsche jetzt aber auch nichts mehr. Theelke braucht eine Niere. Besser gestern als heute.»

«Gibt es keine Spender in der Familie?» Jannike dachte an diesen Spitzenpolitiker, der seiner Frau vor Jahren ein Organ abgegeben hatte, er war damals auch in Jannikes Sendung aufgetreten, um sich für die gute Sache einzusetzen, das war Jahre her.

«Angeblich soll sie es ja von ihrem Vater, also von Okko, vererbt bekommen haben, der kommt also nicht in Frage. Und bei der Mutter passt die Blutgruppe nicht.»

«Was ist mit Großeltern, Onkels, Tanten?»

Hanne Hahn schüttelte den Kopf. «Wenn es da eine Möglichkeit gegeben hätte, Mira hätte sie genutzt. Sie würde alles tun für ihre Tochter. Ich kann ja nur Vermutungen anstellen, aber ich glaube, die Familie hat sich da schon jetzt total übernommen. Allein die wöchentlichen Fahrten zur Klinik nach Oldenburg kosten Zeit und Geld. Keine Ahnung, wie die trotz allem noch ihren Betrieb am Laufen halten.»

Sie schwiegen eine Weile und sahen drei Frauen zu, die inzwischen die Terrasse als Tanzfläche eröffnet hatten. Das, was Hanne Hahn gerade erzählt hatte, war für Jannike fast nicht zu ertragen. Sie fühlte sich plötzlich so albern mit ihren kleinen Luxusproblemchen, die sie an Mira herangetragen hatte. Fehlender Fensterschmuck, meckernde Gäste, die Kaffeemaschine noch im Container … Was musste die Frau von ihr gedacht haben?

«Aber warum hat sich Mira dann spontan bereit erklärt, meine Vorhänge zu nähen? Hätte ich gewusst, in welcher Situation sie gerade steckt, meine Güte, ich hätte ihr das im Leben nicht zugemutet!»

«Mach dir mal keinen Kopf, Jannike.» Hanne Hahn legte ihr beschwichtigend die Hand auf den Arm. «So war Mira schon als kleines Mädchen, ich kenne sie seit Ewigkeiten. Sie musste es immer allen beweisen – dass sie alles schafft, dass sie keine Hilfe braucht, dass ihr nichts zu viel wird. Kein Wunder, die ist ohne Papa groß geworden, musste schon immer im Haushalt mit anpacken und so weiter. Du kennst solche Frauen bestimmt auch.»

Dann stand die Gleichstellungsbeauftragte auf, um sich noch einen Prosecco zu holen. Jannike blieb sitzen und dachte nach. Sie konnte jetzt unmöglich einfach dort weitermachen, wo sie vor dieser Geschichte aufgehört hatte. Einfach Bier zapfen und Smalltalk machen und sich gemütlich einen antrinken war nicht drin. Sie musste etwas unternehmen!

Kurzerhand stand sie auf, ging in die Küche und entwendete der Katze einen der festen, mit friesisch-blauem Muster verzierten Kartons, in denen gestern die hübschen Teestövchen geliefert worden waren, die Danni im Internet bestellt hatte. «Sorry, wenn ich dir dein neues Lieblingsspielzeug wegnehme, Holly, aber ich habe etwas Wichtiges damit vor.» Nachdem sie die Öffnungen verklebt hatte, ritzte sie mit dem scharfen Küchenmesser einen Spalt in die Pappe. Dann ging sie wieder nach draußen und griff erneut nach dem Mikrophon. «Alle mal herhören!» Sie musste dreimal rufen, bis ihr die ungeteilte Aufmerksamkeit aller sicher war. Aus den oberen Fenstern hörte man den Shantychor seine Einsingübungen machen.

«Ich habe eben erfahren, dass eine Familie hier auf der Insel in einer schwierigen Situation steckt. Einige von euch wissen sicher, wen ich meine. Doch da wir die Privatsphäre dieser Leute achten sollten, will ich keine Namen nennen.» Sie registrierte trotzdem, dass Hanne Hahn natürlich eine bedeutungsvolle Miene auflegte und bestimmt nicht zögern würde, ihr Wissen kundzutun, sobald sich ihr die Möglichkeit bot. Egal, das war nicht Jannikes Sache. «Jedenfalls habe ich beschlossen, heute und auch beim Leuchtturmfest nächste Woche diese Spendenbox aufzustellen. Vielleicht hat der eine oder andere ja etwas übrig und wirft es dort hinein. Darüber hinaus verspreche ich euch heute schon, dass ich alle Einnahmen, die ich am Fest mit dem Verkauf von Kaffee und Kuchen erwirtschafte, ebenfalls in diesen Karton werfen werde. Mir wurde geholfen, also will auch ich helfen. Danke für eure Aufmerksamkeit.» Sie stellte die Box neben den Salat auf den Tisch und fühlte sich regelrecht erschöpft. Einigen Gesichtern ringsherum war deutlich anzumerken, dass sie diese Spontanaktion befremdlich fanden. Und Jannike musste zugeben, dass sie selbst solchen vermeintlichen Gutmensch-Aktionen auf Partys mit großer Skepsis begegnet war. Es gab nichts Schauderhafteres als Benefiz-Galas, bei denen sich die Reichen und Schönen für den guten Zweck mit Champagner abfüllten und Kavier auf ihre Designerroben kleckerten, sich dabei aber fühlten, als kämen sie auf der Barmherzigkeitsskala direkt nach Mutter Teresa. Doch das hier war etwas anderes. Es ging um Mira und ihre Familie, um Menschen, die nur ein paar Dünenkurven entfernt lebten und litten. Das war etwas Persönliches. Sie hätte nicht einfach nichts tun können.

Mattheusz ließ für einen kurzen Moment seinen Grill im Stich, zog sein Portemonnaie aus der hinteren Hosentasche und warf einen Schein durch den Schlitz. «Schöne Idee», sagte er. «Mira wird es brauchen können.» Prompt kam eine Frau, die schon etwas älter war und lange in der Handtasche wühlen musste, und tat es ihm gleich. Da riss sich Jannike aus ihrer Erstarrung. Wenn sie noch länger direkt neben diesem Kasten stand und jeden argwöhnisch beäugte, ob und wie viel er bereit war zu spenden, würde sie ihren Ruf bald weghaben und in Zukunft alleine Partys feiern müssen. Also stellte sie sich wieder an den Zapfhahn, lachte, quatschte – und hörte dem Shantychor zu. Sie sangen gerade den *Hamborger Veermaster*. Es klang schauderhaft.

Kölner Business Bank

Auszug	Seite	IBAN	BIC (SWIFT)
12	2/2	DE70600	KSPARDEDBKLN

Buchung	Valuta	Vorgang	Soll	Haben
15.06.	15.06	Überweisung Lucyna Pajak	- 897,23	
15.06.	15.06.	Überweisung Bogdana Pajak	- 897,23	
18.06.	18.06.	Überweisung Inselladen Graber	- 89,37	
20.06.	20.06	Wilhelm Reuter Miete Zimmer 7		+ 1.262,98

Neuer Saldo EUR	- 9032,27

Der Finanzbeamte Grieske würde das volle Verwöhnprogramm bekommen, entschied Danni und deckte den Küchentisch besonders aufwendig. Kekse und frisches Obst. Waren Pralinen übertrieben? Nicht dass Grieske auf die Idee kam, hier sei eine Art Bestechungsversuch am Laufen, der ihn milde stimmen sollte. Doch der Mensch hatte bei ihren letzten Begegnungen stets wie eine Regenpfütze gewirkt, so grau und abgestanden. Aus jeder Pore seines schlaksigen Bürokratenkörpers war der Geruch von Schreibtischmuff geströmt, sodass sich zu Dannis anfänglichem Misstrauen auch ein tiefempfundenes Mitleid gesellt hatte. Der arme Kerl war in seinem Alter und musste ein unfassbar ödes Leben führen, wenn er sich so sehr für Jannis Steuerunterlagen interessierte.

«Übertreib es nicht», warnte Jannike. Sie konnte nicht verbergen, dass die bevorstehende Betriebsprüfung sie nervös machte. Dass der Restalkohol der feuchtfröhlichen Gartenparty ihr ebenfalls noch in den Knochen steckte, kam erschwerend dazu.

Bis nach Mitternacht hatten sie gestern gefeiert, und wie! Wenn Danni nur daran dachte, musste er grinsen ... Zugegeben, das musikalische Können des Shantychores war noch bescheidener ausgefallen als befürchtet. Der Solist war zwar mit Herzblut dabei, doch nur jeder dritte Ton, den er inbrünstig herausschmetterte, kam den Noten halbwegs nahe. Der Bürgermeister hatte da weit mehr Musikalität bewiesen, eine wunderbar tiefe und klare Bassstimme, doch er schien eher ein zurückhaltender Typ zu sein, der sich ungern in den Vordergrund spielte. Schade, fand Danni, aber das war eine Baustelle, an der jetzt auf die Schnelle nicht gearbeitet werden konnte, das Leuchtturmfest fand an diesem Wochenende statt, das war eindeutig zu knapp. Doch bei der nächsten Probe würde er Siebelt Freese als Solist für die *Heimat der Matrosen* vorschlagen, auch wenn der bisherige Frontmann Rüdiger bestimmt Protest einlegen würde.

Nach der Chorprobe hatte Danni die Ölfackeln entzündet, die er am Nachmittag rund um die Terrasse in den Sand gesteckt hatte. Die Wirkung war phantastisch gewesen. Umgeben von flackernden Flammen war man sich nahegekommen, hatte im Kreis gesessen, zusammen getanzt, gelacht und getrunken. Es war eines dieser Feste geworden, wie man sie nicht planen konnte, niemals, weil die Magie immer nur aus dem idealen Augenblick heraus entstand. Ein Fest, auf dem man sich auch wunderbar verlieben konnte. Selbst wenn man sich sicher gewesen war, dass dies sowieso nicht mehr passieren würde. Danni lächelte.

«Mann, bin ich froh, dass du nachher dabei bist», sagte Jannike und ließ sich seufzend auf den Stuhl sinken. «Ich kann noch gar keinen klaren Gedanken fassen. Ausgerechnet heute, wo das Hotel sich bis in die letzte Ritze füllt und das Finanzamt meine Unterlagen studieren will, hab ich den Kater des Jahrzehnts!»

Kein Wunder, dachte Danni. Er hatte seine Freundin gestern immer nur aus dem Augenwinkel wahrgenommen, doch es war nicht zu übersehen gewesen, dass sie es ordentlich hatte krachen lassen. Ganz am Ende der Party hatten sie dann noch gemeinsam mit Lucyna und Bogdana in der Küche einen letzten Absacker getrunken, das musste so gegen ein Uhr gewesen sein. Und heute Morgen hatte dieser penetrante Gast aus Zimmer 1 natürlich wieder Punkt acht im Speisesaal gesessen und sein Frühstück erwartet. Keine Zeit zum Ausschlafen. Zumal der Finanzbeamte mit dem ersten Schiff angereist war und bei seiner Ankunft betont hatte, direkt in die Materie einsteigen zu wollen.

Aber mit der richtigen Arbeitsteilung war das zu schaffen. Während Jannike alle Unterlagen für Grieske zusammengesucht hatte, war er für die Küche zuständig gewesen. Die beiden polnischen Mitarbeiterinnen hatten draußen die Spuren der Party beseitigt und waren nun dabei, die Gästezimmer für die Ankunft der Gruppe vorzubereiten, die der Bürgermeister hier untergebracht hatte. Zum Glück kamen diese Leute erst mit dem zweiten Schiff, sonst wäre es doch etwas knapp geworden.

Es klopfte an der Küchentür, und man sah förmlich, wie Jannike alle Farbe aus dem Gesicht wich. «Das ist er!»

Danni nahm sie kurz in den Arm. «Mach dir keinen Kopf. Du hast nichts zu verbergen, also wird er auch nichts finden, oder?» Dann ging er zur Tür, öffnete sie und fand, dass Grieske ohne seinen beigen Anorak noch viel schlotteriger wirkte. War das ein Mann, vor dem man sich fürchten musste?

«Herr Grieske, sind Sie zufrieden mit Ihrem Zimmer?»

«Die Unterbringung ist durchaus komfortabel.» Er betrat die Küche und wuchtete seine Aktentasche auf einen der Stühle. Was schleppte der denn alles mit sich herum?

«Hat man hier überhaupt genug Ruhe zum Arbeiten?»

Jannike zog gleich die Schultern nach oben, als wäre sie bei ihrer ersten Sünde ertappt worden. Also sprang Danni offensiv ein: «Wie Sie wissen, befindet sich dieser Betrieb noch im Anfangsstadium. Frau Loog verfügt noch nicht einmal über ein eigenes Büro, und die Privaträume sind kaum eingerichtet. Wir dachten, hier in der Küche sind Sie nah am Geschehen, können immer nachfragen, wenn etwas ist, und haben die Kaffeemaschine direkt in Reichweite.»

«Danke, Tee ist bekömmlicher. Kamille.»

Was für eine Spaßbremse … «Dann nehmen Sie doch Platz!»

Grieske packte einen Rechenapparat aus, der so alt war, dass er als direktes Nachfolgemodell des mechanischen Rechenschiebers hätte durchgehen können. Als er das Gerät anstellte, ratterte die Papierrolle drauflos, als könne sie es kaum erwarten, Zahlen zu addieren. Drei dicke Gesetzbücher und zwei Aktenordner nahmen so viel Platz in Anspruch, dass für Kekse und Obst kein Fleckchen mehr übrig blieb und die Schalen fortgeräumt werden mussten. Nach nur einer Minute war von Dannis freundlicher Arbeitsplatzgestaltung nichts mehr übrig. Jetzt sah es aus, als hätte der Finanzbeamte seinen Kölner Schreibtisch geradewegs mit auf die Insel geschleppt. Der Kamillentee, den Jannike ihm neben den Notizblock stellte, verbreitete einen freudlosen Geruch.

«Dann wollen wir mal!», sagte Grieske.

Oje, das war ein harter Knochen! Jannike und Danni nahmen ihm gegenüber Platz.

«Sie haben das Schreiben von uns erhalten.»

«War das eine Frage?», wollte Jannike wissen. «Natürlich haben wir es bekommen, immerhin war das Bett für Sie bezogen, der Tisch gedeckt, die Unterlagen herausgesucht. Das habe ich nicht aus einer vagen Intuition heraus gemacht.»

Danni trat ihr unter dem Tisch gegen das Schienbein. Hoffentlich verstand sie seinen Hinweis, dass man Männern wie Grieske besser nicht mit Ironie kam, die konnten verstehen und missverstehen, wie es ihnen gerade am besten passte.

Oder irrte er sich? Huschte da tatsächlich ein Lächeln über das bleiche Beamtenantlitz?

«Es gab einige Hinweise auf vermögensrelevante Vorgänge, die auch steuerliche Konsequenzen hätten und somit meldepflichtig wären.» Er schlug einen Ordner auf, und gleich oben lag eine Kopie der vermaledeiten *Close Up*-Ausgabe, in der von Jannikes angeblicher Abfindung die Rede war.

Sie zeigte gleich mit dem Finger darauf. «Das muss ein Missverständnis gewesen sein. Meine alte Produktionsfirma hat mir lediglich einen Kredit gewährt. Clemens Micke, der Vizechef, wird Ihnen das bestätigen.»

«Wohl eher nicht.» Grieske blätterte um. Man erkannte das 4-2-*eyes*-Logo. «Dieses Schreiben hier bekräftigt den Verdacht.» Dann zitierte er die dort notierte Aussage wortwörtlich und mit dem Charme eines Navigationsgeräts. Kein Zweifel, Clemens, dieser Mistkerl, hatte dem Schmierblatt eine handfeste Lüge aufgetischt. Jannike schrumpfte auf dem Küchenstuhl in sich zusammen. Das war doppelt hart – einmal die Erkenntnis, dass sich diese Betriebsprüfung eventuell doch als verzwickt herausstellen könnte, zweitens, weil ihr das von einem Mann eingebrockt worden war, der ihr bis vor wenigen Wochen noch die große Liebe vorgespielt hatte.

Danni legte ihr die Hand auf die Schulter. «Ich weiß, dass Clemens gelogen hat. Und ich werde es auch irgendwie beweisen können, keine Sorge.» Dann wandte er sich an Grieske. «Was wollen Sie denn eigentlich konkret von uns?»

«Ich?» Er zog die dünnen Augenbrauen nach oben, fast als fühle er sich von dieser direkten Frage völlig überrumpelt. Als wäre ihm gar nicht bewusst, wo er sich befand, in der Küche eines kleinen Inselhotels, dessen Besitzerin gerade Blut und Wasser schwitzte.

Wie befürchtet war Jannike sofort auf hundertachtzig. «Ja, Sie! Uns ist klar, dass sich einige Menschen dafür interessieren, was Prominente so treiben. Es gibt auch sicher viele von unserer Sorte, die ein Schwarzgeldkonto in Luxemburg oder sonst wo haben, da kann man schon sauer werden, dass die von ihrer Kohle nichts abgeben wollen. Und wenn man dann liest, dass dieses Showsternchen auch noch Schleichwerbung macht und eine Abfindung kassiert, wird man vielleicht ein bisschen neidisch.» Jannike funkelte den Mann wütend an. Das war die denkbar schlechteste Strategie.

«Laut Paragraph 193 der Abgabenordnung obliegt es unserer Behörde, bei einer Außenprüfung Einsicht in alle Konten von Steuerpflichtigen, die einen gewerblichen oder land- und forstwirtschaftlichen Betrieb unterhalten, freiberuflich tätig oder steuerpflichtig im Sinne des Paragraphen 147a sind, zu erhalten.»

Sie klatschte ihm einen Hefter vor die Nase. «Bitte sehr, dann viel Spaß beim Lesen. Ist noch nicht viel, weil ich nämlich noch gar keine Gelegenheit hatte, den Papierkram zu regeln. Es erschien mir wichtiger, die Möbel aufzubauen, damit meine Gäste nicht auf dem Fußboden schlafen müssen.»

Grieske nahm mit einer beachtlichen Seelenruhe die Auszüge an sich und inspizierte Blatt um Blatt. «Zudem wäre ein Geschäftsplan vonnöten ...»

«Ein Geschäftsplan? Und wenn ich den nicht habe? Wenn es von meiner Seite nur einen Traum gibt, den ich mir hier erfüllen will?»

«Leider kann man Träume nicht bei der Finanzbehörde einreichen», reagierte Grieske ungewohnt schlagfertig. «Haben Sie keine Aufzeichnungen, über welchen Zeitraum Sie beispielsweise die angeschafften Möbel absetzen wollen? Und welche Kostenstelle den Wareneinkauf tragen soll? Laut Kontostand haben Sie Ihren Dispo bereits ausgeschöpft. Im laufenden Betrieb muss jedoch immer verfügbares Geld vorhanden sein, um Kontinuität zu gewährleisten. Wenn man als Finanzbeamter dort nichts finden kann, muss man davon ausgehen, es entweder mit einer reichlich naiven Geschäftsleitung zu tun zu haben, oder ...»

«Oder?», fragten Danni und Jannike unisono.

«Oder mit einer Kasse, aus der die laufenden Kosten in bar getätigt werden, die hier aber augenscheinlich nicht offiziell gelistet und somit auch nicht steuerrechtlich erfasst zu sein scheint, denn sonst lägen ja entsprechende Hinweise darauf vor.»

In diesem Moment kam Lucyna herein, in einer Wäschewanne befand sich allerlei Kram, der gestern Abend draußen liegengeblieben war. Der Stapel war so hoch, dass die zierliche Frau kaum darüberblicken konnte, deswegen musste sie auch den Fremden am Küchentisch übersehen haben, denn sie plapperte ungezwungen drauflos, wie es ihre Art war.

«Wir sind reich!», sagte sie, und ihre Stimme überschlug sich fast vor Aufregung. Jetzt stellte sie das Sammelsurium aus leeren Gläsern, Tellern, Servietten und allerlei Zeug auf die

Arbeitsfläche über der Spüle, den anderen den Rücken zugewandt. Triumphierend hielt sie die Spendenbox hoch, die Jannike gestern spontan aufgestellt hatte. «Hätte ich diesen Karton hier fast weggeworfen, weil dachte ich, ist Müll.»

Jannike sprang auf. «Mensch, zum Glück hast du das nicht gemacht!»

«Habe ich vorher reingeguckt. Vorsichtshalber. Weil könnte auch ein Geschenk oder so sein. Hat auch geklimpert, Kleingeld, dachte ich. Aber jetzt schaut her!» Sie drehte sich mit einem Ruck um und hielt in ihren Händen – Danni konnte es erst nicht erkennen, denn es war Papier, klein zusammengebunden zu einer Rolle – aber es handelte sich tatsächlich um … «Habe ich gezählt. Es sind fünftausend Euro! In Hunderterscheinen. Die lagen hier einfach so drin.»

Jannike stieß einen erfreuten Schrei aus und machte Anstalten, nach dem wertvollen Bündel zu greifen, doch dann bemerkte sie den Blick des Finanzbeamten. Trotz seiner graumäusigen Erscheinung, seiner Igelfrisur und den schlecht sitzenden Klamotten hatte Grieske in diesem Augenblick etwas von James Bond, der einem finsteren Schurken auf die Schliche gekommen war.

«Siehe da», sagte er zufrieden. «Womit die Frage mit der Schwarzgeldkasse wohl schneller als gedacht geklärt wäre!»

«Wie bitte?» Jannike sah aus, als hätte man sie eben mit einem Kübel Eiswasser übergossen. «Das sind Spendengelder, ich habe für eine Freundin in Not gesammelt und …»

«Rein statistisch behaupten mehr als siebzig Prozent aller Steuersünder, das im Versteck aufgestöberte Geld wäre eine Spende», unterbrach Grieske ungerührt. «Die anderen dreißig bestehen darauf, die Summe beispielsweise von der Großmutter zum Geburtstag bekommen zu haben, selbst wenn diese nachweislich schon vor Jahren verstorben ist. Es gibt nichts, was ein Finanzbeamter nicht schon an Ausreden zu hören bekommen hätte.»

«Was erlauben Sie sich!», rief Jannike.

«Das war nur eine auf Fakten basierende Feststellung, Frau Loog.» Er saß da, die Selbstgerechtigkeit in Person, nippte an seinem Kamillentee und lächelte. «Es wäre von Vorteil, wenn nun alle ihrer Arbeit nachgehen könnten.» Er nahm einen Bleistift heraus und spitzte ihn in aller Seelenruhe an.

Kurz bevor Jannike das schlimme Wort mit A am Anfang aussprechen konnte – und das lag ihr unverkennbar auf der Zunge –, zog Danni sie in die benachbarte Vorratskammer.

«Reiß dich zusammen!», beschwor er sie flüsternd. Doch sie stand kurz davor, zu hyperventilieren. Atmete in so schnellem Rhythmus, dass eine Sambacombo nicht mitgekommen wäre. «Das beweist überhaupt nichts. Es gibt doch haufenweise Zeugen, die gestern deinen Spendenaufruf mitbekommen haben.»

«Ja, aber ... Ich meine, fünftausend Euro, hey, wer schmeißt denn da so viel Kohle rein? Das stinkt doch so dermaßen zum Himmel, dass selbst ich es riechen kann.»

Er reichte ihr eine der hellgelben Papierservietten, die in einem der Regale gestapelt waren, und sie schnäuzte sich. Danni kannte diese Frau nur zu gut, er wusste, nach dem Naseputzen ging es meistens mit dem Heulen los. Tausendmal hatte er das schon beobachtet. Und es gab seines Wissens kein Mittel, den Zusammenbruch zu verhindern. Sie schnappte bedenklich nach Luft.

«Ich ... hey, jetzt mal ohne Drumrumgerede ... Für die meisten Menschen bin ich doch jetzt schon die geldgierige Schlange. Erst Schleichwerbung, dann Abfindungsabzocke, zum Schluss ein fettes Bündel Hunderter in einem Pappkarton.

Passt alles zusammen. Ich ...» Die erste Träne tropfte auf ihr T-Shirt. «... ich bin auch noch so blauäugig und kaufe ein Hotel, obwohl ich von geschäftlichen Sachen keine Ahnung habe. Du hast doch meine Auszüge gesehen. Die Zahlen sind dunkelrot, Danni, ich habe einen Haufen Arbeit und bin sozusagen pleite. In nur vier Wochen habe ich meine Existenz buchstäblich in den Sand gesetzt.»

Natürlich hing ihr Selbstmitleid mit den Bieren der letzten Nacht zusammen, vielleicht hätte sie diese Krise in nüchternem Zustand gelassener weggesteckt. Doch jetzt ließ sich Jannike zu Boden sinken, saß auf einer Kiste H-Milch, lehnte sich gegen das Regalbrett, auf dem Neutralreiniger und Kalklöser im Vorratspack verstaut waren, und schnaubte sich in die nächste Serviette.

Es klopfte an der Tür. «Jetzt nicht!», schluchzte Jannike.

«Bin ich es, Bogdana!» Erneutes Klopfen.

«Was ist denn?», fragte Danni.

Die Tür schob sich einen Spalt auf, und das freundliche Gesicht von Lucynas und Mattheusz' Mutter erschien. «Will ich nicht stören, wirklich nicht, aber neue Gäste sind da.»

«Auch das noch», jaulte Jannike auf und vergrub ihr rot geheultes Gesicht im hellgelben Zellstoff.

«Sind acht Leute. Sehr schicke Leute! Wollen auf Zimmer sofort!»

«Guck mich doch an, ich kann da jetzt nicht hin», sagte Jannike und hatte, wie Danni sofort zuzugeben bereit war, recht damit. Sie sah gelinde gesagt katastrophal aus. Ihre Haare, die sowieso mal wieder einen Friseurbesuch nötig gehabt hätten, standen zu allen Seiten ab, weil sie sich in ihrer Verzweiflung mehrfach an den Kopf gefasst hatte. Ihre Augen waren so rot und verquollen, dass die Gäste eventuell Angst vor einer ansteckenden Krankheit bekommen könnten. Keine Frage, so konnte man Jannike unmöglich auf die Menschheit loslassen.

«Dann gehe ich», schlug Danni vor.

«Nein!» Sofort griff sie nach seiner Hand und hielt sie fest umklammert wie ein kleines Mädchen, das partout nicht allein in den Kindergarten wollte. «Bitte, bleib hier, lass mich nicht alleine, ich bin ... ich bin fix und fertig!»

Ob sie absichtlich oder aus Versehen dafür sorgte, dass sein Hemd von ihren diversen Heulflüssigkeiten verunstaltet wurde, war nicht klar zu beurteilen. Doch nach nur einer Umarmung sah sein Shirt aus wie schlecht gebatikt. Eines Empfangschefs nicht unbedingt würdig.

«Kann ich machen Empfang», sagte Bogdana. «Weiß ich Zimmer und Schlüssel und sage Frühstück um acht. Soll ich?»

Optimal war das nicht, denn Bogdanas Deutsch war zwar gut, was das Hotelvokabular anging, doch bei Themen, die über dieses hinausgingen, musste sie passen.

«Lucyna ich rufen, sie kann gut.»

Jannike nickte und schluckte ihre Tränen herunter. «Ja, das wäre wirklich eine Hilfe, wenn ihr das übernehmt. Wird schon nicht so schlimm sein, ich sehe die Leute morgen beim Frühstück, dann kann ich immer noch hallo sagen, oder?»

«Klar», sagte Danni und streichelte ihren zerzausten Scheitel. Und nachdem Bogdana die Tür wieder geschlossen hatte, hockte er sich zu ihr und nahm sie wieder in den Arm. Er mochte, wie sie sich an seine Brust sinken ließ. Manchmal war es schon schade, dass sie nur ein Pseudopaar waren. Wäre Jannike ein Mann, die Sache wäre geritzt.

Ernst schaute sie ihn an, es sah so aus, als wären die Tränen inzwischen versiegt. «Sag mal ehrlich, Danni. Hältst du mich für eine Träumerin?»

«Ja», antwortete er entschieden.

«Eine, die unüberlegt Sachen tut, denen sie nicht gewachsen ist?»

«Auf jeden Fall. Das trifft den Nagel auf den Kopf.»

«Aber weißt du, damals, als ich mir das Hotel angeschaut habe, als ich das erste Mal auf den Leuchtturm gestiegen bin und die Insel von oben betrachtet habe, da war ich mir so sicher, die richtige Entscheidung zu treffen. Es schien alles so klar. Wie konnte ich nur so naiv sein?»

Dannis Beine wurden lahm, also stand er wieder auf und zog Jannike mit sich nach oben.

«Das habe ich nicht gesagt.»

«Wie meinst du das?»

«Ja, du hast einen Hang dazu, bei der Erfüllung deiner Träume die Realität auszublenden. Aber die Entscheidung, dieses Hotel zu kaufen, war der erste Schritt in die richtige Richtung. Davor hast du dir jahrelang vorgemacht, dass Clemens Micke, dieser Arsch, irgendwann mal seine Frau Doktorin verlässt, um mit dir eine Familie zu gründen. Und wenn er dich behandelt hat wie das letzte Dummchen, hast du es nicht bemerken wollen, hast es ausgeblendet, solange es ging. Aber hier liegt die Sache anders.»

«Glaubst du wirklich?» Sie schniefte nur noch ein bisschen, und Danni war gerade ziemlich stolz darauf, ein so guter Frauentröster zu sein.

«Das Hotel hier ist wunderschön, ein besonderes Fleckchen Erde. Der Preis, den du gezahlt hast, ist absolut okay. Du hast deinen Ex gehörig abgezockt, hast ihm eine halbe Million abgeschwatzt, weil du wusstest, dass ihm sein reines Gewissen einiges wert sein würde. Und wenn der Idiot nun öffentlich erklärt, dass es kein Kredit sondern eine Abfindung ist … Mal ehrlich, dann soll das wohl so sein. Es gibt Schlimmeres, als fünfhunderttausend Euro geschenkt zu bekommen.»

«Aber es stimmt nicht. Es war ein Kredit. Und ich will das Geld auch gar nicht haben. Das kriegt er wieder bis auf den letzten Cent, mit Zins und Zinseszins, und dann kann er es sich sonst wohin stecken.»

Danni musste grinsen. «Meinetwegen kannst du es ihm auch zurückzahlen, sobald du dazu in der Lage bist. Aber vorerst lass Mister 4-2-*eyes* in dem Glauben, dass du ihn beim Wort nimmst.»

«Aber dann muss ich die Summe doch versteuern. Wahrscheinlich sofort. Das Geld habe ich aber leider nicht mehr.»

«Aber ich!», sagte Danni.

«Du?»

«Brauchst du noch einen Teilhaber?» Eigentlich hatte Danni sich vorgenommen, mindestens einen Monat abzuwarten und erst dann eine so weitreichende Entscheidung zu treffen. Doch nach dem gestrigen Abend sah alles anders aus, er würde einiges dafür geben, auf der Insel zu bleiben. «Ich habe einen meiner neuen Songs an Clemens verkauft und könnte mit hunderttausend einsteigen, wenn du willst.»

«Wirklich? Du willst mit mir das Hotel übernehmen?»

Ja, das wollte er. Es war genau die richtige Aufgabe im richtigen Moment. Hier gab es so viele Möglichkeiten, seine Ideen umzusetzen. Und wenn dann im Hotel das meiste geschafft war, hätte er vielleicht auch wieder die Muße, sich der Musik zu widmen, denn die war ihm durch den Ärger in Köln ziemlich verleidet worden. Doch hier auf der Insel, das spürte er einfach, bekam er den Kopf frei, die Seele, das Herz.

Und Letzteres hatte er gestern bei der Shantychorprobe direkt verloren. Es wäre ihm gar nicht möglich, einfach wieder von hier zu verschwinden. Also musste er zusehen, dass er bleiben konnte.

«Das wäre großartig!», rief Jannike.

Endlich, da war wieder dieses liebenswerte, hübsche Lächeln auf dem Gesicht seiner Lieblingsfrau. Er küsste ihr auf die Nasenspitze. «Also, lass uns da rausgehen und dem Tag die Stirn bieten!»

Sie nickte.

Als sie die Tür zur Küche öffneten, brütete Grieske über den Büchern und schien kaum ansprechbar. Er hörte auch nicht das Gekreische, das aus dem Garten kam. Eine schrille Frauenstimme, spitz und unmelodiös. Sie kam Danni bekannt vor, ja, über diese Stimme hatte er sich schon mehrfach schrecklich geärgert. Vor kurzem erst. Aber das konnte nicht sein! Er rannte zum Fenster und schaute hinaus. Tatsächlich, er hatte sich nicht getäuscht!

«Was ist da los?», fragte Jannike und trat neben ihn.

Eine gertenschlanke, honigblonde Frau in apricotfarbener Bluse und schwarzem Minirock versuchte, in ihren hochhackigen Pumps vor etwas davonzurennen. Sie sprang über die Wurzeln der Kastanie, lief Slalom über den Rasen, doch ein graubraunes Irgendwas war ihr dicht auf den in Seidenstrümpfen verhüllten Fersen.

«Das ist unser neuer Gast», brachte Danni hervor, konnte sich aber keinen Reim darauf machen, warum ausgerechnet diese Person durch den Hotelgarten sprintete. Sollte die Zicke nicht weit weg in der Oberlausitz sein?

«O Gott, das Monster ist mal wieder ausgebrochen!», entfuhr es Jannike.

«Kennst du sie etwa?», fragte Danni ungläubig.

«Nicht die Frau, ich meine das Kaninchen! Das Monsterkaninchen ist wieder da und hat es auf meine Gäste abgesehen.» Gerade als Jannike durch die Hintertür nach draußen gehen wollte, um ein Massaker zu verhindern, hoppelte das Fellbündel, welches Danni nun auch als Kaninchen identifizieren konnte, davon. Die Frau stand da und sah aus, als wäre sie gerade dem Tod von der Schippe gehüpft.

Egal, warum sie hier war, Jannike durfte ihr heute auf keinen Fall über den Weg laufen. Dieser Tag war schon hart genug für sie.

«Bleib lieber drinnen. Ich will dir ja nicht zu nahe treten, Janni, aber du siehst gerade dermaßen furchterregend aus, dass du die Schrecksituation da draußen nicht wirklich zum Positiven wenden würdest.»

Sie zog eine Schnute.

«Überhaupt hast du dir mal eine Pause verdient, meinst du nicht? Carpe diem, Süße! Geh an den Strand, guck Fernsehen, leg dich um sechs ins Bett und schlaf dich mal richtig aus, was auch immer! Aber hier im Betrieb lässt du dich heute bitte nicht mehr blicken.»

«Wie kommst du dazu, mir Vorschriften zu machen?»

«Ich bin ab heute dein Teilhaber, schon vergessen?»

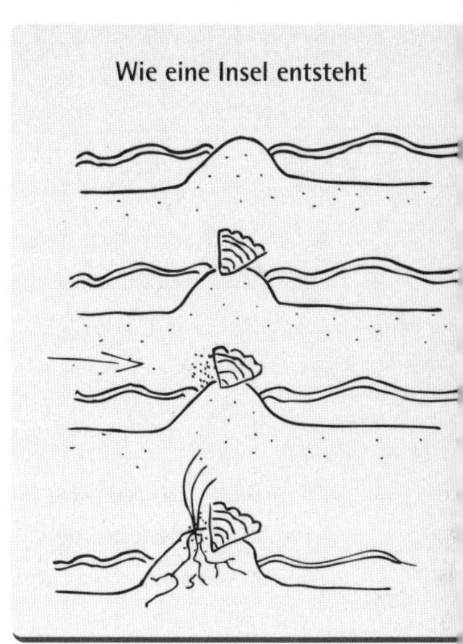

Selbst wenn man mit verbundenen Augen um diese Uhrzeit am Strand entlanglaufen würde, man bekäme mit, dass die Sonne gerade aufgeht.

Diesen Moment, in dem die ersten weißen Strahlen auf die schäumenden Wellenkämme treffen, muss man nicht sehen. Man kann ihn auch hören, denn genau in dieser Sekunde fliegen die ersten Vögel schnatternd auf. Man kann ihn spüren, denn der Wind ändert minimal seine Richtung, bläst den Sand jetzt sachte aus Südwest. Man kann ihn riechen, denn die Wärme des beginnenden Tages hebt die Salzkristalle des Meeres in die Luft, trägt ihr Aroma über die Insel. Und man kann ihn schmecken, den Morgen am Meer. Er schmeckt frisch und köstlich.

Trotzdem war vor allem der Anblick atemberaubend schön.

Jannike nahm sich vor, von nun an jeden Tag ganz früh aus den Federn zu springen und am Strand zu joggen. Wenn man ein solches Erlebnis quasi frei Haus geliefert bekam! Doch sie wusste natürlich, als Langschläferin, die sie naturgemäß war, würde der gute Vorsatz schnell wieder vergessen sein. Heute Morgen hatte sie es nur deshalb über die Dünen geschafft, weil sie gestern Dannis gutem Rat gefolgt und sehr zeitig ins Bett gegangen war. Fast zwölf Stunden hatte sie geschlafen. Dass sie todmüde gewesen war, war ihr gar nicht bewusst gewesen. Umso kraftvoller fühlte sie sich jetzt.

Erstaunlich, dass ihr nach so langer Sportabstinenz noch ein Rest Kondition geblieben war. Das Laufen im Sand war anstrengend, da brauchte man keine Berge, die Muskeln hatten ordentlich zu tun, um die Schritte auf dem weichen Grund abzufangen und voranzutreiben. Direkt an der Wasserkante war der Boden fester, deshalb hatte sie die längste Strecke auf den Muschelbänken zurückgelegt, die feuchten Kalkschalen knirschten unter ihren Sohlen. Sie blickte zu den Dünen hoch, dort flatterten die Fahnen. Sie musste inzwischen an der Promenade angekommen sein, also verließ Jannike ihre Strecke und bog nach rechts ab. Ein schmaler Pfad führte durch den Strandhafer die Dünen hinauf und endete auf dem rot gepflasterten Weg, auf dem man einmal rund um das Inseldorf spazieren konnte. Von hier oben aus war auf der anderen Inselseite schon wieder das Wattenmeer zu sehen. Nur ein paar Meter weiter begann die Straße, die zum Leuchtturm führte. Wie lang mochte die Strecke, die sie heute Morgen bewältigen wollte, insgesamt sein? Sechs Kilometer? Vom Gefühl in den Beinen her eher ein Halbmarathon. Sie wurde etwas langsamer, trabte vorbei an den großflächigen Schildern, auf denen die Entstehung der Insel etappenweise erklärt wurde. Alles begann mit einer Sandbank, auf der eine Muschel liegengeblieben war, an der sich Flugsand verfangen hatte. Ein Samenkorn, das an der Verwehung hängenblieb, wurde vom Regen begossen, ging auf und wurde zum festen Halm mit tiefem Wurzelwerk – an dem sich weitere fliegende Körner sammeln konnten.

Einen philosophischen Moment lang überlegte Jannike, dass es ihr auch nicht anders ergangen war. Sie war zufällig gestrandet und nun dabei, Wurzeln zu schlagen. Und Danni war nun seinerseits an ihr hängengeblieben.

Weiter hinten erkannte sie Mattheusz in seiner Uniform, er ging in gemächlichem Tempo, die Posttasche schräg über die Schulter gehängt. Hatte er sie nicht vor ein paar Wochen eingeladen, mal einen gemeinsamen Morgenspaziergang zu machen? Gut, dann war heute der richtige Zeitpunkt. Nach einem kleinen Sprint hatte sie ihn eingeholt.

«Guten Morgen!»

Er drehte sich erschrocken zu ihr um. «Jannike!»

«Weißt du noch, als wir uns das erste Mal gesehen haben? Als ich dich fragte, warum du kein Fahrrad benutzt? Du hast gesagt, ich müsste nur einmal mit dir gehen, dann würde ich verstehen, warum.»

«Und?»

«Ich verstehe es. Bislang habe ich mir überhaupt keine Zeit genommen, die Insel wirklich zu genießen. Das soll sich in Zukunft ändern.»

«Aber du hast so viel zu tun! Morgen ist das Leuchtturmfest.»

«Es ist alles so weit organisiert. Und Danni hat mir gestern gesagt, dass er hierbleiben und mit ins Hotel einsteigen wird.»

Mattheusz nickte. «Meine Schwester sagt, er ist ein netter Mann. Und er ist gut zu dir. Also, alles glücklich, stimmt's?»

«Ja, stimmt.»

«Das hast du verdient.»

Warum sagte er das wohl? Wieso glaubte ihr Briefträger, beurteilen zu können, was sie verdient hatte? Sie traute sich nicht zu fragen. Seit dem Willkommensfest hatte sich eine Art Verlegenheit zwischen ihnen eingeschlichen.

«Ich wünsche dir auch alles Gute, wenn du zurück nach Danzig gehst.»

«Am Montag», sagte er.

«Was? In drei Tagen schon?» Sie liefen einige wortlose Schritte nebeneinanderher. Inzwischen ließ der Sanddorn links und rechts vom Wegesrand sein üppiges Orange leuchten. Bogdana wollte aus den Beeren Marmelade kochen, hatte sie angekündigt, für die Gäste, eine Spezialität.

«Wirst du denn nächsten Sommer zurückkommen? Oder bleibst du für immer bei deiner Maria?»

«Ich weiß es nicht.» Er wechselte die Posttasche auf die andere Schulter. «Wenn du wegen meiner Mutter und meiner Schwester fragst: Mach dir keine Sorgen, die bleiben bei dir. Sie haben mir gesagt, dass sie noch nie so gern für jemanden gearbeitet haben.»

«Das freut mich, aber deswegen habe ich nicht gefragt.»

«Weswegen denn?» Jannike blieb ihm die Antwort schuldig. Sie wusste es selbst nicht so genau. Lag es an dem Ritual, morgens mit Mattheusz bei Wind und Wetter an der Gartenpforte einen Kaffee zu trinken? Oder an seiner tatkräftigen Unterstützung im Haus? Sie würde ihn vermissen, das wusste sie. Doch so etwas sagte man keinem Mann, der im Begriff war, zu Hause seine große Liebe zu heiraten.

Sie kamen zur *Pension am Dünenpfad*, wo kein Mensch zu sehen war und selbst die Windspiele im Garten noch zu schlafen schienen. Auch Böhmer mit seinem Fernglas war abwesend, der saß jetzt bestimmt gerade am Frühstückstisch.

Mattheusz blieb stehen, sortierte ein paar Umschläge aus seinem Gepäck und warf sie in den Kasten am Gartenzaun. Dann hielt er ihr einen dünnen Stapel Papier entgegen.

«Jannike, darf ich dir jetzt schon deine Post geben? Sind nur drei Briefe, nicht schwer. Dann könnte ich mir den Weg zum Leuchtturm sparen und gleich wieder umdrehen.»

«Ja, warum nicht», sagte sie. Es wäre albern, ihm zu sagen, dass sie enttäuscht war, dass er den Kaffee einfach sausenließ, gerade jetzt, wo es kaum noch die Gelegenheit dazu geben würde. Darum sagte sie nichts. Warum auch? Hinterher dachte er noch, dass sie irgendwelche Ansprüche an ihn stellte. Sie nahm ihm die Briefe ab. «War schön, der Morgenspaziergang.»

«Hm.» Er lächelte knapp und machte kehrt. Sie sah ihm nach, bis er hinter einer Düne verschwand, dann ging sie langsam weiter. Für den Rest der Strecke fehlte ihr die Lust zum Laufen. Die Energie war verflogen.

Die Sonne wärmte heute genug, dass es einige der Gäste zum Frühstücken auf die Terrasse verschlagen hatte. Noch nie war ihr Hotel so voll gewesen wie an diesem Morgen. Alle Zimmer waren belegt, Danni hatte für vierzehn Personen gedeckt. Knud Böhmer saß wie immer mürrisch am Rand. Grieske war nicht zu sehen, der aß sein Butterbrot bestimmt am Arbeitsplatz, bewaffnet mit seinem spitzen Bleistift. Die blonde Frau, die gestern von dem Kaninchen gejagt worden war, hatte am exponiertesten aller Tische Platz genommen, genau in der Mitte, genau im scheinwerfergleichen Licht der Morgensonne, wieder herausgeputzt wie eine Hollywood-Diva, mit riesiger Sonnenbrille und weißem Hut. Ihr gegenüber saß ein Mann mit dem Rücken zu Jannike, groß und breitschultrig, offensichtlich gut und teuer gekleidet, den Scheitel mit einer Sportkappe geschützt. Die sahen beide so aus, als würden sie eher ins *Bischoff* gehören. Eine komische Truppe hatte der Bürgermeister ihr da ins Haus geholt, aber wenn sie gut zahlten, sollte es Jannike recht sein.

Sie wollte vermeiden, dass die Gäste sie im durchschwitzten Trainingsoutfit zu Gesicht bekamen, deswegen schlich Jannike sich durch den Garten in großem Abstand an ihnen vorbei, um durch eine Hintertür direkt in die Küche zu gelangen. Sie wollte sich vor der offiziellen Begrüßung lieber duschen, umziehen, vielleicht sogar ein bisschen schminken und die Haare hochstecken.

Bogdana trug gerade ein Tablett mit großen Latte macchiato und zwei Gläsern Sekt nach draußen. Der Mann legte etwas zur Seite, eine E-Zigarette, wenn Jannike das richtig erkennen konnte. Genau solche Dinger hatte Clemens auch gepafft, nachdem seine Frau Agnes ihn gezwungen hatte, mit dem Rauchen aufzuhören. Sah ein bisschen albern aus und machte den neuen Gast nicht gerade sympathischer.

Sie zog sich die Laufschuhe und Socken aus und lief barfuß in die Küche. Zu ihrer Verwunderung saß der Finanzbeamte doch noch nicht parat.

«Wo ist Grieske?», fragte sie Danni, der gerade damit beschäftigt war, Obst in mundgerechte Stücke zu schneiden.

«Noch nicht da. Ich glaub, der macht sich locker und schläft mal richtig schön aus.» Er beugte sich zu ihr und drückte ihr einen Kuss auf die Wange. «Du siehst aus wie neugeboren.»

«So fühle ich mich auch.»

Sie klaute eine Grapefruitscheibe und erzählte von ihrem morgendlichen Weg, von den Vögeln und dem Wind und dem Salzgeruch in der Luft. Auch von den Gedanken, dass sie wie ein Grashalm sei, der mit der Insel verwächst. Nur die Begegnung mit Mattheusz sparte sie aus.

«Fühlst du dich fest genug verwurzelt für eine schlechte Nachricht?», fragte Danni, nachdem sie ihren Morgenbericht abgeschlossen und den ersten Schluck Kaffee getrunken hatte.

«Ist was mit der Buchführung?», riet sie ins Blaue und fühlte sich gleich wieder erschöpft.

«Nein.»

«Ärger mit dem Gewerbeamt? Ich weiß, ich muss da noch die Feuerschutzbestimmungen …»

«Schlimmer, fürchte ich.»

«Etwas mit den neuen Gästen?»

«Ja, im Grunde schon.»

«Hat sich die Frau wegen dem Killerkaninchen beschwert?»

«Das auch. Sie will eine Entschädigung für den erlittenen Schock und die ruinierte Strumpfhose, das hat sie gestern Abend der armen Lucyna mehrfach angekündigt. Zum Glück hat außer ihr niemand etwas von dem animalischen Überfall mitbekommen.»

«Außer uns», gab Jannike zu bedenken.

«Das weiß sie aber zum Glück nicht. Die meisten anderen Gäste, denen sie ungefragt davon erzählt hat, halten sie für komplett hysterisch.»

«Ich hatte das Tier auch schon an meiner Jeanshose hängen. Und rate mal, warum Mattheusz seinen Kaffee am liebsten an der Gartenpforte trinkt. Wir haben hier auf dem Grundstück tatsächlich ein hochaggressives Kaninchen.»

«Aber das ist leider nicht unser Hauptproblem.» Er zeigte nach draußen zu dem Tisch, an dem das exaltierte Paar eben gesessen hatte. Die beiden waren aufgestanden, wahrscheinlich plünderten sie gerade das Buffet. «Ich nehme an, du hattest noch keine Gelegenheit, dir die Neuankömmlinge von gestern genauer anzusehen.»

«Stimmt, das wollte ich gleich machen, sobald ich wieder mehr nach Hoteldirektorin aussehe. Warum?»

Jetzt kamen die beiden zurück. Für einen kurzen Augenblick nahm der Mann die Hand seiner Begleiterin, eine heimliche, intime Geste, die Jannike bekannt vorkam. So hatten Clemens und sie sich stets in der Öffentlichkeit berührt. Moment mal …

Die Blondine versperrte gerade die Sicht auf den Mann, doch Jannike sah die Schulter, erkannte das Jackett, das weiße mit den schmalen blauen Streifen, aus Leinen war es, ein bisschen knitterig, mit Jeansflicken an den Ellenbogen. So ein Kleidungsstück, mit dem Männer zwischen vierzig und fünfzig Jugendlichkeit demonstrieren wollten. Genau das hatte Clemens getragen, als sie sich das letzte Mal getroffen hatten, allein, in ihrem heimlichen Stadtappartement, das Agnes Micke aus der Firmenkasse bezahlte, ohne davon zu wissen. Dieses Jackett hatte über der Lehne des Sessels gehangen, als sie im Bett beschäftigt gewesen waren. Das Handy in der Innentasche hatte geklingelt, Clemens war aufgestanden, hatte das Gerät herausgeholt und während des Telefonats seinen nackten Körper zufrieden im Ganzkörperspiegel betrachtet. Dann hatte er aufgelegt, sie ernst angeguckt und gesagt: «Sag mal, Janni, mein Mäuschen, kann es sein, dass du von der Firma *Springtide* Geld bekommen hast, damit du während der Sendung ihre Jacken in die Kamera hältst?»

Die Blondine setzte sich wieder. Clemens! Kein Zweifel, er stand da auf der Terrasse ihres kleinen Inselhotels, in der Hand einen Teller, beladen mit Schinken und Rührei.

«Was …?» Mehr brachte Jannike nicht zustande.

«Lucyna hat in meinem Auftrag spioniert und mal nachgefragt. Stell dir vor, die drehen *Liedermeer* bei uns. Der Dreh in der Oberlausitz ist wegen des Hochwassers ausgefallen, deswegen wurde die Sommerausgabe kurzfristig auf die Insel verlegt. Heute beginnen die Proben. Morgen Abend, wenn das Leuchtturmfest steigt, sind wir live auf Sendung.»

«Nein!»

«Doch!»

Das war zu viel. Das konnte kein Mensch aushalten.

«Was machen wir jetzt?»

Danni seufzte. «Wir haben einen Vorteil: Die Leute von *4-2-eyes* haben keine Ahnung, wem das Hotel gehört, schließlich hat Siebelt – also der Bürgermeister – die Buchung vorgenommen, und die Begrüßung haben Bogdana und Lucyna für uns gemacht. Bislang sind wir unerkannt.»

«Und so muss es auch bleiben», sagte Jannike. «Unbedingt!»

Lucyna kam herein. «Danni, brauchen wir noch mehr Obstsalat. Die Tussi aus Köln will Vitamine.»

Jannike lief zur Anrichte, nahm eine Handvoll ganzer Früchte und warf sie in ein kleines Schälchen. Sie überlegte kurz, hineinzuspucken, ja, die Versuchung war wirklich groß. Doch noch größer war es, auf solche Kindereien zu verzichten. Stattdessen fasste sie Lucyna bei den Schultern. «Ich befördere dich mit sofortiger Wirkung zur Empfangschefin!»

«Wie bitte?»

«Und deine Mutter darf sich an diesem Wochenende Hoteldirektorin nennen!»

«Warum das denn?»

Danni grinste. Er hatte verstanden. «Ein kleiner Rollentausch, Lucyna. Die Gründe erklären wir euch später. Bis dahin macht ihr der Tussi aus Köln und ihrem arroganten Lover klar, wer hier im Haus das Sagen hat, okay?»

«Sehr gern», sagte Lucyna, nahm den «Obstsalat» und verließ gut gelaunt die Küche.

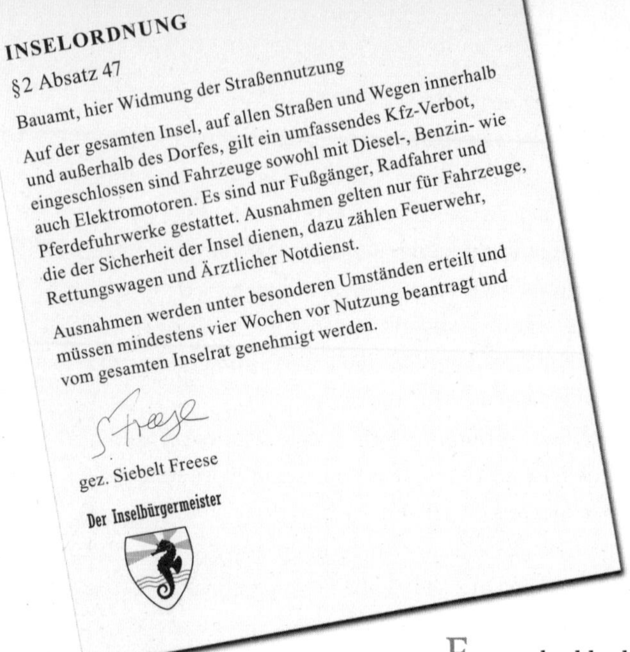
INSELORDNUNG

§2 Absatz 47

Bauamt, hier Widmung der Straßennutzung

Auf der gesamten Insel, auf allen Straßen und Wegen innerhalb und außerhalb des Dorfes, gilt ein umfassendes Kfz-Verbot, eingeschlossen sind Fahrzeuge sowohl mit Diesel-, Benzin- wie auch Elektromotoren. Es sind nur Fußgänger, Radfahrer und Pferdefuhrwerke gestattet. Ausnahmen gelten nur für Fahrzeuge, die der Sicherheit der Insel dienen, dazu zählen Feuerwehr, Rettungswagen und Ärztlicher Notdienst.

Ausnahmen werden unter besonderen Umständen erteilt und müssen mindestens vier Wochen vor Nutzung beantragt und vom gesamten Inselrat genehmigt werden.

gez. Siebelt Freese

Der Inselbürgermeister

Es war der blanke Horror.

Heute Morgen um halb neun fuhr ein kleiner LKW über die Straßen der Insel. Ein wirklich kleiner, so einer von der Sorte, mit denen auf dem Festland Studenten ihre Umzüge bewerkstelligten. In Köln, Oldenburg oder Aurich wäre der Wagen überhaupt nicht aufgefallen, weder akustisch noch olfaktorisch, geschweige denn optisch.

Doch hier auf der Insel war es der blanke Horror. Lärm! Gestank! Verschandelung des Ortsbildes!

Punkt neun saßen bereits mehrere Leute im Rathaus und wollten sich beschweren: «Herr Bürgermeister, so geht das nicht, wir haben eine autofreie Insel gebucht, und dann werden wir von Motorengeräusch geweckt. Zahlen Sie uns sofort die Kurtaxe zurück!»

Siebelt Freese hatte bei seiner Sekretärin Uda nachgefragt, die hatte Piet vom Ordnungsamt auf dem Fahrrad losgeschickt, und der hatte um Viertel vor zehn in Höhe der Deichscharte den Übeltäter erwischt: «Das sind diese Fernsehfuzzis. Mit denen kann man nicht reden, Chef, die sind total stur. Können Sie bitte kommen?»

Also hatte Freese sich ebenfalls auf den Drahtesel geschwungen. Eigentlich hatte ihm diese Unterbrechung ganz gutgetan, denn Bischoff saß zu diesem Zeitpunkt in seinem Büro und zählte mit finsterer Miene die zahllosen angeblichen Verfehlungen dieser Jannike Loog auf: Seit sie ihm zwei Arbeitskräfte abgeluchst hatte, bestand er darauf, dass Freese dringend das Gewerbeaufsichtsamt zum kleinen Inselhotel zu schicken hätte, die Lebensmittelkontrolleure obendrein, es gehe da in diesem Haus am Leuchtturm bestimmt nicht mit rechten Dingen zu. Einen Mann wie Bischoff machte man sich besser nicht zum Feind, doch das hatte Jannike Loog nicht ahnen können. Jedenfalls war Freese froh gewesen, das Gespräch beenden zu können und zum Leuchtturm zu hetzen, auch wenn der Tag wirklich anstrengend genug gewesen war.

Kurz bevor er den Deich passierte, klingelte sein Handy, fünfzig Meter weiter wäre er schon im Funkloch und nicht mehr erreichbar gewesen. Es war Uda. «Die rennen uns hier die Bude ein!», beschwerte sie sich. «Zwei Stammgast-Frauen empören sich, weil sie beim Kurkonzert nicht auf ihren Stammplätzen in der ersten Reihe sitzen durften. Ein charmanter Kameramann hat ihnen gesagt, sie seien zu alt, um ganz vorn im Bild zu sein.»

«Schenk ihnen zwei Freikarten für das Strauss-Konzert am Abend im Kursaal. Und eine Flasche Sanddornlikör, die findest du bei mir im Aktenschrank.» Freese wischte sich mit dem Taschentuch über die Stirn. Was für ein Tag!

«Und was mache ich mit dem Hafenmeister? Egon sitzt seit einer halben Stunde im Wartezimmer und möchte mit dir sprechen, weil die beiden LKWs am Hafen so blöd geparkt wurden, dass die Freizeitsegler nicht mehr vom Steg zur Insel kommen.»

Auch das noch. War die Sache inzwischen so aus dem Ruder gelaufen, dass das Fernsehteam mehr Schaden anrichtete, als es nutzte? «Ich kümmere mich drum», versprach er und legte auf. Ihm kam es vor, als zögen sich die restlichen Kilometer in den Inselwesten wie Kaugummi. Jetzt, um halb elf, hätte er schon die zweite Dusche des Tages gebrauchen können.

Der LKW stand am Fuß des Leuchtturms, und drei Roadies waren damit beschäftigt, Zeug von der Ladefläche zu zerren: riesige Scheinwerfer mit dem Durchmesser eines Kinderplanschbeckens; Boxen, in denen zwei ausgewachsene Personen ausgestreckt hätten liegen können; kleine Kräne und armdicke Kabel. Piet vom Ordnungsamt stand staunend daneben, die Hände in den Taschen, sodass er das Klischee des Beamten in vollem Ausmaß bestätigte.

«Moin», sagte Freese. «Wer ist hier der verantwortliche Ansprechpartner?»

Der kleinste Bühnenarbeiter mit dem gezwirbelten Ziegenbart und den Ösen im Ohrläppchen pfiff auf den Fingern: «Hey, Regine, komm mal her, dein Typ wird verlangt.»

Eine burschikose Frau in weiten Hosen kam dazu. Sie hatte ein Walkie-Talkie am Ohr und in der Hand ein sehr dickes Script. Sie machte nicht den Eindruck, als habe sie Zeit und Lust, mit dem Bürgermeister über die Beförderungsbedingungen auf den Inselstraßen zu diskutieren. Ungünstigerweise war sie auch noch einen halben Kopf größer als er. «Was gibt's?»

Freese stellte sich vor und kam direkt darauf zu sprechen, dass Autos hier strengstens verboten waren. «Sie müssen den LKW umgehend mit dem nächsten Schiff zum Festland schaffen.»

«Keine Chance! Am Hafen warten noch zwei von der Sorte», informierte ihn die Redakteurin, mit der er im Vorfeld schon ein paarmal telefoniert hatte. «Außerdem müssen wir das Equipment am Montag ja auch wieder fortschaffen. Sollen wir das etwa in Bollerwagen erledigen?»

«Alle größeren Transporte sind auf der Insel mit Pferdefuhrwerken vorzunehmen. Da gibt es keine Ausnahme!»

Sie lachte, als wäre er nicht der Bürgermeister, der hier auf der Insel das letzte Wort hatte, sondern ein Comedian, der alberne Witze riss. «Vier Tonnen Technik vom Ackergaul ziehen lassen? Das ist nicht Ihr Ernst.»

«O doch, das ist es!»

«Normalerweise haben wir die Bühnentechnik in einem Sattelschlepper, vierzehn Meter lang, mehrachsig. Doch wir haben uns Ihnen zuliebe schon eingeschränkt und die drei Kleinlaster genommen.»

«Sie hätten hier noch nicht einmal mit einem Smart auftauchen dürfen. Die Autofreiheit gilt ohne Wenn und Aber!»

«Meine Güte, es ist schon mühsam genug, dass es hier kein Mobilnetz gibt und wir mit Funkgeräten aus grauer Vorzeit hantieren müssen.»

«Hier ticken die Uhren eben etwas anders als bei Ihnen in Köln.»

«Dann hätten Sie uns nicht auf die Insel einladen dürfen, Herr Freese. Wir sind jetzt hier und machen unseren Job. Die Bühne ist zur Hälfte aufgebaut. Im Ort sind zwei Drehteams unterwegs, um nette Bilder von diesem Fleckchen Erde aufzunehmen, die schneiden wir morgen in die Livesendung. Heute Nachmittag beginnen die Proben mit den Musikern, direkt am Leuchtturm. Wir werden Ihre Heimat so dermaßen schön ins Fernsehen bringen, dass am Montag bei der Zimmervermittlung die Telefone nicht mehr stillstehen, weil jeder auf Ihrer Sandbank Urlaub machen will. Versprochen!» Jetzt drehte sie sich schon halb weg und war doch glatt drauf und dran, ihn stehenzulassen. «Eins sage ich Ihnen», knurrte sie noch über die Schulter: «Sollten Sie uns Ärger machen, wird nichts draus. Wenn die Autos wegmüssen, sind wir auch verschwunden. Verstanden?» Dann quatschte sie wieder in ihr Funkgerät und joggte den Hügel zum Leuchtturm hinauf.

Freese schluckte. Er war sich hundertprozentig sicher, dass er diese Fernsehfrau bei einem ihrer zahlreichen Telefonate auf die kompromisslose Autofreiheit hingewiesen hatte. Doch nun schien diese sich nicht zu erinnern, oder vielleicht tat sie auch nur so, egal. Einen Vertrag gab es leider nicht, dazu hatte alles viel zu schnell gehen müssen. Er war so froh gewesen, als die Zusage für *Liedermeer* gekommen war, endlich eine richtig gute PR-Aktion, genau wie die Ratsmitglieder es sich gewünscht hatten – da hatte er eventuell doch nicht hart genug verhandelt. So ein Ärger aber auch!

Er baute sich vor dem Ziegenbärtigen auf, der gerade eine Sackkarre mit schwarzen Kisten beladen hatte. «Sagen Sie Ihrer Redakteurin, dass sie meinetwegen die LKWs benutzen kann, jedoch nur, wenn die Fahrzeuge innerhalb der nächsten Viertelstunde vom Hafen wegbewegt werden. Und dann soll sie alle drei Autos hinter dem Hotel parken, an einer Stelle, wo sie von möglichst wenigen Leuten gesehen werden.»

Der Roadie tippte sich an den Schirm seiner Baseballkappe. «Wird gemacht.»

«Gut, und mein Mitarbeiter vom Ordnungsamt bleibt hier und wird alles akribisch beobachten», rief er noch einmal extralaut in Richtung Redakteurin. «Es gibt nämlich Regeln, an die sich auch das Fernsehen zu halten hat!»

Siebelt Freese verwünschte seine butterweichen Knie, als er zum Hotel schwankte. Wie gern wäre er der Typ, den alle in ihm sahen. Der knallharte, unbestechliche, dabei aber doch auch noch kreative und energiegeladene Bürgermeister einer Insel, deren Bewohner sich für den Mittelpunkt der Welt hielten. Doch in Wirklichkeit hasste er Auftritte wie diesen, wo er streng tun musste und es trotzdem immer noch im Nachhinein Ärger gab. Die Sache mit den LKWs war alles andere als sauber, da würde er sich von den Ratsmitgliedern eine Standpauke gefallen lassen müssen.

Als er die Tür zum Hotel aufstieß, kam ihm ein Paar entgegen, sie blond und jung, er etwas zu flippig gekleidet für sein Alter. Sie stritten wegen irgendeiner Sache mit einem Kaninchen und hätten ihn fast über den Haufen gerannt. Bestimmt gehörten die auch zum Fernsehteam. Die ignorante Art passte jedenfalls. Hoffentlich hatte er der sympathischen Jannike Loog und ihrem noch sympathischeren Verlobten da jetzt keinen Ärger in ihr hübsches kleines Hotel geholt. Freese wusste, unangenehme Gäste konnten den Betrieb kräftig aufmischen.

Er schaute sich um, im Treppenhaus hatte sich wieder einiges getan. Ein geschmackvolles Blumenarrangement aus Hagebutten und Strandhafer stand in der riesigen Vase, die Dankmar Verholz bei ihrer ersten Begegnung vom Dachboden geschleppt hatte. Verwaschene Holzbretter an der Wand wirkten gleichzeitig edel und gemütlich, kuschelige Decken lagen über dem Sessel – alles sehr geschmackvoll. Freese hatte ein gutes Gefühl, was das Hotel hier betraf. Seit er Bürgermeister war, war nun schon der dritte Betreiber hier drin, aber mit diesen beiden Powerleuten würde daraus etwas werden, dachte er. Hoffte er. Es wäre schade, wenn die zwei wieder nach Köln verschwinden müssten.

Insbesondere Dankmar. Er war ein sehr guter Chorleiter. Und auch sonst …

«Sie sind weg!», rief eine Polin, wahrscheinlich das Zimmermädchen, das bis vor kurzem noch beim Bischoff geschuftet hatte. «Ihr könnt rauskommen.»

Was war hier denn los, Versteckspiel am Vormittag? Dafür, dass morgen das große Fest steigen würde, war wenig Unruhe zu spüren. Die Tür zur Küche öffnete sich, sofort roch es nach frischem Gebäck. Also waren sie doch bei den Vorbereitungen, wie gut, Jannike Loog hatte sich nämlich bereit erklärt, auf der Terrasse Kaffee und Kuchen für alle zu servieren. Und da man mit fünf- bis sechshundert Leuten rechnen musste – jetzt, wo das Fernsehen gekommen war, vielleicht sogar mit weitaus mehr –, würden ein paar Muffins nicht reichen.

Dankmar Verholz trat in den Flur. Bei ihrer ersten Begegnung hatte er noch lange, blonde Ponyfransen gehabt und war Freese vage bekannt vorgekommen. Der kurzgeschorene Schädel und der schicke Dreitagebart ließen ihn deutlich männlicher aussehen. Und deutlich besser, das hatte Freese schon beim Grillfest gedacht.

«Oh, hallo Siebelt!», sagte Dankmar, bei der Probe des Shantychors war man ja allgemein schon zum Du übergegangen.

«Ich bin, also, ich wollte eigentlich nur …» Beim Blick in diese fröhlichen grünen Augen hatte Freese fast vergessen, weshalb er eigentlich vorbeigekommen war. Er räusperte sich. «Ach ja, ich wollte Bescheid geben, dass gleich ein Konvoi LKWs hier ankommen wird. Ich habe den Fernsehleuten vorgeschlagen, dass sie ihre Transporter hinter eurem Haus parken. Da sind die Kastanienbäume und die Dünen dazwischen. Es wäre mir nämlich ganz lieb, wenn man von den Kraftfahrzeugen nicht so viel mitbekommt.»

«Ich sag es Jannike, aber das geht bestimmt klar.»

Erst jetzt sah Freese, dass der Mann ein sehr großes Keschernetz in der Hand hielt.

«Willst du auf Krabbenfang?», fragte er.

«Ich?» Er schaute an sich herunter. Die Jeans sah so aus, als wäre sie für das Grobe in Haus und Hof ausrangiert worden, seine Füße steckten in quietschgrünen Plastikclogs. Und trotzdem war dieser Mann wahnsinnig attraktiv. «Nein, ich muss ein Kaninchen jagen.» Freese musste ihn so perplex angeschaut haben, dass er erklärend hinzufügte: «Keine Angst, da wird kein Braten draus. Im hinteren Teil des Gartens lebt ein sehr unfriedliches Exemplar, das sich ab und zu aus seinem Versteck wagt, um auf Menschenjagd zu gehen. Gestern hat es ausgerechnet die Moderatorin erwischt, als sie in der hinteren Gartenecke telefonieren wollte. Na ja, auf jeden Fall droht die Dame jetzt mit Klage.» Dankmar rollte die Augen. «Heute Morgen beim Frühstück hat diese Gila Pullmann die restlichen Gäste verrückt gemacht mit ihrem hysterischen Getue. Zum Glück glaubt kein Mensch die Geschichte!»

Freese erinnerte sich an den Streit zwischen der Blondine und ihrem Kerl eben an der Haustür. «Tut mir leid, wenn ich euch da eine Diva ins Haus geschafft habe.»

«Du kannst die Sache wiedergutmachen.» Dankmar grinste und hielt ihm das Fangnetz entgegen. «Einer jagt das Ungeheuer in die Ecke, der andere lässt die Falle zuschnappen.»

Freese spürte, dass er rot wurde. Trotz Vollbart, der die Hälfte seines Gesichts bedeckte, würde es Dankmar nicht entgehen. Genauso wenig wie die Tatsache, dass es hier nicht um erhöhten Blutdruck ging. Es war einfach eine tolle Idee, an einem bislang so miesen Tag etwas so Verrücktes zu tun – noch dazu mit einem Mann wie diesem.

Es war auf der Insel kein Geheimnis, dass der Bürgermeister kein Kandidat für Frau und Kind war. Und kein Hahn – oder eher keine Möwe – krähte danach. In Sachen Toleranz wurden die Insulaner meistens unterschätzt. Einziger Nachteil: Die Auswahl an potenziellen Partnern war naturgemäß dünn gesät. Seitdem seine Wochenendbeziehung zu einem Architekten aus Wilhelmshaven vor drei Jahren gescheitert war, ging Freese solo durchs Leben. Und seit der Chorprobe am Mittwoch war er das erste Mal wieder bis über beide Ohren verknallt. Was sich einerseits großartig anfühlte, hatte er doch gar nicht mehr damit gerechnet, dass ihm so etwas einfach so passieren konnte. Andererseits war das Amt des Bürgermeisters deutlich schwieriger zu managen, wenn man eigentlich die ganze Zeit vor sich hin kichern oder pfeifen wollte. Warum die beiden Neuhoteliers meinten, ein trautes Liebespaar spielen zu müssen, leuchtete Freese nicht ganz ein, doch dass Dankmar Verholz ihm Blicke zuwarf, die anders trafen als die meisten üblichen Blicke aus männlichen Augen, war von der ersten Sekunde an klar gewesen.

«Also, was ist, Bürgermeister? Ich bin mir sicher, die Auslöschung einer unmittelbaren Bedrohung für die Inselbevölkerung zählt zu den Aufgaben, die bei dir unbedingte Priorität genießen, oder?» Er zwinkerte ihm zu. «Stichwort Gefahrenabwehrverordnung!»

«Da hast du natürlich vollkommen recht!» Er rief vom Festnetz aus bei Uda an, dass es am Leuchtturm etwas länger dauern könnte und sie die Vormittagstermine leider absagen müsse. Dann krempelte er die Hemdsärmel hoch. «Eine Betäubungsspritze haben wir wohl nicht dabei? Für den Notfall, meine ich, wenn das Kaninchen einen von uns hinterrücks überfällt ...» Jetzt kicherte Freese wirklich und fühlte sich großartig dabei.

«Du hast das Tier nicht gesehen. Es ist so groß wie ein Dachs, hat Ohren wie Schuhlöffel, und die Löcher, die es vor ein paar Wochen in Jannikes Jeans gebissen hat, reichen, um da hindurch Zeitung lesen zu können.»

«Jetzt mach mir keine Angst!»

Sie gingen nach draußen, Dankmar zeigte auf die Stelle, an der das Biest gestern angeblich aufgetaucht war. «Es kommt zum Glück nie auf die Terrasse, da sind wir alle sicher. Aber wenn morgen beim Fest der Garten voller Leute ist ...»

«Ich seh schon die Schlagzeile: *Leuchtturm-Massaker bei Inselfest!*»

«Du sagst es. Und wir beide werden es verhindern!»

Mit allem Ernst, den sie aufbringen konnten, gingen sie ans Werk. Freese stellte sich in die Ecke bei der Kastanie und versuchte, sich hinter dem Stamm zu tarnen, während er die breite Unterseite des Netzes in Position brachte. Dankmar hatte sich einen Besen geschnappt und stocherte in den Hagebuttensträuchern herum, dabei machte er Geräusche, die wohl nach Wolf, Fuchs oder sonst einem natürlichen Kaninchenfeind klingen sollten. Nichts geschah – wenn man mal davon absah, dass sich in der oberen Etage ein Fenster öffnete, aus dem sich eine Frau lehnte, die neugierig das Treiben im Garten beobachtete.

«Frau Reuter, guten Morgen!», rief Dankmar ihr zu. «Machen Sie sich keine Sorgen, der Bürgermeister höchstpersönlich hat sich unserer Sache angenommen!»

«Waidmannsheil!», kam es lachend von oben. Dann zog sie sich wieder von ihrem Beobachtungsposten zurück.

«Du machst das sehr souverän!», lobte Freese, als Dankmar ihm in diesem Moment etwas näher kam, so nah, dass er nur zu flüstern brauchte.

«Was? Kaninchenjagen?»

«Nein, mit Gästen umgehen. Das liegt nicht jedem.»

«Es macht mir eben einen Riesenspaß. Ich weiß gar nicht, warum ich nicht schon viel eher auf Hotelier umgesattelt habe ... Moment, ich glaube, da sehe ich was! Psst!» Er legte einen Finger an die Lippen und zeigte mit der anderen Hand auf eine Lücke zwischen Dünengras und Gestrüpp. Da schien sich wirklich etwas zu regen. Man hörte ein merkwürdiges Trommeln. «Jannike hat gesagt, das Vieh würde vor dem Angriff immer mit den Vorderpfoten auf den Boden klopfen.»

«Na, dann aufgepasst!»

Dankmar drehte sich zu Siebelt um, zögerte kurz, dann griff er nach dessen Hand, ganz sachte, trotzdem passierte etwas Großes. Bis heute hatte er nicht gewusst, dass sich auch Barthaare aufstellen konnten. «Wäre gut, wenn du das Netz ein bisschen weiter nach links hältst, genau so. Und jetzt werd ich mich von der anderen Seite anschleichen ...» Schade, die Berührung war schon wieder vorbei.

Plötzlich schoss ein pelziges Etwas mit einem gewaltigen Satz aus dem Gebüsch, so schnell konnte Freese gar nicht gucken, da war es schon an seinem Netz vorbeigehuscht und hatte die Zähne in Freeses gute Anzughose geschlagen. Mein Gott, war das riesig! Die runden, dunkelgrünen Augen waren weit aufgerissen, wenn es nicht so lächerlich klänge, er hätte geschworen, ein boshaftes Blitzen darin zu erkennen. Siebelt Freese schrie auf.

«Hat es dich erwischt?»

«Nein, nur meine Hose, aber ich glaube, auf die Dauer gibt es sich mit ein bisschen Stoff nicht zufrieden! Es will Fleisch!» Tatsächlich war Freese kurz davor, das Gleichgewicht zu verlieren. Wenn er dann der Länge nach hinflog, würde das Tier mit Sicherheit die fingerlangen Zähne in seine Kehle schlagen. Nie hätte er für möglich gehalten, dass etwas derart Gefährliches in den Dünen seiner Insel hausen könnte. Diese Aktion schien wirklich ein dringender Akt der Gefahrenabwehr zu sein.

Dankmar hechtete auf ihn zu, den Besen drohend über dem Kopf erhoben. «Na warte, du Mistvieh, jetzt hab ich dich!» Doch der Schlag mit dem Reinigungswerkzeug traf knapp daneben, im entscheidenden Augenblick hatte das Biest, ohne die Hose loszulassen, einen Satz zur Seite gemacht. Es schien nicht nur unglaublich stark, sondern auch noch einigermaßen schlau zu sein. Wie um seine erfolglosen Jäger zu verhöhnen, trommelte es wieder in den Sand.

Freese ließ den Kescher los, griff sich mit beiden Händen beherzt die langen, fleischigen Ohren und zog den Angreifer mit ganzer Kraft nach oben, was diesem gar nicht zu gefallen schien, denn er quiekte fast wie ein Ferkel und strampelte wild. Leider blieb der Kiefer unerbittlich geschlossen, also musste der Bürgermeister sein gehandicaptes Bein ebenfalls anheben. Prompt geriet er in gefährliche Schieflage, bis ihn von hinten zwei Arme sicher auffingen. Zwar fielen sie jetzt beide und landeten zwischen dornigen Ästen im Sand, doch das war überhaupt nicht schlimm. Im Eifer des Gefechts lockerte er den Griff, im selben Augenblick ließ das Kaninchen von ihm ab und hoppelte davon. Freese wollte hinterher, doch das war unmöglich, denn sein Körper machte nicht, was er sollte, stattdessen schüttelte er sich, wand sich, zuckte.

Ja, Bürgermeister Siebelt Freese hatte heute, an einem Tag, der schauderhaft begonnen hatte, den Lachanfall seines Lebens. Und der Mann, der da direkt unter ihm lag, ebenfalls. Was für eine Begegnung!

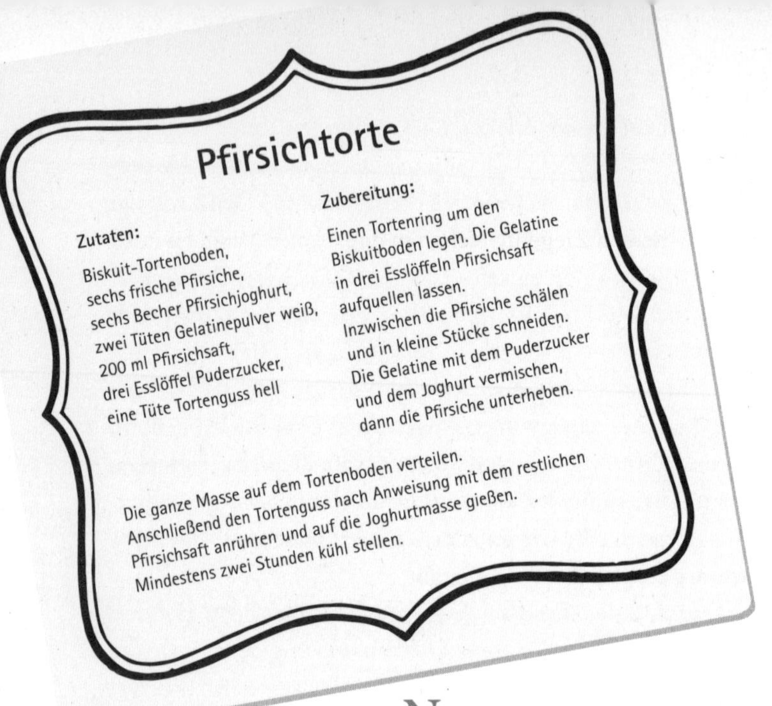
Pfirsichtorte

Zutaten:

Biskuit-Tortenboden,
sechs frische Pfirsiche,
sechs Becher Pfirsichjoghurt,
zwei Tüten Gelatinepulver weiß,
200 ml Pfirsichsaft,
drei Esslöffel Puderzucker,
eine Tüte Tortenguss hell

Zubereitung:

Einen Tortenring um den Biskuitboden legen. Die Gelatine in drei Esslöffeln Pfirsichsaft aufquellen lassen. Inzwischen die Pfirsiche schälen und in kleine Stücke schneiden. Die Gelatine mit dem Puderzucker und dem Joghurt vermischen, dann die Pfirsiche unterheben.

Die ganze Masse auf dem Tortenboden verteilen. Anschließend den Tortenguss nach Anweisung mit dem restlichen Pfirsichsaft anrühren und auf die Joghurtmasse gießen. Mindestens zwei Stunden kühl stellen.

Nach dem zehnten Marmorkuchen tat Jannike alles weh, die fünfte Käsesahnetorte raubte ihr den letzten Nerv, und als es schließlich daranging, eine Unzahl Biskuitböden – die Bogdana selbst gebacken hatte, sie war nämlich nicht nur meisterhaft in Kartoffelsalat – mit dem Pfirsich-Joghurt-Mix zu bestreichen, befürchtete Jannike schon, vor Erschöpfung bewusstlos zu werden.

Der Berg Kuchen und die parallel dazu wachsende Aufregung vor dem Leuchtturmfest – das alles überstieg ihre Kräfte bei weitem. Doch das war gar nichts im Vergleich zu der Nervosität, die Bertram Grieske bei ihr auslöste, der seit elf Uhr wieder in der Küche saß und wie wild rechnete.

Aber das absolut Schlimmste war die Anwesenheit von Clemens und seiner neuen Geliebten plus sechs weiterer Leute von 4-2-*eyes*. Inzwischen hatte Jannike auch Regine erkannt, die mit ihrer üblichen Frotzelei das ganze Team auf Trab hielt, außerdem Manfred, der nach Dannis Abschied die musikalische Leitung übernommen hatte, sowie Moritz aus der Technik, dessen Ziegenbärtchen in den letzten Wochen noch zotteliger geworden zu sein schien. Sie alle hatten an diesem Wochenende ausgerechnet in ihrem Hotel am Leuchtturm Quartier bezogen, und es war nur einem unglaublich großen Glück zu verdanken, dass Jannike bislang noch keinem von ihnen über den Weg gelaufen war. Ob dies bis zur Abreise so bleiben würde, stand in den Sternen, schließlich war morgen das große Fest, die halbe Insel würde sich auf ihrem Grundstück tummeln. Da konnte Jannike unmöglich mit Tarnkappe herumlaufen.

«In wie vielen Sendungen haben Sie die Outdoorjacken von *Springtide* getragen?», riss Grieske, der in ihrem Rücken saß, sie aus ihren Gedanken. In den letzten Stunden hatte sich fast so etwas wie ein friedliches Einvernehmen zwischen ihnen entwickelt, wie ein Spießerpärchen, bei dem der Gatte sich ums Geschäftliche kümmerte, während die Hausfrau in der Küche zauberte. Wenn er nicht gerade verfängliche Fragen zum Geldtransfer der letzten Monate stellte, so wie jetzt.

«Wie oft?» Jannike schnaubte und verteilte dabei Puderzucker über die gesamte Arbeitsfläche. «Keine Ahnung. Ich hab da ehrlich gesagt nicht so drauf geachtet.»

«Nur im Winter oder auch im Sommer?»

«Ich glaube, ganzjährig. Aber wie gesagt, ich bin nicht eitel und habe immer angezogen, was mir die Produktionsfirma für die jeweilige Sendung bereitgelegt hat.»

Er tippte auf seinem Rechner herum. «Öfter als zehnmal?»

Jetzt wandte sie sich ihm zu. «Herr Grieske, wie oft soll ich das noch sagen: Ich habe niemals Geld von *Springtide* bekommen und entsprechend auch nicht Buch geführt, wann ich diese scheußlich unbequemen Klamotten getragen habe. Und da Ihre Suche in meinen Unterlagen auch nach dem x-ten Mal kein unerklärliches Einkommen ergeben hat, schlage ich vor, Sie nehmen mal jemand anderen ins Visier.»

Er schaute sie lange an, von seinem Gesicht war jedoch leider nicht abzulesen, was er von diesem Vorschlag hielt. Keine nach oben gezogene Augenbraue, kein einseitig lächelnder Mundwinkel, keine Zornesfalte auf der Stirn ließen irgendeinen Schluss zu. Doch was sollte man von einem Beamten, der seit zwei Tagen literweise Kamillentee trank, auch anderes erwarten?

«Was ist?», fragte sie, als sie keine Lust mehr auf den Anstarrwettbewerb hatte.

«Vielleicht glaube ich Ihnen sogar!», rückte er mit der Sprache raus. Und dies war – soweit Jannike es beurteilen konnte – das erste Mal, dass er von sich sprach, von seiner Meinung, seiner Sicht der Dinge. Bislang war die persönliche Einstellung des Bertram Grieske nämlich hinter Paragraphengesülze und Statistikgelaber versteckt geblieben. Wahrscheinlich mit Absicht, vermutete Jannike. Er war Finanzbeamter und kein Sozialarbeiter, es gehörte zu seinem Job, Menschen erst einmal misstrauisch zu begegnen. Wenn er sich gleich als Kumpeltyp präsentierte, wäre es hinterher umso schwerer, die Mitmenschen wegen Steuerhinterziehung zu verknacken. Vielleicht konnte Jannike sich von ihm sogar noch etwas abgucken. Mit Herzenswärme hausieren zu gehen war in ihrem Fall ja nicht gerade die optimale Vorgehensweise gewesen.

Grieske räusperte sich. «Haben Sie sich denn noch gar nicht über mich erkundigt?», fragte er. «Das machen sonst alle meine Kunden. Wenn ich anreise, haben die schon meinen Namen durch sämtliche Suchmaschinen gejagt, wissen, dass ich im Kölner TTC Tischtennis in der Kreisliga spiele, dass ich unverheiratet und vor zweiundvierzig Jahren in Remagen geboren bin. Und vor allem wissen sie, dass ich einen ziemlich hohen Posten bei der Oberfinanzdirektion bekleide.»

«Tut mir leid, wenn das an Ihrem Ego kratzt, aber für solche Detektivarbeit hatte ich in den letzten Wochen einfach keine Zeit.»

«Sie missverstehen mich», sagte er und nahm einen Schluck Kamillentee. «Im Grunde spricht es für Sie, dass Sie keine Erkundigungen über mich eingezogen haben.»

«Inwiefern?»

«Es macht Sie unverdächtig.» Er öffnete eine seiner dickeren Aktentaschen, die bislang unberührt unter dem Tisch gestanden hatte. «Denn ohne jetzt *Ihrem* Ego zu nahe treten zu wollen – ein Beamter meines Ranges wird sich bestimmt nicht auf einen dermaßen weiten Weg machen und einige Tage seiner kostbaren Zeit opfern, um die Besitzerin eines so kleinen Betriebes zu prüfen.»

«Ich habe mir ehrlich gesagt auch schon überlegt, dass es bei mir doch eigentlich nicht genug zu holen gibt für einen solchen Aufwand.» Jannike ließ den goldfarbenen, noch dampfenden Guss über die Obstmasse laufen und stellte die fertigen Torten zum Kühlen in die Vorratskammer. Nachdem sie fünfmal schwer beladen hin- und hergelaufen war, hatte sie kapiert, worauf Grieske eigentlich hinauswollte: «Sie haben gar nicht mich im Visier! Bei Ihrer Arbeit geht es um ganz was anderes!»

Er nickte und zeigte auf die inzwischen aufgeschlagenen Ordner aus der dicken Tasche. Dort erkannte Jannike das Logo mit den zwei Augen, 4-2-*eyes productions* Köln-Bocklemünd.

«Sie haben die Produktionsfirma in Verdacht?» Sie schluckte.

Jetzt zuckte er vielsagend mit den Schultern. «Die allermeisten Fernsehmacher arbeiten sauber, aber gegen einige schwarze Schafe hegen wir den Verdacht, Filmfördergelder zweckentfremdet zu haben. Und dann gibt es immer wieder Gerüchte über Vetternwirtschaft und dergleichen. Produzenten, die ihren eigenen Angehörigen lukrative Aufträge zuschustern, Sie verstehen?»

«Und wie kommen Sie auf 4-2-*eyes*?»

«Ich darf über den konkreten Fall nicht reden, das werden Sie sicher verstehen. Aber formulieren wir es mal rein theoretisch: Über Jahre hinweg taucht in einer Produktionsfirma eine kleine Stadtwohnung als Mietposten auf, doch die oberste Geschäftsleitung weiß nichts davon.»

Alles klar, Jannike verstand natürlich sofort: Es ging um Clemens' Liebesnest. Wie peinlich, womöglich hatte man sie dort regelmäßig ein und aus gehen sehen. Die willige Geliebte auf dem Weg zum Stelldichein mit ihrem Chef.

«Sie dachten, ich stecke mit denen unter einer Decke …» Erst jetzt fiel ihr auf, wie missglückt das Wortspiel war, und sie fügte schnell hinzu: «Also, im übertragenen Sinne.»

Die Andeutung eines Lächelns schaffte es auf sein Gesicht. «Also, in dieser beispielhaften Firma fällt die Miete deswegen bei der Buchführung nicht ins Gewicht, weil sie aus einem speziellen Konto beglichen wird. Und das Geld auf diesem Konto stammt wiederum aus einer Ecke, die – auch im übertragenen Sinne – wind- und wasserdicht ist. Sie verstehen?»

«*Springtide?*»

«Sie hätten durchaus das Talent, bei mir im Amt Karriere zu machen, falls das mit dem Hotel nichts wird …» Er stockte und schlug sich auf den Mund. «Was ich natürlich nicht hoffen will, denn es ist schön hier. Mal schauen, ob ich meinen nächsten Urlaub ausnahmsweise mal nicht an der Ostsee verbringe.»

Jannike musste sich setzen. Einerseits war sie erleichtert, ihre schlimmsten Befürchtungen bezüglich der Betriebsprüfung waren womöglich unbegründet. Andererseits war der Verdacht gegen Ihren ehemaligen Arbeitgeber starker Tobak. Gut, wenn Clemens eine Bruchlandung hinlegte, war das eine gerechte Strafe dafür, dass er sie so eiskalt abserviert hatte. Doch was war mit den sonstigen Leuten bei 4-2-*eyes*? Mit Regine, Manfred, Moritz und den anderen Kollegen? Sogar Agnes tat ihr leid, Clemens' Frau, auch wenn sie eine Oberzicke war, hatte sie zu Hause zwei Kinder zu versorgen und würde zusammen mit der Firma baden gehen.

«Was würde auf diese theoretische Firma denn schlimmstenfalls zukommen, wenn sich Ihr Verdacht bestätigt?»

«Das entscheidet natürlich letzten Endes Justitia. Doch sollte es sich so verhalten, dass nur eine einzelne Person – sagen wir beispielsweise der Vizechef – eigenmächtig diesen Betrug begangen hat, so wird die Steuerschuld zwar beglichen werden müssen, doch die strafrechtliche Verantwortung hätte allein ebenjene Führungskraft zu übernehmen. Man bräuchte jedoch einen stichhaltigen Beweis, damit wir ihn drankriegen.» Er machte eine kleine Pause und verschränkte die Finger wie der Sprecher eines Nachrichtenmagazins kurz vor dem Gutenachtgruß. «Und dieser Beweis wäre am einfachsten zu erlangen, wenn eine Person aus dem unmittelbaren Umfeld des Verdächtigen bereit wäre, mit uns zusammenzuarbeiten.»

Jannike sog die Luft ein. Ein skurriler Moment: Sie – mit puderzuckerbestäubter Schürze in der Küche zwischen Kuchen- und Abwaschbergen stehend – wurde soeben von der

Oberfinanzdirektion zur verdeckten Ermittlerin berufen. «Das kann ich nicht!», entfuhr es ihr spontan. Wenn Jannike richtig verstand, bedeutete dies nämlich, dass Clemens – sollte sie ihn dazu bringen, sich und seine Machenschaften zu offenbaren – mit einem Bein im Gerichtssaal stünde, wenn nicht sogar im Gefängnis. Konnte sie den Mann, der bis vor kurzem noch ihr Geliebter gewesen war, einfach so ins offene Messer laufen lassen?

Als hätte er nie etwas derart Ungeheuerliches vorgeschlagen, beugte Grieske sich umstandslos wieder über seine Papiere. «Ich an Ihrer Stelle würde es machen, nach dem, was er Ihnen angetan hat …» Da er mehr zu seinem Notizblock sprach als zu Jannike, war er kaum zu verstehen. «Lassen Sie sich einfach Zeit, Frau Loog. Die Situation hier ist ja auch besonders praktisch, weil mir das Objekt meines beruflichen Interesses auch noch quasi hinterhergefahren ist. Aber das ist nicht der wichtigste Grund, weswegen ich nichts dagegen habe, noch ein paar Tage länger vor Ort zu arbeiten.»

«Sondern?»

«Wenn ich ehrlich bin, habe ich schon sehr lange nicht mehr so wunderbar ausgeschlafen.»

Jetzt war er schon seit drei Wochen auf der Insel, und es ging ihm keineswegs besser, im Gegenteil: Dieses Gefühl, das nicht sein durfte, diese erbärmliche Angst, wurde von Tag zu Tag schlimmer.

Am Anfang hatte Knud Böhmer fest damit gerechnet, dass sich eine Gelegenheit für ihn ergeben würde, und das war auch tatsächlich der Fall gewesen, mehrfach sogar. Doch er hatte es nicht fertiggebracht, aus der Deckung zu kommen. Im wahrsten Sinne des Wortes. Wie ein Verbrecher hatte er hinter diesem Gebüsch gekauert und sich verdünnisiert, wenn es ernst wurde. Was war er doch für ein elender Feigling!

Er klopfte an die Tür, hinter der er die Küche vermutete. «Ja, bitte?», rief die Vermieterin, und er trat ein. Es roch im ganzen Hotel nach frischem Kuchen, aber hier war es besonders intensiv. Böhmer mochte nichts Süßes und hoffte, er würde davon keine Kopfschmerzen bekommen.

Jannike Loog trug eine Schürze, stand mitten im Raum und sah abgekämpft aus. Sie war nicht allein, am Tisch saß – halb verborgen hinter Aktenstapeln – ein Mann, dem er in diesem Hotel bislang noch nicht begegnet war, weder beim Frühstück noch sonst wo. Gut, das mochte an ihm selbst, an Böhmer liegen, schließlich war er den ganzen Tag unterwegs. Doch der Mann besaß auch nicht diese Ich-erhole-mich-hier-ganzprächtig-Aura, die viele andere Hotelgäste zur Schau trugen. Vielleicht der Steuerberater? Nun, konnte ihm egal sein. Er war wegen etwas ganz anderem hier.

«Frau Loog, ich reise am Montag ab.»

«Ach ja?» Sie zog die Augenbrauen hoch und sah kein bisschen traurig aus. «Gut, dann weiß ich Bescheid.» Mehr sagte sie nicht. Kein Bedauern, dass seine Zeit auf der Insel vorüber war, keine Nachfragen, ob alles zu seiner Zufriedenheit gewesen sei, nichts. Ob ihn das wütend machte? Jein. Eigentlich war er anderes gewöhnt, nämlich ausgesuchte Höflichkeit, egal, wie er sich benommen hatte, der Gast war ja schließlich König. Bitte, Herr Böhmer, sehr gern, Herr Böhmer, mit Vergnügen und immer wieder, Herr Böhmer. Doch diese Jannike Loog widersetzte sich den Gepflogenheiten und pfiff auf künstliches Zuvorkommen. Eventuell hatte sie es anfangs noch versucht und ihn freundlich behandelt, doch irgendwann hatte sie wohl kapituliert und war ihm nur noch mit absoluter Neutralität begegnet. Hut ab, dachte er, den Mumm musste man erst mal haben, so als blutige Anfängerin in der Hotellerie.

Prompt hatte Böhmer während seines Inselaufenthaltes begonnen, diese junge Frau zu bewundern für ihre Geradlinigkeit und ihren Enthusiasmus. Trotzdem hatte er sich weiterhin distanziert und kritisch gegeben, mit dieser Haltung war er zeit seines Lebens am besten gefahren.

Schon damals in den Sommermonaten Ende der Siebziger war das sein Trick gewesen. Wenn ihm ein Mädchen in der Dünendisco gefallen hatte, war er mit ihr ins Bett gegangen. Wenn er sich dann gegen seinen Willen in sie verliebt hatte, war er lieber nicht mehr bis zum Frühstück geblieben. So war es bei Brigitte gewesen, damals, im allerletzten Sommer seiner Jugend. Brigitte van Lessen mit den Sommersprossen und den weichen, weiblichen Rundungen. Seine große Liebe. Da war er aus dem Bett geflüchtet, kaum dass sie eingeschlafen war. Lange hatte er Brigitte umgarnen müssen, bis er sie für sich hatte gewinnen können, denn sie war vorgewarnt gewesen: Von Knud Böhmer halt dich fern, Mädchen, der sieht gut aus und kann tolle Sprüche klopfen, aber er ist ein elender Weiberheld und meint es mit keiner ernst. Brigitte hatte sich erst nach sechs Wochen von ihm küssen lassen, sechs weitere Wochen hatte es gedauert, bis sie bereit war, mit ihm zu schlafen. Diese gefühlte Ewigkeit, in der er sie hatte von sich überzeugen müssen, waren die schönsten zwölf Wochen seines Lebens gewesen. In seiner Erinnerung kamen ihm die vielen gemeinsamen Momente vor wie ein Liebesfilm, den er sich im Kino angesehen hatte, kaum vorstellbar, dass ihm das wirklich selbst passiert war: Sie war auf seiner Lenkstange mitgefahren, als er mit ihr zum einsamen Strandabschnitt am Leuchtturm geradelt war, dort hatten sie im Sand ein Lagerfeuer gemacht und stundenlang in die Sterne geschaut, bis die Flut sie überraschend an den nackten Füßen gekitzelt hatte. Als er sie endlich ins Bett gekriegt hatte, war der Sommer schon fast zu Ende gewesen. An dem Morgen, als er sich heimlich aus ihrem Zimmer davongeschlichen hatte, war er das letzte Mal als Matrose mit der Fähre zum Festland gefahren. Und dann fast vierzig Jahre nicht zurückgekehrt.

Er war ein Mistkerl, ein Scheusal, ein Vollidiot. Damals – und heute genauso.

«Gibt's noch was, Herr Böhmer?», fragte Frau Loog. «Wir haben gerade eine wichtige Besprechung, also, wenn es Ihnen nichts ausmacht …» Schon gut, er hatte verstanden. Es gab Stress. An diesem Wochenende war die Hölle los am Leuchtturm. Nachdem am Mittwoch diese Gartenparty gestiegen war, würde es morgen noch dicker kommen: Ein Leuchtturmfest, die ganze Insel schien von nichts anderem mehr zu sprechen, soweit er das mitbekam. Sogar das Fernsehen hatte Stellung bezogen, und eine etwas überkandidelte Frau war gerade dabei, ihm den Rang als unsympathischster Hotelgast abzulaufen, weil sie Gott und der Welt ein Märchen von einem bissigen Kaninchen aufzutischen versuchte. Es war wirklich Zeit, von hier zu verschwinden, bevor er anfing, den Trubel zu mögen.

Also schloss er die Tür hinter sich. Ob er die nächsten Brocken des Gesprächs in der Küche aus Versehen oder mit Absicht aufschnappte, konnte er nicht mit Bestimmtheit sagen. Doch sie zwangen ihn, stehen zu bleiben.

«Nur diese Sache mit den Scheinen in dem Karton, Frau Loog, das kann ich drehen und wenden, da wird kein passender Schuh für Sie draus.»

«Es ist nicht mein Geld, wirklich nicht. Wenn ich fünftausend Euro übrig hätte, würde ich ganz sicher etwas anderes damit anstellen, als sie in einen Pappkarton zu stecken.»

«Trotzdem wird meine Behörde hellhörig werden und glauben, dass Sie eine Art Schwarzgeldvorrat horten.»

«Ich kann mir das nicht erklären. Eigentlich wollte ich nur ein bisschen Geld für meine Nachbarn sammeln, die sich davon etwas Gutes leisten sollten ...» Man hörte es an ihrer Stimme, dass Frau Loog in ernsthafter Erklärungsnot war. Böhmer wäre so gern weitergegangen, in sein Zimmer 1, Jacke an, Schuhe an, Fernglas um und weg. Doch er war wie festgewachsen und musste weiter lauschen. «Ich habe nie im Leben damit gerechnet, dass am Ende des Abends da so ein Haufen Kohle drinliegt. Ich meine, wer nimmt denn auf eine Grillparty fünf Riesen mit? Ich nicht! Und Sie bestimmt auch nicht, Herr Grieske, oder?»

Böhmer atmete schwer. Sein Gewissen meldete sich und lastete ihm mächtig auf der Brust. Die Ärmste schien bereits unerfreulichen Besuch vom Fiskus zu haben. Böhmer hatte während seiner Berufslaufbahn drei oder vier solcher Betriebsprüfungen miterlebt – heikle Sache. Wenn dann noch unerklärliches Barvermögen auftauchte – bitter! Wer hätte denn ahnen können, dass die Steuereintreiber die junge Frau schon so bald nach Betriebsstart besuchen würden. Dann hätte er nicht ... oder vielleicht doch?

Als er auf der Party von einer der dort anwesenden Frauen mehr oder weniger ungefragt diese traurige Geschichte von dem nierenkranken Kind erfahren hatte, war er innerlich zusammengezuckt und hatte gedacht: Eventuell ist das jetzt die Gelegenheit, auf die du gewartet hast! Die Chance, etwas Gutes zu tun, also nur ein kleines bisschen Gutes im Vergleich zu dem, was er zuvor an Mist gebaut hatte, aber immerhin. Er war aufs Zimmer gegangen, hatte in dem kleinen Nebenfach seines Koffers gewühlt und den ganzen Geldstapel, so wie er war, herausgenommen. Das war ganz einfach gewesen, wie mit Rückenwind segeln. Leider hatte das befriedigende Gefühl nicht besonders lange angehalten, höchstens einen Tag. Und heute, als er hörte, dass diese Mildtätigkeit nur für neuen Ärger sorgte, ging es ihm sogar schlechter als zuvor. Es tat regelrecht körperlich weh, zwickte im Magen, zog im Herzen, wirbelte im Kopf. Und die Augen brannten ganz furchtbar, sodass er sie schließen und sich am Türrahmen festhalten musste. Was war mit ihm los? Ein Infarkt? Ein Schlaganfall?

Plötzlich wurde die Tür aufgerissen, und Jannike Loog stand direkt vor ihm. «Sie belauschen uns, Herr Böhmer? Das ist ja wohl die Höhe, ich ...» Sie verstummte, wahrscheinlich sah er nicht gesund aus, doch er war blind, hatte seine Lider geschlossen, fühlte nur, dass seine Wangen nass waren. Musste er jetzt sterben?

«Mein Gott, Herr Böhmer, Sie weinen ja!»

Weinen? Er? Böhmer spürte eine Hand auf seinem Oberarm, sie führte ihn langsam geradeaus. Seine triefende Nase nahm den Kuchenduft wahr, ihm dröhnte der Schädel. Jemand drückte ihm ein Taschentuch in die Hand. Dann wurde er auf einen Stuhl gesetzt, ganz sachte. Er wünschte, er müsste die Augen nie wieder öffnen. Was für eine Schmach!

«Kann ich Ihnen irgendwie helfen?», fragte Frau Loog. «Ist etwas passiert? Mit Ihrer Familie? Müssen Sie deswegen abreisen? Mensch, und ich wollte Sie vorhin fragen, ob etwas nicht stimmt. Aber ich habe mich nicht getraut. Weil ich dachte, Sie mögen das nicht so mit der Nähe.» Mochte er ja auch nicht. Aber gut tat es trotzdem.

Als er durchzuatmen versuchte, zitterte er jämmerlich. Noch nie war er so dermaßen am Boden gewesen. Und doch spürte ein Teil von ihm – wahrscheinlich jener, der für dieses ganze Desaster verantwortlich war, irgend so eine blöde Hirnregion, die Gefühle produzierte –, dass dies hier mehr war als ein Zusammenbruch. Es war eine Gelegenheit. Seine Gelegenheit! Die Chance, endlich, nach so vielen Jahren, reinen Tisch zu machen.

«Das Geld ist von mir», sagte er viel zu leise, doch Jannike Loog schien es trotzdem gehört zu haben.

«Von Ihnen? Echt? Das ist ja großartig!»

Endlich schaffte er es, die Augen zu öffnen. Sie lachte ihn an.

Der Mann am Tisch hatte sich ihm zugewandt und notierte etwas auf einem Block. «Wie ist denn Ihr Name?», fragte er, und dieser sachliche Beamtenton tat richtig gut. Wie ein rettender Anker im Sturm der Emotionen.

«Böhmer, Knud. Aber das ist kein Schwarzgeld, sondern ein Teil meiner Rente, die ich vor meiner Reise zur Insel abgehoben habe.»

«Aber warum?» Frau Loog reichte ihm ein neues Tuch, es war gar kein Taschentuch, sondern eine Serviette. «Ich meine, warum spenden Sie Ihr Geld einfach so an fremde Leute?»

«Ist eine lange Geschichte.»

«Egal, ich muss sowieso noch Hefeteig kneten. Für morgen, für das Fest. Ich hab Zeit zum Zuhören.» Sie stellte ihm ein Glas Wasser auf den Tisch.

«Ich auch», ergänzte der Finanzbeamte und lehnte sich auf seinem Stuhl zurück.

«Okay», sagte Böhmer, doch dann brauchte er noch eine ganze Weile, um sich die ersten Sätze zurechtzulegen. Wie sollte er diese Geschichte erzählen, die er so lange verschwiegen hatte? Er begann einfach von vorn, berichtete von seinem Studentenjob als Matrose, von der wilden Zeit damals, von seinen Karriereplänen, die dann ja auch in die Tat umgesetzt worden waren.

«Daher die stattliche Rente!», kommentierte der Mann am Tisch, der zum Glück darauf verzichtete, sich weitere Notizen zu machen.

«Aber dann hätten Sie auch ohne weiteres im *Hotel Bischoff* absteigen können», schlussfolgerte Frau Loog ganz richtig.

«Hätte ich, ja! Aber es gab einen Grund, warum ich ausgerechnet hier wohnen wollte.» Beide starrten ihn an. «Frau Loog, Sie haben mich doch ein paarmal vor der *Pension am Dünenpfad* gesehen.» Sie nickte. «Das war natürlich kein Zufall. Vielmehr war ich schon einmal in diesem Haus. Vor fast vierzig Jahren, während meines letzten Sommers hier auf der Insel.»

«Ach», sagte sie und wollte sich gerade setzen, als ihm etwas einfiel.

«Hätten Sie eventuell eine Tasse Ihres wunderbaren Kaffees?»

«Sie mögen meinen Kaffee? Und ich dachte, er schlägt Ihnen auf den Magen, so sauer, wie Sie beim Frühstück immer geguckt haben.» Frau Loog setzte eine riesige Maschine in Gang, nach einigem Gezische floss es tiefschwarz in die Tasse. Dass sie sich ohne Nachfragen erinnerte, dass er nur mit Milch, ohne Zucker trank, rührte ihn. Er war heute eindeutig zu nah am Wasser gebaut.

«Also, ich mach es kurz», sagte er schließlich und wusste doch, dass das gar nicht möglich war. «Damals hatte ich eine kurze Affäre mit Brigitte van Lessen, die noch im Haus ihrer Eltern, in der *Pension am Dünenpfad*, lebte. Heute würde man es vielleicht einen One-Night-Stand nennen. Auf jeden Fall bin ich unmittelbar darauf zurück nach Hamburg, habe mein Studium abgeschlossen und war einige Jahre in der Weltgeschichte unterwegs, aber das habe ich Ihnen ja schon erzählt. Vor zwanzig Jahren oder so, als ich bereits in Hamburg wohnte und als Nautischer Offizier im Schiffbau Karriere gemacht hatte, saß ich bei einem Treffen mit ehemaligen Studienkollegen neben einem alten Freund, der ebenfalls Ende der Siebziger in den Semesterferien bei der Reederei *Fresena* gearbeitet hatte. Wie das so ist, wir haben etliche Bierchen getrunken und über alte Zeiten geredet, über die Leute, die man gekannt und dann aus den Augen verloren hat. Und als ich schon etwas betrunken war, habe ich den Mut gefunden, nach Brigitte van Lessen zu fragen, eher so nebenbei.» Böhmer nippte an seinem Kaffee.

«Was hat er gesagt?» Frau Loog schien ihre Neugierde nicht im Zaum halten zu können, aber das war ihm recht so. Je mehr diese Frau darauf brannte, die Wahrheit zu erfahren, desto schwieriger war es für ihn, noch zurückzurudern. Jetzt hatte er angefangen mit dem Erzählen, jetzt musste er da durch.

«Mein ehemaliger Kollege hatte immer noch einen Draht zur Insel und wusste, dass Brigitte ledig war und die Pension ihrer Eltern übernommen hatte. Und er wusste, dass sie krank war, ziemlich krank. Brustkrebs, schlimme Geschichte, da wollte ich gar nicht so genau drüber Bescheid wissen.» Weil ich schon immer ein Feigling gewesen bin, fügte Böhmer im Stillen hinzu. Er musste es nicht laut aussprechen, es war klar, dass seine beiden Zuhörer genau das dachten. «Wir tauschten unsere Visitenkarten aus, und tatsächlich meldete sich mein Freund nur wenig später mit der Nachricht, dass Brigitte in Hamburg in der Klinik läge, er sie dort besucht und von unserem Treffen erzählt habe. Er hat ausdrücklich betont, dass sie mich unbedingt sehen wolle. Ganz dringend.»

Er stockte. Bislang war das Ganze ein Klacks gewesen, ab jetzt würde es ungemütlich werden. Mit einem kurzen Blick prüfte er die Mienen der beiden, noch sahen sie ihn ohne einen Ausdruck von Missbilligung an. Mal sehen, wie sich das nach den nächsten Sätzen ändern würde.

«Ich bin dann hin zu Brigitte. Weil ich dachte, dass mir so was nichts anhaben könnte. Immerhin war ich auf allen sieben Weltmeeren unterwegs gewesen, mit allen Wassern gewaschen, hatte den Stürmen getrotzt und so weiter. Aber am Krankenbett von Brigitte bin ich komplett gekentert.» Er schwieg.

«Weil sie Ihnen sagte, dass Sie ein Kind haben?», half ihm Frau Loog auf die Sprünge. «Eine Tochter: Mira!»

Er nickte. Und dann überkam ihn schon wieder dieses Gefühl, von dem er jetzt wusste, dass es weder ein Infarkt noch ein Schlaganfall war, sondern eine Mischung aus Trauer und Scham. «Sie hat damals niemandem gesagt, wer der Vater ist, weil es ihr peinlich gewesen ist, sich mit einem Schwerenöter wie mir eingelassen zu haben. So war Brigitte, stolz und auch ziemlich stur.»

«Mira ist genauso», sagte Frau Loog.

«Brigitte meinte, ich solle selbst entscheiden, wie ich mit dieser Nachricht umgehen will. Aber ich glaube, im Stillen hat sie gehofft, dass ich Verantwortung übernehme, wenn sie nicht mehr lebt. Zwar war Mira damals schon erwachsen, hatte die Pension übernommen und konnte ganz gut für sich selbst sorgen, darum ging es nicht. Brigitte meinte die Verantwortung, als Vater da zu sein.» Er nahm den letzten Schluck aus der Tasse. «Es wird Sie nicht sonderlich überraschen, dass ich mich dagegen entschieden habe.»

Niemand sagte etwas. So eine schäbige Geschichte konnte sprachlos machen. Der Finanzbeamte spielte mit einem Bleistift, und Frau Loog erinnerte sich, dass sie doch vorgehabt hatte, einen Teig zu kneten. Sie stand auf, kippte einen Haufen Mehl auf die Arbeitsfläche, gab Salz, Zucker und ein paar hellbraune Quader dazu – wahrscheinlich die Hefe –, dann ließ sie Wasser und Milch in eine Kuhle im Mehl fließen und vergrub ihre Hände darin. Doch so plötzlich ihre Geschäftigkeit begonnen hatte, so plötzlich hörte sie auch wieder auf. «Aber warum?», fragte sie. «Warum haben Sie sich damals nicht bei Mira gemeldet? Sie hätte bestimmt jemanden brauchen können.»

Tja, warum? Die Frage, an der sein kompletter Lebenslauf jedes Mal hängenblieb wie ein Fisch im Treibnetz. «Ich hatte keine Frau, aber einen stressigen Job. Ich war das Gegenteil von einem Familienmenschen. Wenn ich mich damals bei Mira gemeldet hätte, wer weiß, vielleicht wäre meine Tochter dann kurzerhand mit Sack und Pack zu mir nach Hamburg gezogen und ich hätte mein komplettes Leben umstellen müssen.»

«Nie im Leben hätte Mira das gemacht. Dazu ist sie viel zu stolz.»

«Ja, aber ...»

«Kein Aber!» Jetzt wurde Frau Loog richtig streng. Sie walkte den Teig, blickte nicht auf, doch man sah ihr die Wut an. «Jetzt verstehe ich auch die Sache mit den fünftausend Euro. Das sollte so etwas wie eine kleine Wiedergutmachung sein, bevor Sie sich am Montag auf den Weg zurück an die Elbe machen. Sie hatten nicht vor, sich Mira zu erkennen zu geben. Stattdessen sind Sie wochenlang um ihr Haus geschlichen.»

Er nickte. «Ein Armutszeugnis, oder?»

«Allerdings. Warum kommen Sie jetzt, nach all den Jahren, zurück zur Insel?»

«Als mir der Vorstand meiner Firma nahelegte, einige Jahre eher in den Ruhestand zu gehen, da wurde mir auf einmal bewusst, wie leer mein Leben ohne die Arbeit sein würde. Ich hab nie geheiratet, keine Familie gegründet. Zwar war ich in fast jedem Land der Erde, aber ein Zuhause hatte ich nicht.»

«Da höre ich viel Selbstmitleid!» Diese Frau war ehrlich, das musste man ihr lassen. Wahrscheinlich war eine solche Schonungslosigkeit aber die beste Methode, mit ihm umzugehen. Jannike Loog würde nicht zulassen, dass er sich jetzt aus dem Staub machte.

Und tatsächlich sagte sie: «Sie wissen ja inzwischen, dass Miras Tochter krank ist. Schwerkrank, wenn man keine Spenderniere findet, wird sie sterben. Ihre Enkeltochter!»

Böhmer dachte an das Mädchen, das er bei seiner Anreise auf dem Rand des Sandkastens hatte sitzen sehen. Danach war sie nur noch einmal nach draußen gekommen, ein paar Tage später. Theelke hieß sie. Und die Sommersprossen in ihrem Gesicht hatten ihn unglaublich an Brigitte erinnert. «Das ist furchtbar tragisch!», brachte er lediglich hervor.

Jetzt knallte Jannike Loog den ganzen schweren Teig auf die Arbeitsplatte, als wolle sie diese Mischung aus Mehl, Hefe und Wasser büßen lassen, was er verbockt hatte. «Das ist tragisch, Herr Böhmer, wirklich! Aber dass Sie nicht den Mut finden, bei dieser Familie aufzutauchen, ist mindestens genauso tragisch.»

Was sagte sie da? Sein Verhalten war tragisch? Er hatte damit gerechnet, dass sie ihn als egoistisch, verantwortungslos und unreif bezeichnen würde, denn so hatte er sich selbst in den letzten Jahren mehr als einmal beschimpft. Doch Jannike Loog nannte es tragisch …

«Sie sind ein schrecklich einsamer Mensch, der nicht die Kraft findet, auf andere zuzugehen. Wahrscheinlich hatten sie damals gar keine Angst davor, dass Mira zu Ihnen ziehen könnte, sondern eher, dass sie für ihren verschwundenen Vater nur Vorwürfe oder Desinteresse aufbringen kann.» Sie hörte auf, den Teig zu vermöbeln, und schaute ihn an. «Das tut mir so leid für Sie, Herr Böhmer. Und wenn ich nicht die Hände voller Teig hätte und zudem nicht wüsste, dass Sie herzliche Gesten eher ablehnen, dann würde ich Sie jetzt glatt in den Arm nehmen und drücken.»

Knud Böhmer war platt. Mit allem hatte er gerechnet, aber damit nicht. Er versuchte, den Kloß im Hals herunterzuwürgen, vergeblich.

Zum Glück kam ihm dieser Finanzbeamte zur Hilfe, indem er wunderbar bürokratisch einen riesigen, vorsintflutlichen Rechner zu sich heranzog und zu tippen begann. «Lange Rede, kurzer Sinn: Man kann also in den vorliegenden Unterlagen notieren, dass das Geld aus dem Pappkarton von Ihnen ist, Herr Böhmer, und dass Sie es zuvor schon entsprechend versteuert haben. Korrekt?»

«Ja.» Seine Stimme klang noch immer brüchig.

«Das Steuerrecht regelt, dass eine Spende möglichst zeitnah dem eigentlichen Zweck zugeführt werden muss», referierte der Mann weiter und tat so, als müsste er irgendwelche Paragraphen heraussuchen.

«Was meinen Sie damit?», fragte Böhmer nach.

«Wenn ich Ihnen da jetzt mal einen persönlichen Tipp geben darf, Herr Böhmer ...» Der Steuerprüfer schaute ihn an wie ein Richter. «Übergeben Sie die Spende alsbald, am besten noch heute, und zwar persönlich. Damit wäre die Sache dann nämlich von meinem Tisch!»

«Ich soll Mira ...?»

Jannike Loog tätschelte ihren Teigklumpen, legte ihn in eine große Schüssel und bedeckte das Ganze mit einem Geschirrtuch. «Der Teig muss jetzt ruhen, mindestens zwei Stunden, es würde mir also nichts ausmachen, Sie zur *Pension am Dünenpfad* zu begleiten.»

Die beiden waren gnadenlos, sie ließen ihm keine Möglichkeit, der Geschichte noch einmal zu entrinnen. Nein, sie waren nicht gnadenlos. Sie waren wunderbar!

hab dich nicht erreicht
deswegen SMS:
komme zur insel mit
direktflug ab köln bin
gegen 5 pm da - hatte
schlechtes gefühl
wegen gila wollte
persönlich dabei sein

Eins, zwo, drei, vier und …»

Clemens saß E-Zigarette paffend am Bühnenrand, die nackten Füße im warmen Sand vergraben, und musste sich Mühe geben, nicht hintenüberzukippen, so nervös machte ihn das alles hier.

Das Schlagzeug setzte ein. Der Bass begann zu spielen, auch Gitarre und Keyboard hatten keine Probleme, ins Stück zu kommen.

Nur Gila schüttelte den Kopf. «So geht das nicht, ihr macht das alle falsch. Und übrigens, Manfred, bei Danni war es viel einfacher, der hat wenigstens noch erklärt, was er will, bevor es losging.»

«Da hatten wir auch noch etwas mehr Zeit, liebe Gila. Aber dies ist die Generalprobe, was jetzt nicht verstanden wurde, wird morgen bei der Sendung nicht sitzen.»

«Du könntest dir ein bisschen mehr Mühe geben, deine Musiker entsprechend einzuweisen. Wenn wir gar nicht wissen, worauf du hinauswillst …»

Manfred seufzte. «Es geht immer ums selbe, Gila. Immer noch ums Ritardando. Du musst im besagten Teil *langsam* werden. Das hat der selige Danni dir auch tausendmal erklärt. Genützt hat es anscheinend nichts!»

Sie stemmte die Hände in die Hüfte: «Hör mal, Freundchen, nicht in dem Ton! Ich bin nicht blöd, ich hab korrekt durchgezählt!» Sie trampelte mit ihren Pumps ein Stakkato auf den Bühnenboden, das so zackig klang, dass Kim Jong-un sie direkt als Choreographin für seine nächste Parade engagieren würde.

«Sollst du aber nicht, Gila. Hier geht es nicht ums sture Zählen, sondern ums Fühlen. Nicht um Mathematik, sondern um Musik!»

«Aber wie soll ich denn herausfinden, wie langsam ihr auf einmal werdet?» Schon hatte sie wieder diese großen Augen, hinter denen die Tränen in Habtachtstellung lauerten.

«Indem du auf uns hörst!»

«Ich auf euch? Hier bin ich die Sängerin, die Frontfrau. Normalerweise ist es doch so, dass ihr euch nach mir zu richten habt!»

Eigentlich war es bislang ideal gelaufen, musste Clemens zugeben. Das gesamte Team hatte sich als ausgesprochen flexibel erwiesen und die wenigen Tage genutzt, das Sendungskonzept von Oberlausitz auf Nordsee umzustricken.

Die großflächige Bühne schmiegte sich an den Fuß des hübschen Leuchtturms, und egal, an welcher Seite die Kameras standen, es bot sich immer ein ansehnlicher Hintergrund. Mal die Dünen mit einem Ausschnitt vom Meer, mal der Blick auf den wilden Garten rund ums Hotel.

Die Komparsen trugen jetzt nicht mehr Trachten mit den weißen Schürzenkleidern und steifen Hauben, sondern grob gewebtes Leinen mit bestickten Stolen und Holzschuhen. Das hatte Regine alles noch schnell bei irgendeinem Heimatverband aufgetrieben. Der Bericht über die Pulsnitzer Lebkuchenbäckerei wurde kurzerhand getauscht gegen einen Beitrag über traditionelle friesische Fliesenmalerei mit biblischen Motiven. Und statt des drehorgelspielenden Schäfers sorgte nun der Shantychor für die regionaltypische Musikeinlage.

Clemens hatte vorhin schon die ersten Bilder der Kamerateams begutachten dürfen – traumhaft! Diese zotteligen Pferde vor den Kutschen, total antiquiert, aber telegen. Dann hatten sie ein Beachvolleyballteam animieren können, vor dem Kurorchester zu sitzen und halbwegs andächtig zu lauschen, lauter hübsche, sportliche Menschen auf den Bänken, klasse!

Den Zuschauern würde es gefallen, *Liedermeer* würde die Erwartungen, die die Fernsehnation nach all den Jahren an die Sendung stellte, weitestgehend erfüllen, trotz des kurzfristigen Ortswechsels. Sogar der Bürgermeister, der sich laut Regine wegen der drei motorisierten Kleinlaster ziemlich pingelig angestellt hatte, war inzwischen wieder handzahm.

Mit dem Hotel hatten sie es ganz gut getroffen. Die beiden Polinnen, unter deren Leitung das Haus vor kurzem eröffnet worden war, waren emsig bei der Sache, die Zimmer zwar sehr schlicht eingerichtet, doch dafür sonnig. Und da Clemens sowieso in Gilas Bett schlief, konnte er seinen eigenen Raum als Büro nutzen, da brauchte es keine Suite.

Also so weit alles in Butter.

Bloß Gila war und blieb ein Problemfall. Leider nicht nur beim Singen, die ersten Gehversuche als Moderatorin hatten eher an die Ansage einer Autoscooterbetreiberin erinnert als an charmante Abendunterhaltung zur besten Sendezeit. Da mussten sie gleich dringend noch mal ran.

Fast war Clemens froh, dass das Hotel in einem gnädigen Funkloch lag. Natürlich gab es dieses Eckchen im Garten, wo man Empfang hatte, jedoch laut Gila von einem Nagetier angegriffen wurde. Angeblich funktionierte das Netz auch ganz oben auf dem Leuchtturm, doch Clemens sparte sich die 172 Stufen nur zu gern. Er wusste, die Frau Doktorin neigte dazu, in der ohnehin stressigen Drehzeit durch ständiges Nachfragen, ob alles glattlief, weiteren Druck zu verursachen. So blieb sein Mobiltelefon still, und er kam nicht in die Verlegenheit, Agnes belügen zu müssen, dass sie sich keine Sorgen zu machen bräuchte und er alles im Griff hätte.

Die Band spielte wieder. Gila hatte sich zum Glück zusammengerissen und trällerte ihr Lied herunter. Das Honighaar wehte leicht im Wind, die Sonne beschien ihren makellosen Teint, wieder spitzte sie die Lippen ganz keck. Sie war so schlank und agil, dass sie die Sendung morgen auch ohne weiteres im knappen Bikini moderieren könnte. *Springtide* stellte auch Bademode her, jedoch gestaltete sich die lukrative Zusammenarbeit seit ein paar Wochen natürlich etwas zäh, besser, man verzichtete fürs Erste auf diesen Nebenerwerb. Doch mit viel Haut konnte Gila bestimmt beim Publikum punkten – und ihre sonstigen Defizite ausgleichen.

Clemens hatte sich in den letzten Tagen mehrfach dabei erwischt, dass er sehnsuchtsvoll an Janni dachte. Schon die Art, wie diese das Mikrophon in der Hand gehalten hatte, war etwas völlig anderes. Janni hatte auch stets mit der Kamera geflirtet, bei Gila wirkte es mehr, als überlege sie ständig, welches ihre Schokoladenseite war und wie sie diese am besten präsentiert bekam. Wenn Clemens ehrlich war: Mit Janni am Start wäre die ganze Sendung ein Klacks – nichts, worüber man sich ernsthaft den Kopf zerbrechen müsste.

«Achtung, an alle!», rief Regine, die wie gewohnt die Übersicht hatte, durch ein Megaphon. «Musikprobe beendet!»

«Ach nö!» Manfred konnte seinen Unmut nicht verbergen. «Wir brauchen mindestens noch eine halbe Stunde!»

«Das geht nicht, Leute. Die Zeit läuft, und ihr habt schon eine halbe Stunde überzogen! Wir machen jetzt den finalen Durchlauf mit der Moderatorin.» Sie sagte die Position für Kamera, Ton und Beleuchtung an, der Tross setzte sich sofort in Bewegung. Gila fand verhältnismäßig schnell den Punkt, auf den sie sich stellen sollte. Gleich kamen zwei Frauen von der Maske und kontrollierten, ob auch alles gut aussah. Gila lächelte, jetzt war sie in ihrem Element.

«So, wir sind an der Stelle, nachdem der Shantychor gesungen hat und du, Gila, ein kurzes Interview mit dem Bürgermeister führst.»

«Was soll ich ihn fragen?»

«Hab ich dir aufgeschrieben, Schätzchen.» Regine zog ein paar Moderationskarten hervor und reichte sie Gila. «Aber bis morgen musst du das auswendig können, ja? Spickzettel gibt es bei *Liedermeer* nicht.»

«Okay, ich lese mal vor: Moin, Herr Freese … Häh?» Gila stutzte, beugte sich über das Blatt, machte ein Gesicht wie eine Lehrerin, die einen saudummen Schüler vor sich sitzen hat. «Leute, wir senden doch am Abend, da kann ich unseren Gast doch wohl schlecht mit *Moin* begrüßen, wer hat denn den Bockmist geschrieben?»

Regine war die mit Abstand gelassenste Person bei 4-2-*eyes*, doch jetzt stand sie kurz vor der Explosion. Mit Nachdruck sagte sie: «Lies einfach weiter, okay?»

«Aber …»

«Lies!» Das war jetzt schon erheblich lauter.

«Na gut. Moin, Herr Freese, Sie sind der Bürgermeister der Insel und können mir sicher erklären, warum man hier auch um diese Uhrzeit noch *Moin* sagen darf.» Jetzt lächelte Gila scheel. «Upps, genau das habe ich mich auch gefragt. Und, Regine, warum darf man das?»

Regine stöhnte. «Weil das Wort von *moi* kommt, was Plattdeutsch ist und so viel wie *gut* bedeutet. Du wünschst also alles Gute. Aber das wird Herr Freese dir morgen sowieso erzählen. Mach jetzt bitte weiter!»

Clemens erhob sich von seinem Beobachtungsposten. Er hatte genug gesehen und gehört. Barfuß lief er einen kleinen Umweg zum Hotel. Es tat gut, den Sand zwischen den Zehen zu spüren. Erinnerte ihn an den Familienurlaub auf Malta. Burgenbauen mit den Zwillingen und abends Rotwein mit Agnes. Eine schöne Erinnerung. Er würde seine Familie nicht verlassen, niemals. Und schon gar nicht für eine Frau wie Gila, die ihm inzwischen fast genauso viel Stress machte wie Agnes, jedoch weder über deren Geld noch ihren beruflichen Status verfügte. In zwei Wochen, wenn die Nachbereitung von *Liedermeer* gelaufen war, würden sie wieder zu viert ganz privat nach Malta fliegen. Auf einmal verspürte Clemens Lust, seine Frau anzurufen und ihr zu sagen, wie sehr er sich darauf freute.

Die Tür zum Leuchtturm stand offen, also zog er seine Sneakers an, steckte die Plastikzigarette ein und wagte sich an den Aufstieg. 172 Stufen, nun, er war ja kein alter Sack, zwischendurch gab es sicher ein paar Plateaus, auf denen man verschnaufen konnte. Und wenn er erst oben war, würde er ein Foto machen und es Agnes per MMS schicken, vielleicht mit einer kleinen Liebeserklärung dabei. Und dann würde er anrufen und ihr sagen, dass alles ganz wunderbar lief.

Das erste Fenster. Er warf einen kurzen Blick nach draußen, Kirchturmspitze und Co., ganz nette Aussicht, doch er stiefelte weiter. Stupides Treppensteigen nach oben, Clemens ächzte. Von unten hörte er Gila ins Mikrophon quatschen. Immer noch die Probe für das Bürgermeisterinterview. Mein Gott, wie lange brauchte diese Frau, um etwas zu kapieren? Gut, ihr fehlte offensichtlich das nötige Talent. Nicht jedem lag es, munter und natürlich draufloszuplaudern, auch wenn der Moderationstext im Grunde wortwörtlich vorgeschrieben war. Bei Janni hatte das alles so federleicht gewirkt.

Das zweite Fenster. Er schaute nicht raus. Der Schweiß klebte ihm das Poloshirt an den Rücken, die Haut begann zu brennen.

Warum hatte er Janni überhaupt abgesägt? Nur, weil sie ab und zu gedrängt hatte, dass er seine Frau verlassen sollte? Hatte sie das überhaupt? Bei Gila war das leidige Thema schon nach vier Wochen Affäre permanent auf dem Tisch gewesen – und dummerweise auch im Bett. Vor dem Sex und nach dem Sex, manchmal auch währenddessen immer dieselbe Frage: «Wann sagst du es endlich deiner Frau?» So konkret war Janni erst nach ihrem ersten gemeinsamen Jahr geworden. Nun hatte Clemens alles so geschickt eingefädelt – die Sache mit *Springtide* und *Close Up*, nie war er eine Frau eleganter losgeworden und hatte gleichzeitig eine falsche Fährte für das Finanzamt gelegt – und womöglich hatte er trotzdem eine Fehlentscheidung getroffen.

Er musste eine Pause einlegen und setzte sich auf die Stufen. Warum ging ihm Janni einfach nicht aus dem Kopf? Er fühlte sich so erschöpft und überlastet, als würde er sie huckepack den Turm hinaufschleppen. Dabei war sie weit weg. Er hatte keine Ahnung, wo sie sich herumtrieb und was sie mit dem ganzen Geld anstellte. Da sie überhaupt nicht auf den *Close Up*-Artikel reagiert hatte, musste er annehmen, dass Janni irgendwo im Ausland unterwegs war, weit weg von den aufdringlichen deutschen Medien. Das war auch gut so, denn als er gelesen hatte, was dieses Klatschmagazin aus seiner Mitteilung zusammengebastelt hatte, war ihm doch ein bisschen flau in der Magengegend geworden. Sie hatten Janni noch viel schlechter aussehen lassen, als er sich das ausgemalt hatte.

Clemens erhob sich wieder und stieg ächzend weiter nach oben. Ein Blick auf sein Handy verriet, dass es bis zum Funkempfang doch noch nicht ganz reichte, also weiter.

Inzwischen hatte er gar keine Lust mehr auf ein Telefonat. Es war nicht einfach, Agnes zu belügen. Wenn er sagte, dass alles gut lief, ging sie meistens ins Detail: Wie entwickeln sich die Kosten vor Ort? Hat Regine sich an alle Anweisungen gehalten? Können sich die Musiker hören lassen? Und im Detail war es immer wesentlich schwerer, die Unwahrheit zu erzählen. Da musste man auf der Hut sein.

… drei … weitere … Runden im Turm … Puh!

Aber da: Der Empfangsstatus baute sich endlich auf. Super, dann würde er sich den Rest des Weges sparen. Die Aussicht da oben war ihm ja eigentlich auch egal. Das Smartphone machte kurz hintereinander ein paar Töne: Fünf Anrufe in Abwesenheit. Alle von Agnes. Na super, hoffentlich war sie nicht sauer, weil er nicht zurückgerufen hatte.

Er kauerte sich an die Wand, der kühle Stein war angenehm an seinem klitschnass geschwitzten Rücken. Er drückte auf *Verbindung zum Anrufer herstellen*. Das Ding brauchte ewig, also nahm er doch noch ein paar Stufen nach oben, immerhin war dort ein Fenster, das Richtung Hotel zeigte. Die Scheiben waren fast blind, doch er konnte den langen Weg bis zum Dorf einsehen. Eine dunkelblonde Frau und ein älterer Mann kamen gerade aus dem Hotel und liefen Richtung Ort. Aus einiger Entfernung näherte sich ein Pferdewagen, in dem außer dem Kutscher nur eine weitere Person saß.

Mann, Mann, Mann, wann ertönte denn endlich das verdammte Freizeichen? Es knackte in der Leitung, raschelte, knackte, dann sagte eine Frauenstimme, die fast so blechern klang wie die von Agnes: «Der Teilnehmer ist momentan nicht zu erreichen, bitte versuchen Sie es zu einem späteren Zeitpunkt noch einmal oder sprechen Sie auf die Mailbox.»

Das hatte er ehrlich gesagt noch nie erlebt, dass seine Frau nicht erreichbar gewesen war. Ihn beschlich ein ungutes Gefühl. Es war doch hoffentlich nichts mit den Zwillingen?

Resigniert drückte er die Verbindung weg. Da fiel ihm auf, dass Agnes auch eine SMS geschickt hatte. Normalerweise fehlte ihr für so etwas die Zeit, also musste es wirklich dringend gewesen sein. Er öffnete die Nachricht. Überflog die Zeilen. Schaute auf die Uhr: 17 Uhr 15. Schluckte, bekam kaum Luft. Dachte an sein Hotelzimmer mit dem unbenutzten Bett und dem leeren Kleiderschrank. Sah wieder aus dem Fenster und erkannte erst jetzt, dass die Person, die in der herannahenden Kutsche saß, ein feuerrotes Kostüm trug. Ach du Sch…!

Ostfriesentee

Pro Tasse 1 kleinen Teelöffel Tee in eine vorgewärmte Kanne geben. Frisches, sprudelnd-kochendes Wasser aufgießen und 4 – 7 Minuten ziehen lassen, dann durch ein Sieb in eine Servierkanne gießen. Einen weißen Kandis pro Tasse mit dem Tee übergießen, dann die flüssige Sahne vom Tassenrand aus in den Tee laufen lassen, bis das klassische Wulkje – Sahnewölkchen – entsteht.
Der Tee wird nicht umgerührt, so schmeckt der erste Schluck sahnig-herb, der zweite herb-süßlich und der letzte sahnig-süß.
Der Kandis muss für bis zu drei Tassen ausreichen, wer vorher nachnimmt, gilt als verschwenderisch.
Dem Gast sind mindestens drei Tassen einzuschenken, das ist Ostfriesenrecht.

Der Koffer ließ sich kaum schließen. «Okko, kannst du vielleicht ein paar Kuscheltiere per Post in die Klinik nachschicken?», rief Mira vom Kinderzimmer aus in die Küche, wo ihr Mann damit beschäftigt war, den Abendbrottisch zu decken.

«Mama, nein!», kam es aus Theelkes Bett. Auch wenn sie kaum noch Kraft zum Laufen hatte und vor Müdigkeit beim Essen manchmal einschlief, den Kommandoton hatte ihre Tochter immer noch bestens drauf. Sie hatte sich gleich mehrere Kissen in den Rücken geschoben und saß halbwegs aufrecht, um ihre Mutter beim Kofferpacken genau zu beobachten. «Die müssen alle mit. Und die CDs auch! Und das Nintendo auch!»

«Schatz, ich habe Angst, dass der Reißverschluss kaputtgeht, wenn wir zu viel reinpacken.»

«Dann lass die Jeanshosen hier. Und die Jacke. Ich brauch sowieso keine Klamotten im Krankenhaus. Da liege ich bloß im Bett rum, manchmal kommt ein Clown vorbei, und dreimal am Tag gibt es was zu essen. Wenn ich da nichts zum Spielen habe, sterbe ich vor Langeweile.»

Mira blieb das Lachen im Halse stecken. Ans Sterben wollte sie nicht denken müssen.

Es klingelte an der Tür. Nein, bitte nicht! Kein Besuch jetzt! Die Nachricht von Theelkes Zustand schien sich doch irgendwie herumgesprochen zu haben. Mira vermutete, dass Rüdiger Hahn dahintersteckte, der wohnte nämlich im selben Haus wie der Inselarzt, und die beiden hatten ein gemeinsames Segelboot. Und Rüdigers Frau Hanne, die hiesige Gleichstellungsbeauftragte, war die schlimmste Tratschtante zwischen Dünen und Deich. Bestimmt hatte die am Mittwoch beim Grillfest ihren Mund nicht halten können. Seit Donnerstag tanzten jedenfalls alle naselang Insulaner an, die entweder tatsächlich hilfsbereit oder einfach nur neugierig waren. Es war sogar von einer Spendenaktion beim Leuchtturmfest die Rede, da wäre Mira fast der Kragen geplatzt.

Es klingelte erneut. Ja, bei der Familie Wittkamp musste man Geduld haben.

Okko wusste, dass Mira heute, am Tag vor der Abreise, niemanden sehen wollte, also übernahm er es, die Tür zu öffnen. Mira hörte seinen souveränen Versuch, die Leute abzuwimmeln. «Das ist nett von Ihnen, wirklich, aber wir kommen zurecht. Und wir sind gerade sehr beschäftigt, danke für Ihren Besuch.» Normalerweise hörte man dann wenige Sekunden später die Tür ins Schloss fallen. Jetzt war es anders. Jemand redete auf Okko ein, leise und doch eindringlich, eine Frauenstimme? Nein, ein Mann. Oder waren es zwei Personen?

Egal! Sie nahm die Jeanshosen wieder aus dem Koffer, auch die winddichte Jacke. Theelke hatte recht, es war Unsinn, das Zeug mitzuschleppen.

Diese Tage, bevor es für eine unbestimmte Zeit aufs Festland ging, waren eine unerträgliche Ausnahmesituation, in der Mira sich häufig dabei erwischte, sinnlose Dinge zu tun. Oberflächlich gesehen ging es um Zahnbürste und Kamm, um die Anzahl der Unterhosen und die Auswahl der Hörspiele. Doch indirekt lag auch immer die Frage in der Luft, wie lange es dauern, wann man wieder zurückkommen und ob Theelke auch wieder mit dabei sein würde. Eigentlich eine Situation, in der man verzweifelt sein müsste. Als könnte Kofferpacken diese Ängste und Sorgen in den Hintergrund drängen, gab man sich betont geschäftig, gerade so, als plane man eine große Reise. Dieses Theater kostete Energie und war schrecklich.

Auf der Kommode lagen verschiedene Hefte und Glitzerstifte. «Theelke, was ist mit den Malbüchern?»

«Dafür bin ich zu alt. Es gibt jetzt auch so Hefte mit Models, denen man Kleider und Frisuren malen kann. Die hätte ich gern.»

«Okay, wenn wir in Oldenburg sind, dann gehe ich mal los und …» Sie schaute auf.

Okko stand in der Tür, er sah kreidebleich aus. «Da ist Besuch für dich!»

«Besuch?»

«Au ja!», rief Theelke.

«Besuch für Mama, mein Schatz.»

Mira legte die Malbücher einfach in den Koffer, sie waren schön flach, nahmen nicht viel Platz weg, und vielleicht bekam Theelke ja doch noch Lust, Blumen und Einhörner auszumalen.

Okko trat zu Mira, zog sie von dem Koffer weg, legte seine Hände um ihren Nacken und küsste ihre Nasenspitze. Eine ungewohnt zärtliche Geste, die sie beunruhigte.

Was war los? Aus Okkos Gesicht war nicht zu deuten, ob es um etwas Schlimmes oder Gutes ging, ihr Mann war ohnehin kein Meister der großen Gefühle, was sie auch sehr zu schätzen wusste. Jetzt verriet sein Gesicht jedoch, dass er in Aufruhr sein musste. Sein Lächeln war irritierend, denn gleichzeitig standen ihm Tränen in den Augen. Sie hätte schwören können, dass er zitterte. Ihr wurde ganz anders.

«Theelke? Mama und Papa gehen mal eben in die Küche», sagte Okko. «Wenn was ist, kannst du rufen, ja?» Ihre Tochter nickte und stellte sich gleich den CD-Player an. Wieder Märchenschloss und Zauberelfen, zum millionsten Mal.

Mira folgte ihrem Mann in die Küche und war dann doch erstaunt, dass ausgerechnet Jannike Loog am Tisch saß, gemeinsam mit einem älteren Herrn, der einen Briefumschlag wie ein Steuerrad in den Händen drehte. War das nicht dieser unangenehme Gast aus Zimmer 1? Was wollten die hier? Ausgerechnet heute? Und wie hatten sie Okko überreden können, sie hereinzulassen?

«Hallo Mira», sagte Jannike. «Setz dich mal eben zu uns.»

«Ich hab keine Zeit.» Sie setzte sich trotzdem.

«Wir wissen, dass du morgen mit Theelke aufs Festland musst, ins Krankenhaus, und dass du andere Sorgen hast, als irgendwelche Leute an deinem Küchentisch zu bewirten.»

Okko stand an der Spüle. Er hatte den Wasserkocher angestellt und schaufelte Teeblätter in die Kanne. Wie kam er dazu, jetzt eine Runde Heißgetränke zu spendieren? Wortlos verteilte er vier Tassen, Kandis und Sahne. Sogar die guten Kekse aus dem Vorratsschrank holte er heraus. So gastfreundlich war ihr Mann für gewöhnlich nie.

Der Fremde hielt noch immer diesen Briefumschlag in den Händen, und plötzlich kam Mira auf eine Idee: «Jetzt weiß ich es: Ihr seid hier wegen dieser Spendenaktion beim Leuchtturmfest. Davon hab ich schon gehört. Die Freundin von Ingo, der am Frachthafen arbeitet, hat mir im *Inselkoopmann* davon erzählt. Und ich halte überhaupt nichts davon, ungefragt zur Empfängerin von Almosen zu werden!»

Jannike räusperte sich. «Das braucht dir nicht unangenehm zu sein. Du bist jetzt eine ganze Zeit nicht hier, und zwar mitten in der Hauptsaison, also brauchst du eine Aushilfe. Wir alle wissen, wie schwer es ist, Personal auf die Insel zu bekommen, aber Lucyna kennt eine junge Frau, die lieber gestern als morgen im *Hotel Bischoff* kündigen will. Mit dieser Spende könntet ihr sie eine ganze Weile bezahlen und hättet mehr Zeit und Ruhe für eure Kinder und für euch.»

«Wir werden das Geld auf gar keinen Fall annehmen!»

«Mira!», sagte Okko und legte ihr kurz die Hand auf die Schulter. «Hör dir bitte an, was die beiden noch zu sagen haben.»

«Wenn du es schon weißt, warum sagst du es mir nicht selbst?»

«Weil …» Okko hielt die Luft an.

«Weil es etwas ist, das wohl nur ich persönlich sagen kann», fuhr der fremde Mann fort und legte den Umschlag endlich auf den Tisch. Jannike Loog sagte gar nichts mehr, sie schaute nur von einem zum anderen, als wäre sie dazu abgestellt worden, diese merkwürdige Unterhaltung aufmerksam zu begutachten.

«Mein Name ist Knud Böhmer, ich komme aus Hamburg.»

«Aha.»

«Ich habe Ende der siebziger Jahre hier auf der Insel als Matrose gejobbt, bevor ich mein Studium abgeschlossen und in einer Werft gearbeitet habe.»

«Was soll das werden? Ein Bewerbungsgespräch? Tut mir leid, wir haben zwar jede Menge Arbeit im Haus, aber kein Geld, einen Akademiker zu bezahlen.» Diesen Spott konnte Mira sich nicht verkneifen. Sie fühlte sich in die Ecke gedrängt. Jeder hier wusste, worum es ging, nur sie nicht. Und alle beobachteten ihre Reaktionen wie bei einem Versuchskaninchen.

«Es ist tatsächlich so etwas Ähnliches wie ein Bewerbungsgespräch. Ich ... wäre nämlich bereit, Ihrer Tochter eine Niere zu spenden.»

«Was?» Jetzt kroch ein ganz aggressiver Lachreiz ihre Kehle hinauf, überschwemmte mit einem Zittern ihren Rachen, verebbte dann aber doch auf der Zunge. Das war ja auch überhaupt nicht komisch, was ihr gerade aufgetischt wurde. «Wie kommen Sie dazu?»

«Ich habe die Blutgruppe Null negativ. Wie mir Ihr Mann gerade verriet, hat Theelke dieselbe.»

Mira schaute von diesem Mann, der ihr gerade einen Vorschlag gemacht hatte, der zu schön war, um wahr zu sein, zu Okko und wieder zurück. «Das ehrt Sie, Herr Böhmer, aber Lebendspender sind in Deutschland nur zugelassen, wenn ein verwandtschaftliches Verhältnis oder eine ähnlich enge Beziehung zwischen Spender und Empfänger besteht. Sie jedoch habe ich noch nie in meinem Leben gesehen, wenn man mal die Begegnung im Hotel und Ihre heimliche Herumschleicherei um unser Haus außer Acht lässt.»

Okko schenkte reihum Tee ein, seine Hand zitterte leicht, als er die Kanne aufs Stövchen setzte. «Lass Herrn Böhmer am besten einfach mal erzählen, Mira», schlug er vor.

Man hörte in den Tassen den Kandis zerplatzen. Und aus dem Kinderzimmer die Märchen-CD. Ansonsten hatten sie alle eine peinliche Stille zu ertragen, bis Böhmer endlich wieder das Wort ergriff: «Und damals, als ich als Matrose gearbeitet habe … da …» Er hustete, holte tief Luft und schmetterte den Rest des Satzes heraus, als ging es darum, ihn möglichst schnell loszuwerden, ehe er es sich noch einmal anders überlegen konnte: «… da kannte ich Ihre Mutter, Brigitte, und zwar sehr gut, wenn Sie verstehen, was ich meine.»

Ja, Mira verstand. Sie ließ die Sahne in ihren Tee laufen, ganz langsam, die weiße Flüssigkeit sackte schwer auf den Tassenboden und quoll dann leicht wie eine Wolke nach oben. Das Teewulkje, dachte sie, das hatte sie schon als Kind geliebt, als sie in Theelkes Alter gewesen war, da hatte sie eigentlich nur deswegen so gern Tee getrunken, weil die Sahne so schön aussah. Da war sie ein kleines Mädchen gewesen, das sich immer nur ganz heimlich gewünscht hatte, der Vater möge einmal mit an diesem Tisch sitzen, dieser unbekannte Mann, bloß auf eine Tasse Tee. Dieser Wunsch war so heimlich, dass er nicht gefährlich werden konnte, denn ihre Mutter wäre gekränkt gewesen, wenn sie davon erfahren hätte. Mira, wir beide haben es schön gemütlich, wir haben alles im Griff. Ist es nicht toll, unser Leben zu zweit? Und irgendwann hatte Mira den Wunsch vergessen.

Es war unfair, wenn er dann, Jahre später, auf einmal erfüllt wurde. Der Schmerz, den dieses Treffen in Mira auslöste, war tausendmal schlimmer als der, sich mit der Abwesenheit des Vaters abgefunden zu haben.

Dass Okko sich neben sie gesetzt und seine Hand auf ihre gelegt hatte, wurde Mira erst bewusst, als sie einen Schluck trinken wollte.

«Mira, alles okay?», fragte ihr Mann.

Sie nickte. Dann stand sie auf. «Ich muss die Koffer weiter packen!»

«Aber ...», versuchte es Okko.

«Herr Böhmer soll morgen mit nach Oldenburg kommen. Er soll sich bei Miras Arzt vorstellen. Er soll alle verdammten Untersuchungen über sich ergehen lassen. Und er soll, wenn alles gutgeht und passt, seine Niere spenden.» Nun drehte sie sich um und verließ das Zimmer. Kurz vor der Tür blickte sie über ihre Schulter. «Aber er soll mir dabei nicht unter die Augen kommen. Kein einziges Mal. Verstanden?» Sie starrte den Mann an, der einen großen Kopf und blaue Augen und keine auf den ersten Blick erkennbare Ähnlichkeit mit ihr hatte, dem sie aber trotzdem sofort glaubte, dass er ihr Vater war. Er nickte.

«Dann ist ja alles gesagt.» Sie verschwand durch die Tür.

War etwa gerade das Wunder geschehen, auf das sie sehnsüchtig gehofft hatte?

Holly maunzte mal wieder. Sie wollte dringend nach draußen. Seit ihrer Ankunft hatte das liebe Tier größtenteils in der Privatwohnung im zweiten Stock ausharren müssen, um sich an die neue Umgebung zu gewöhnen, obwohl Holly Katzenklos hasste und von Tag zu Tag unausstehlicher wurde. Wenn sie nicht wie eine Bescheuerte durch die Räume flitzte und die Sitzmöbel zum Krallenschärfen benutzte, hockte sie stundenlang mit beleidigter Miene auf der Fensterbank und beobachtete das Treiben rund ums Hotel, so wie jetzt. Wahrscheinlich konnte sie es kaum erwarten, endlich selbst durch die Dünen zu tigern.

Danni ging zu ihr und kraulte das sandfarbene Fell. «Alles klar, Holly, hab verstanden. Und du hast ja recht, übermorgen darfst du raus, okay?»

Sie kniff die blauen Augen zusammen, als wolle sie sagen: «Ich nehm dich beim Wort, mein Freund, und wehe, du hältst dich nicht dran.»

Danni setzte sich neben sie. Von hier oben hatte man wirklich eine schöne Aussicht auf den Garten, stellte er fest. «Hast du mich und Siebelt vorhin etwa auch beobachtet?», fragte er die Katze. Nicht, dass ihn das groß störte. Holly ging seit fast zehn Jahren mit ihm durchs Leben und hatte auch schon am Fußende geschlummert, während er unter der Decke mit Liebesdingen beschäftigt gewesen war. «Ein Traummann, findest du nicht?»

Holly maunzte. Es klang etwas freundlicher. Sie ließ sich sogar seit Katzengedenken das erste Mal wieder dazu herab, sich auf den Rücken zu legen, damit er ihren Bauch kraulen durfte.

Es hätte ein entspannter Moment sein können, Katze milde gestimmt, Bürgermeister auf der Jagd ins Herz getroffen, die meiste Arbeit des Tages erledigt; doch als er eine Kutsche vor dem Hotel ankommen sah, wusste Danni, jetzt brannte die Luft.

Was zum Henker wollte Agnes Micke-Ebertsheim hier? Seit Danni denken konnte, hatte sich die Chefin von *4-2-eyes productions* noch nie bei einem Dreh blickenlassen. Doch ausgerechnet jetzt stand sie in ihrem grellen Kostüm vor der Tür, unverkennbar, die schwarze Cleopatrafrisur unter einem Hut versteckt, der – wenn Danni sich nicht täuschte – dasselbe Modell war, mit dem Gila Pullmann heute Morgen ihr Honighaupt geschützt hatte.

Das roch nach Ärger.

Und obwohl er Clemens nicht leiden konnte und dem verlogenen Kerl schon mehr als einmal die Pest an den Hals gewünscht hatte, war Danni jetzt alles andere als beglückt, dass seine Verwünschungen nun tatsächlich eintrafen. Musste die Geschichte ausgerechnet hier bei ihnen im Hotel eskalieren?

Lucyna und Bogdana hatten schon gelästert, dass sie selten einen Hotelgast erlebt hätten, der so schlampig versuchte, eine Affäre zu verheimlichen. In dem einen Doppelzimmer nur Akten und Laptop. Im anderen dafür zerwühlte Laken mit entsprechenden Spuren, Haare in verschiedenen Farben auf den Kissen, auf dem Nachttischchen zwei Sektgläser, einmal mit und einmal ohne Lippenstiftspuren. Sogar seinen Pyjama ließ Clemens in Gilas Bett liegen.

Wenn Agnes nun schnurstracks in Clemens' Zimmer marschierte, würde ihr das ebenfalls sofort auffallen, diese Frau war alles andere als blöd, wahrscheinlich hatte sie sowieso schon eine Ahnung, was gespielt wurde. Womöglich war sie sogar deswegen hier ...

«Holly, meine Süße, die Schmusestunde wird verschoben, ich muss dringend los!»

Die Katze war natürlich empört, so schnell würde sie ihren flauschigen Bauch wahrscheinlich nicht mehr zum Streicheln zur Verfügung stellen.

Danni hoffte, dass ihm auf der Treppe niemand vom Produktionsteam entgegenkam. Es war echt kompliziert, sich den ganzen Tag zu verstecken. Im Erdgeschoss angekommen, beobachtete er durch das Fenster neben der Eingangstür, dass Clemens inzwischen neben Agnes stand. Er wirkte, als hätte er soeben Extremsport getrieben. Oder war das purer Angstschweiß? Danni lehnte sich neben dem gekippten Fenster an die Wand, so konnte er ein paar Gesprächsfetzen der Eheleute aufschnappen.

«Was für eine Überraschung, mein Schatz. Und wo sind die Kinder?»

«Bei deiner Mutter.»

«Aber was verschlägt dich denn hierher? Ich dachte immer, du hasst den Stress am Drehort.»

«Tue ich auch. Aber wie schon in meiner SMS geschrieben: Mir kommt das Ganze hier komisch vor. Ich habe kein einziges

Demotape von dieser Gila Pullmann vorliegen, weder Musik noch Moderation.»

«Aber ich bin doch für das Casting zuständig, und du kannst dich auf mein Urteilsvermögen verlassen, Schatz.»

«Nenn mich nicht Schatz, ich bin beruflich hier und nicht privat.»

Danni musste kichern. Diese Frau war ein harter Knochen. Kein Wunder, dass Clemens sich nach geschmeidigen Gespielinnen sehnte, die sein Ego wieder aufpäppelten.

«Okay, Agnes, gerade laufen die letzten Proben oben am Leuchtturm. Da sollten wir nicht stören, deine Anwesenheit würde das Team eventuell aus dem Konzept bringen.»

«Ich wollte ohnehin erst auf das Zimmer und mich frisch machen. So ein Flug mit einer Cessna ist nicht mein Ding, du spürst jeden Windstoß unmittelbar. Verfügt die Suite über Dusche oder Wanne?»

«Dusche ... Ähm, aber was hältst du davon, wenn wir uns erst einmal den Strand anschauen, der ist wunderschön. Komm, Agnes, so viel Zeit muss sein.»

«Nein, wirklich, ich bin nicht zum Vergnügen hier, Clemens. Gib mir eine Viertelstunde im Bad und vielleicht noch zehn Minuten zum Kofferauspacken, danach schaue ich mir die Probe an. Welches Zimmer?»

«Agnes, gönn dir doch wenigstens eine Tasse Kaffee. Der ist hier im Hotel richtig gut, du könntest auf der Sonnenterrasse sitzen und dich von dem anstrengenden Flug erholen!»

Aha, dachte Danni, daher weht der Wind: Er will Zeit schinden. Wahrscheinlich hofft er, durch irgendeine List an der Katastrophe vorbeizusegeln. Man könnte ihm helfen, wenn man wollte ... Und ja, das wollte Danni. Nicht wegen Clemens, ganz bestimmt nicht, sondern weil heute nicht der richtige Zeitpunkt und dieses Hotel nicht der passende Ort war, um Agnes Micke-Ebertsheim die Augen zu öffnen. Denn die Wahrheit über Gila war viel zu eng verknüpft mit der Wahrheit über Janni. Überhaupt, wo war Janni eigentlich?

Danni duckte sich unter dem Fenster durch und eilte zur Küche.

Doch dort saß nur dieser Grieske, der immerhin mal von seinen Akten aufschaute. «Suchen Sie Jannike? Die ist mit Knud Böhmer unterwegs.»

Was? Nein, da musste der Mann sich gewaltig täuschen, warum sollte sich Jannike das antun? Und überhaupt ... «Seit wann duzen Sie meine Verlobte?»

Er zuckte nur mit den Schultern und gab sich kryptisch: «Während Sie auf Kaninchenjagd waren, ist eine Menge passiert.»

In diesem Moment kam Lucyna mit einem Putzeimer herein. «Haben wir neue Gast. Steht nicht auf dem Plan, oder?»

Jetzt musste Danni schnell kombinieren, das war leider nicht seine Stärke, für Intuition war eigentlich Janni zuständig. Er zog es vor, das Für und Wider seiner Handlungen sorgfältig abzuwägen, doch dafür fehlte jetzt eindeutig die Zeit. Danni ging zum Kühlschrank und holte eine Flasche Genever heraus, die vom Grillfest übrig geblieben war. «Lucyna, zieh dir schnell deinen Kittel aus, du musst die Empfangsdame geben.»

Sie schaute ihn mit großen Augen an. «Was ist los?»

«Erkläre ich später.» Er nahm drei kleine Gläser und goss den Schnaps ein, dann stellte er alles auf ein Tablett.

Inzwischen stand Lucyna in Zivil vor ihm. «Was jetzt?»

Er drückte ihr das Tablett in die Hand. «Bitte geh raus und begrüße unseren neuen Gast besonders freundlich.»

«Ist sie Superstar oder so?»

«In gewisser Weise, ja.»

«Und was soll ich mit Schnaps?»

«Bring diese Frau dazu, sich auf die Sonnenterrasse zu setzen. Mindestens eine Viertelstunde lang. Noch besser wäre es, wenn sie sich in der Zeit ein paar Gläschen von dem Zeug genehmigt.»

Lucyna zog ihre schmalen, schwarzen Augenbrauen noch höher, als sie dank Kajal ohnehin schon waren. «Sieht sie nicht aus wie eine Frau, die so was trinkt. Gar nicht!»

«Das stimmt. Aber du musst darauf bestehen, Lucyna. Sag ihr, das sei eine alte Tradition auf der Insel. Bei so was fühlen sich Fernsehfritzen immer verpflichtet ... Urige Traditionen, da stehen Leute wie diese Frau drauf.»

«Und wenn sie nein sagt?»

«Dann behauptest du, dass ... die Insulaner glauben, den Meeresgott zu erzürnen, wenn sie ihrem Gast keinen Schnaps anbieten. Ach ja, und es müssen mindestens drei Gläschen sein.»

«Das ist größte Schwachsinn von Welt!»

«Stimmt. Wenn sie keinen Schnaps trinkt, geht bei der nächsten Sturmflut die Insel unter mit Mann und Maus, das musst du Frau Dr. Micke-Ebertsheim verklickern.»

«Micke-Ebertsheim? Ist sie etwa Frau von trotteligem Ehebrecher aus Zimmer 4?»

Danni nickte. «Genau! Und ich werde in der Zeit, in der Frau Micke-Ebertsheim für das Wohlergehen unserer Insel trinkt, sein Zimmer umräumen, damit das nicht rauskommt.»

Jetzt grinste Lucyna. «Das dauert aber. Hat er keine Klamotten im Schrank und so, keine Zahnbürste, kein Rasierzeug ...»

«Deshalb musst du sie auch eine ganze Weile aufhalten, Lucyna! Gibst du mir den Generalschlüssel?»

Sie händigte den ganzen Bund aus und drückte ihm auch gleich noch Schürze und Putzeimer in die Hand. «Damit du nicht so auffällst!» Dann lief sie, das Tablett hochprofessionell balancierend, aus der Küche. Was für eine Aktion!

Sogar Grieske hielt es nicht mehr auf dem Stuhl, mit dem er ansonsten verwachsen zu sein schien. «Ich könnte Ihnen helfen, dann geht's schneller.»

Die Hilfsbereitschaft des Finanzbeamten überraschte Danni sehr, doch die Situation war zu brenzlig, als dass er das Angebot hätte ausschlagen können. «Nehmen Sie die andere Schürze, die hinten bei der Anrichte hängt, und dann folgen Sie mir ins Zimmer 4!»

Grieske tat es ohne ein Zögern und sah furchtbar albern aus, wahrscheinlich gab Danni auch kein überzeugendes Zimmermädchen ab, doch sie hatten keine Zeit, da jetzt großartig nachzubessern. Gemeinsam huschten sie durch den Flur bis zur Treppe. Draußen stand trotz des Tabletts wild gestikulierend Lucyna, mit skeptischen Blicken vom Ehepaar Micke-Ebertsheim gemustert. Hoffentlich funktionierte die Mär vom Meeresgott.

Als Grieske schon auf halbem Weg nach oben war, ging eine Tür, und Manfred kam ihnen entgegen. Mist, ausgerechnet Manfred, mit dem zusammen hatte Danni den Großteil der letzten fünf Jahre in engen Studios gehockt, danach aus Lust oder Frust Bierchen gehoben, an Drehtagen sogar manchmal ein Hotelzimmer geteilt. Er würde ihn erkennen, trotz neuer Frisur und Bart, ganz sicher. Doch zum Glück schien Manfred andere Sorgen zu haben, denn er schaute kaum her und grüßte nur knapp. Glück gehabt!

Danni steckte den Schlüssel ins Schloss, öffnete die Tür, und als sie endlich in Zimmer 4 waren, atmeten beide tief durch.

Ein Blick genügte, um zu erkennen, dass dieses Doppelbett nicht zum Schlafen benutzt wurde, Clemens hatte sogar Akten auf die Decke gelegt. Kostenaufstellungen für die Dreharbeiten, ein großflächiger Plan von der Bühne, der Beleuchtungs- und Tontechnik.

«Ich räume die Akten zusammen, und Sie holen die Kleidung aus dem anderen Schrank», schlug Grieske vor, und Danni war so dankbar, weil dieser Mann bereit war, das Kommando zu übernehmen, dass er nicht lange darüber nachdachte, wie ungünstig diese Arbeitsteilung eigentlich war. Dass er nun wieder durch den Flur zu Zimmer 5 huschen musste und somit erneut Gefahr lief, erkannt zu werden, fiel ihm erst ein, als er bereits Gilas Tür aufschloss. Er ging zum Kleiderschrank, dessen Innenleben zu drei Vierteln von exzentrischer Damenbekleidung, Schmuck und Accessoires beansprucht wurde. Dazwischen hingen Hemden, Männerjeans, zwei Krawatten und ein gestreiftes Leinensakko. Im obersten Fach stapelten sich ziemlich knappe Herrenslips, ganz kindische Dinger, auf denen *Bettman* stand, in Ferrarirot, Postautogelb und Müllwagenorange. Für jeden Tag hatte er einen mitgebracht, Clemens, der Spießer. Jede Wette, dass er zu Hause bei seiner Frau Doktorin andere Unterwäsche trug. Dummerweise hatte er diese jetzt natürlich nicht dabei, aber das war ja nun wirklich nicht Dannis Problem, also packte er die Slips zu dem Stapel, der sich bereits auf dem Sessel häufte. Socken gab es keine, dafür noch drei Paar Schuhe, vier Poloshirts – und fast hätte er den Pyjama im Bett vergessen. Dann umfasste er den Haufen, öffnete mit dem Ellenbogen die Tür und schlich zurück. Wenn ihm jetzt jemand begegnete, wäre das nicht so schlimm, die Klamotten türmten sich hoch genug, dass er sich dahinter verstecken könnte – auch wenn es schon seltsam erscheinen musste, dass hier jemand den Inhalt des Kleiderschranks durch die Gegend schleppte.

Zum Glück öffnete Grieske gleich die Tür und ließ ihn eintreten. Warum sah das Zimmer jetzt noch mehr nach Büro aus als zuvor? Die Akten, die vorhin unter dem Schreibtisch gestanden hatten, lagen nun aufgeschlagen auf dem Boden. Und Grieske stand dazwischen wie ein Kind an Heiligabend nach der Bescherung.

«Machen Sie hier noch eine kleine Spontan-Steuerfahndung, oder was?»

«Eine solche Gelegenheit darf man sich doch nicht entgehen lassen!»

«Ich glaub, ich spinne! Deswegen sind wir nicht hier.» Danni ließ die Klamotten direkt auf das Papiermeer plumpsen. «Die Sachen müssen in den Schrank geräumt werden. Und ich hole jetzt noch den Kram aus dem Badezimmer!» Er musste kurz warten, denn von der Treppe her waren Schritte zu hören. Hoffentlich waren das jetzt nicht schon die Micke-Ebertsheimer ... Er schaute auf die Uhr, sieben Minuten waren bereits vergangen. Was, wenn Agnes und Clemens jetzt ins Zimmer kamen? Nein, das wollte er sich lieber nicht vorstellen. Er rannte zum Fenster, blickte hinaus, von hier aus konnte man die Sonnenterrasse einsehen. Unendlich erleichtert sah er Agnes auf einem der Stühle sitzen, mit pikiertem Gesichtsausdruck und abgespreiztem kleinem Finger hob sie ein Schnapsglas in die Höhe und erntete Lucynas Beifall. Auch Clemens trank mit, jedoch wahrscheinlich weniger, um den Meeresgott zu besänftigen, als vielmehr seine eigene Nervosität.

Die Schritte im Flur hatten sich entfernt, also schob Danni sich wieder hinaus. Wenigstens musste er keine Sorge haben, in Zimmer 5 auf Gila zu treffen, denn vom Leuchtturm her schallte ab und zu ihre Stimme, durch ein Mikrophon verstärkt. Sie war wohl immer noch bei der Probe.

Im Bad offenbarten sich Dinge, die Danni über Clemens Micke eigentlich gar nicht so genau wissen wollte: Er war Nassrasierer, benutzte ein ekelhaftes Aftershave, das damit warb, besonders männlich zu riechen, und natürlich benutzte er Kondome in XXL, der alte Angeber. Danni nahm ein noch feuchtes Handtuch und legte den Kleinkram hinein, knotete es zu und schaute sich um. Ach, fiel ihm ein, die Haare auf dem Kopfkissen! Es kostete ihn ein ziemliches Maß an Überwindung, und so viele fand er auch nicht, da Bogdana das Bett am Morgen gemacht hatte, aber ein halbes Dutzend leicht angegrauter Haare pickte er dann doch vom Laken. Nie wieder wollte er so etwas machen! Er schüttelte sich.

Zum Glück hatte sich Grieske an seine Anweisungen gehalten und den Kleiderschrank eingeräumt, jedoch sahen die Stapel so akkurat aus, dass Agnes bei diesem Anblick glauben musste, dass ihr Gatte seit neuestem die Polohemden mit der Wasserwaage im Schrankfach ausrichtete. Danni griff zu, brachte ein bisschen Chaos zwischen die Wäsche, dann stieg er über die Akten hinweg und räumte das Bad ein. Er riss das zum Dreieck gefaltete Toilettenpapier ab, legte drei der mitgebrachten Haare in den Duschausguss und verteilte etwas Aftershave im Raum. Zu guter Letzt hängte er das feuchte Handtuch über den Haken und schaute auf die Uhr: Zwölf Minuten waren vergangen.

«Grieske, wir haben nicht alle Zeit der Welt, räumen Sie endlich die Unterlagen zusammen!»

Doch der Finanzbeamte reagierte nicht, er schien sich an etwas regelrecht festgebissen zu haben, jedenfalls durchblätterte er fieberhaft einen Ordner, auf dessen Rücken *Interne Korres-*

pondenz stand. Ein flüchtiger Blick auf die Sonnenterrasse jagte Danni einen Schrecken ein: Die kleine Trinkrunde hatte sich inzwischen wieder erhoben. Zwar war Lucyna damit beschäftigt, ein weiteres Mal die Gläser zu füllen, doch es wirkte wie der finale Schluck vor dem großen Aufbruch, ein, zwei Minuten konnte sie damit vielleicht noch rausschlagen. Höchste Eisenbahn für den Endspurt in Zimmer 4.

Danni ließ sich mit Schwung auf das Bett fallen, durchwühlte, so gut es ging, die Bettwäsche, damit wenigstens ein paar kleine Falten in den glattgebügelten Stoff geprägt waren. Anschließend erhob er sich, legte Decke und Kissen wieder gerade hin und die drei restlichen Haare ins Bett. Was seinen Job anging, so hatte er alles Menschenmögliche getan. Jetzt sah es aus, als hätte Clemens die letzte Nacht ganz brav allein im Zimmer 4 verbracht.

Und auch Grieske hatte sich endlich von seiner Lektüre losgerissen. Mit dem Smartphone fotografierte er noch ein paar Seiten ab, dann stellte er die Ordner wieder unter den Schreibtisch. Fertig!

Im selben Moment hörte man unten im Flur Stimmen. Lucyna, die Gute, redete wohl extra laut, um Danni vorzuwarnen. Das Knarren der unteren Treppenstufen verriet, dass es zu spät war, um durch den Flur zu entkommen, da die Zimmertür der 4, wenn man heraufkam, direkt im Blickfeld lag.

«Wir müssen durchs Fenster!», entschied Danni und klappte die Läden weit auf. Sie befanden sich im ersten Stock, unterhalb der Fenster waren Backsteine zu einer Bordüre gesetzt worden und boten somit einen verdammt schmalen, aber begehbaren Mauervorsprung. Sie würden also nicht abstürzen und drei Meter in die Tiefe fallen, zumindest nicht, wenn sie sich unglaublich geschickt anstellten. Vier Armlängen weiter links lief das Fallrohr der Dachrinne nach unten, das mussten sie erreichen, was kein Kinderspiel war, aber bestimmt – oder besser: hoffentlich – machbar. Grieske wagte den Ausstieg als Erster und gab dabei sogar eine gute Figur ab. Kein Wunder, war er doch nur unwesentlich breiter als der Sims. Drei beherzte Schritte brauchte der lange Lulatsch zum Erreichen des Fallrohrs. Auch Danni war inzwischen aus dem Zimmer geklettert, die Knöchel seiner Hand waren kalkweiß, so krampfhaft hielt er sich am Fensterrahmen fest. Eine wackelige Angelegenheit, ihm wurde ganz schummerig, als er aus Versehen nach unten schaute. Normalerweise hielt ihn seine Höhenangst schon davon ab, auf eine gewöhnliche Haushaltsleiter zu steigen. Er schob das linke Bein, so weit es ging, zur Seite, drückte seinen Oberkörper in dieselbe Richtung und fasste nach dem Fensterscharnier. Immerhin stand er jetzt nicht mehr mitten im Rahmen, wenn die Herrschaften ins Zimmer kamen.

Was genau in diesem Augenblick geschah. «So, Frau Micke-Ebertsheim, haben wir hier Zimmer von Ihrem Mann. Kommen Sie rein!»

Dann Clemens' Stimme: «Entschuldige die Unordnung, Schatz, aber ich habe heute bis Mittag noch an den Akten gesessen, wegen der Kostenentwicklung, ich weiß ja, dass dich das immer am meisten interessiert, deshalb sieht es hier auch aus wie …»

«Ich weiß gar nicht, was du hast. Das kenne ich schlimmer von dir. In Malta warst du in unserem Hotelzimmer der reinste Chaoskönig.» Agnes schien tatsächlich schon ein bisschen angeschäkert zu sein, so locker plauderte sie sonst nie.

Puh, dachte Danni, soweit er überhaupt in der Lage war, einen klaren Gedanken zu fassen. Doch Agnes' Reaktion nach zu urteilen, schien die Umräumaktion ein Erfolg gewesen zu sein.

«Clemens, stell mir bitte meinen Koffer dorthin, ich möchte die Sachen gleich in den Schrank räumen, bevor sie zu sehr knittern.»

«Aber …»

«Wie gut, du hast mir ja noch genügend Platz gelassen. Stört es dich, wenn ich deine Hemden auf die rechte Seite schiebe?»

«Nein, ganz und gar nicht.» Die Antwort hatte etwas auf sich warten lassen, bestimmt war Clemens total perplex, was in seinem Schrank plötzlich alles zu finden war.

Bingo! Die Erleichterung verlieh Danni die nötige Energie, die er aufbringen musste, um die letzte Strecke bis zum Fallrohr zu bewältigen. Dort angekommen, ließ er sich langsam, Stück für Stück, nach unten rutschen. Sobald er festen Boden unter den Füßen spürte, ging es ihm deutlich besser. Nein, es ging ihm sogar so prächtig, dass er seinem Impuls nachgab und den stocksteifen Grieske feste an sich drückte. «Ich danke Ihnen!»

«Schon gut», wiegelte der ab. Sein Augenmerk war auch mehr auf das Smartphone gerichtet, aufgeregt schob er die Aufnahmen hin und her. «Ich habe zu danken!»

«Warum?» Danni verstand die Welt nicht mehr. Niemals hätte er diesem Sesselpupser zugetraut, bei einem solchen Abenteuer mitzumachen. Weshalb bedankte der Kerl sich jetzt auch noch?

«Weil ich genau den Beweis gefunden habe, nach dem ich schon Monate suche!»

«Beweis? Wofür?»

Sofort machte sich ein wütendes Grummeln in Dannis Magengegend bemerkbar: «Sie wollen doch nicht behaupten, dass Sie da oben einen Beweis gefunden haben, der Janni der Steuerhinterziehung schuldig macht!»

Nun schaute Grieske auf, erstaunt, wie es aussah. «Nein! Natürlich nicht!» Er drehte das kleine Display in Dannis Richtung. «Überzeugen Sie sich selbst.»

Doch Danni wusste mit den langen Zahlenreihen und Buchstabenketten nichts anzufangen, auf den ersten Blick konnte er nur erkennen, dass es sich um Bankauszüge handelte. Also zuckte er mit den Achseln.

«Das sind die Konten, auf die *Springtide* regelmäßig hohe Summen überwiesen hat. Und die Abbuchungen für das Stadtappartement finden sich hier auch. Ein uns bislang vorenthaltenes Geschäftsunterkonto, dessen einziger Zugangsberechtigter Clemens Micke ist. Toll, oder?»

«Ja, ganz toll!», bestätigte Danni. Und vielleicht war es das sogar. Doch bevor er versuchen würde, die Details zu kapieren, brauchte er dringend einen Schnaps. Hoffentlich hatten die drei noch einen Schluck übrig gelassen.

Hatten sie. Auf dem Tisch stand die halbvolle Flasche. «Prost! Auf den Meeresgott!» Er setzte sie an die Lippen und nahm einen tiefen Schluck.

An den Inselrat

DRINGLICHKEITSANTRAG

Antragsteller: Gerd Bischoff, Ratsvorsitzender

Antrag: Hiermit beantrage ich, Gerd Bischoff, Vorsitzender des Inselrates, die Dreharbeiten für die Sendung „Liedermeer" am morgigen Samstag zu verbieten.

Begründung: Die Produktionsfirma hat sich den auf der Insel geltenden Gesetzen widersetzt und gleich drei Lastkraftwagen auf den Straßen fahren lassen. Diese müssen umgehend von der Insel entfernt werden.

Dass der Inselbürgermeister Siebelt Freese meines Wissens eine mündliche Sondergenehmigung erteilt hat, ist vom Inselrat nicht hinzunehmen und wird zu gegebener Zeit mit einer entsprechenden Dienstaufsichtsbeschwerde geahndet werden.

Es war wirklich spät geworden heute. Fast konnte sich Siebelt Freese schon nicht mehr an den Vormittag erinnern, so lang war dieser Freitag geworden. Der Ärger mit den LKWs schien bereits fast vergessen, leider auch das knisternde Intermezzo im Hotelgarten, dabei war die Kaninchenjagd bloß ein paar Stunden her.

Doch der Nachmittag hatte noch einmal tüchtig Gas gegeben. Etliche Presseanfragen zu den Dreharbeiten am Leuchtturm hatten ihn in Beschlag genommen, was im Grunde genommen ja wunderbar und genau das war, was sich der Inselrat so sehnlich gewünscht hatte: Die Aufmerksamkeit der Medien war auf ihr kleines, friesisches Eiland gerichtet, welches sich morgen von seiner besten Seite präsentieren würde. Siebelt

Freese war k.o., aber zufrieden, als er aus dem Rathaus in die zwischen Souvenirladen und Fahrradverleih hindurchscheinende Abendsonne trat, seine Aktentasche auf den Gepäckträger klemmte und sich auf den Sattel schwang. Jetzt wollte er nur noch nach Hause in seine kleine Wohnung am Muschelweg und sich vielleicht ein Glas Merlot auf dem Balkon genehmigen, mehr nicht. Der morgige Tag würde es auch in sich haben, da hieß es, mit den Kräften haushalten.

«Bürgermeisterchen!», sagte eine ihm vertraute Stimme, und ein Mann trat aus dem Schatten hinter den Postkästen. «Feierabend ist nicht, wir haben einiges zu besprechen!»

Bischoff! Mit seiner üblichen wutroten Visage. Die hatte er heute Morgen, als Freese ihn mehr oder weniger aus dem Büro geworfen hatte, auch gehabt. Doch jetzt war er nicht allein, hinter ihm standen drei weitere Vertreter der konservativen Fraktion, die auch schon mal freundlicher geguckt hatten. Was wollten die hier?

«Hat das nicht bis Montag Zeit?»

Bischoff schnaubte. «Hier ist Eile geboten. Gefahr im Verzug!»

In diesem Moment kam Hanne Hahn mit ihrem Rad um die Ecke. «Eine dringende Sondersitzung des Inselrates, Leute, Leute! Und das vor dem Leuchtturmfest, wo ich doch noch Rüdigers Fischerhemd bügeln muss, ihr lasst euch ja Sachen einfallen ...»

«Ich weiß von keiner Sondersitzung», sagte Freese.

«Hast du deine E-Mails nicht gelesen?», fragte Hanne Hahn. «Kam gegen halb fünf rein: Bischoff hat uns als Ratsvorsitzender eingeladen.»

Freese schüttelte den Kopf. «Da bin ich heute nicht zu gekommen, meine Lieben. Mein Telefon lief heiß wegen der vielen Presseanfragen zum Leuchtturmfest. Worum geht es denn überhaupt?»

«Das können wir im Sitzungssaal besprechen!», sagte Bischoff.

«Och! Nicht in der *Schaluppe?*», maulte einer von den freien Wählern, der eben zur Truppe dazugestoßen war. «Ich hätte jetzt Lust auf ein Frischgezapftes, und dabei diskutiert es sich doch auch viel leichter!»

Aber Bischoff lehnte mit strenger Geste ab. «Wir haben einen Tagesordnungspunkt, der zu heikel ist, um ihn in der Öffentlichkeit zu besprechen.»

Nanu, so eng sah das normalerweise niemand, am wenigsten Bischoff selbst. Was war denn bloß los? Rollte ein Tsunami auf die Insel zu? War eine Ölplattform in der Nordsee explodiert? Bei Bischoffs Gesichtsausdruck musste man mit dem Schlimmsten rechnen.

Freese schloss das Rathaus wieder auf. Keine fünf Minuten später saßen sie fast vollständig im Sitzungssaal, nur Okko Wittkamp fehlte, doch der hatte ja derzeit auch ganz andere Probleme. Da Uda schon vor zwei Stunden ins wohlverdiente Wochenende gefahren war, übernahm Freese das Protokoll. «So, und wie lautet jetzt der Tagesordnungspunkt, wenn ich das auch mal erfahren dürfte?»

Bischoff erhob sich wichtig. Durchgedrückter Rücken, bedeutungsvolles Räuspern. Jeder einzelne der Anwesenden wurde mit einem intensiven Blick bedacht. So ein Bohei veranstaltete sonst niemand. «Hiermit beantrage ich, Gerd Bischoff, Vorsitzender des Inselrates, die Dreharbeiten für die Sendung *Liedermeer* am morgigen Samstag zu verbieten.» Darauf folgte eine knappe Begründung, die Freese schlichtweg die Sprache verschlug.

Nachdem Bischoff sich wieder gesetzt hatte, schwiegen alle. Das war mehr als nur ein Dringlichkeitsantrag aus gegebenem Anlass, das war eine Kampfansage an ihn, Siebelt Freese, Bürgermeister und Kurdirektor in Personalunion, Fußabtreter der Insel und Weichei der Nation.

Warum Bischoff das tat, darüber konnte man nur mutmaßen. Vielleicht war er in seiner Eitelkeit gekränkt, weil Freese ihn heute Morgen hinauskomplimentiert hatte. Vielleicht war es ein Nachtreten, weil Freese sich strikt geweigert hatte, Jannike Loog sämtliche Aufsichtsbehörden auf den Hals zu hetzen. Egal, was es war, man hätte es auch von Mann zu Mann lösen können. Doch Bischoff hatte den radikalen Weg gewählt, hochoffiziell mit Antrag und drohender Dienstaufsichtsbeschwerde. Weil er wusste, dass Freeses Rückgrat weich wie Kerzenwachs wurde, sobald es heiß herging.

Hanne Hahn war die Erste, die ihre Sprache wiederfand: «Aber das wäre schon schade, wenn morgen gar keine Kamera dabei ist, wenn der Shantychor singt. Wo die doch jetzt auch endlich einen eigenen Dirigenten haben!»

«Mit Verlaub, Hanne, das mag sein.» So geschwollen redete Bischoff sonst nicht. «Aber wenn irgendwelche Filmfuzzis meinen, uns Insulanern auf der Nase herumtanzen zu können, und unser eigener Bürgermeister sogar noch dabei mitmacht, dann ist Schluss mit lustig!»

Alle starrten Freese an, der schluckte trocken.

«Aber das Gerücht stimmt doch wohl nicht, dass du denen auch noch die Erlaubnis erteilt hast, hier mit dem Auto zu fahren, oder?», fragte Hanne Hahn und schaute ihn fast flehend an.

Es war nett von der Gleichstellungsbeauftragten, dass sie ihm den Kopf aus der Schlinge ziehen wollte, auch wenn es Hanne vielleicht mehr um den Fernsehauftritt ihres Mannes ging als um die Ehre des Bürgermeisters. Leider konnte er ihr nicht die Antwort geben, die sie sich wünschte: «Doch, das habe ich.»

Ein selbstzufriedenes Lächeln flog über Bischoffs Gesicht. «Dann dürfte die Sache ja klar sein! Morgen früh um sieben geht eine Fähre, und wenn da nicht alle drei Kraftfahrzeuge plus dazugehörigem Fernsehteam an Bord sind, wird das ein politisches Nachspiel haben, Siebelt Freese. Wir haben uns deinen Führungsstil lang genug mit angesehen. Von Jahr zu Jahr geht es der Insel schlechter, und deine einzige Idee gegen diesen Abwärtstrend ist es, Autos hierherzuholen, die laut, hässlich und stinkend dafür sorgen, dass uns auch die restlichen Gäste noch davonlaufen!»

Freese musste sich ungeheuer anstrengen, gerade zu sitzen und Bischoffs Blick standzuhalten. Niemand durfte bemerken, dass er innerlich längst zusammengekauert am Boden lag. «Und was soll ich nun nach Ansicht des großen Vorsitzenden tun?»

«Deinen Rücktritt erklären», kam prompt die Antwort. «Und zwar so schnell wie möglich, bevor die Leute mitbekommen, dass etwas nicht stimmt. Einfach deinen Hut nehmen und abdanken, das wäre die sauberste Lösung.» Bischoff lächelte jovial. «Denn wenn erst das Gequatsche losgeht, kommt vielleicht auch raus, dass sich der Bürgermeister höchstpersönlich für die Belange einzelner Wirtschaftsunternehmer – in diesem speziellen Fall einer Unternehmerin – starkmacht. Begründete Bedenken erfahrener Gastronomen gegen einzelne Hotelbetriebe, was die Erfüllung von Feuerschutz- und Gast betriebsrichtlinien angeht, werden einfach vom Tisch gefegt. Das hat schon ein Geschmäckle, nicht?»

Hanne Hahn blickte so aufgeregt zwischen Freese und Bischoff hin und her, als schaute sie beim Wimbledon-Finale zu.

Im Moment stand es *Forty-Love* für den Hotelier. Sollte Freese also besser gleich vom Platz? Spiel, Satz und Sieg für diesen blöden Sack – wollte Freese das wirklich klaglos hinnehmen?

Ja, sagte die Vernunft. Du stehst auf verlorenem Posten und bist nun mal keine Kämpfernatur, also gib lieber auf und mach es nicht noch schlimmer. Doch da war noch eine andere Stimme, die sich in ihm meldete. Oder war es ein Gefühl? Es saß ganz in der Nähe von da, wo Freese heute Mittag im Hotelgarten einen deutlichen Anflug von Verliebtsein verspürt hatte. Doch dieses heiße, sich weiter ausbreitende Etwas war anders. Nichts Zärtliches, Vorsichtiges, überhaupt nichts in der Richtung, doch es sorgte dafür, dass seine Furcht immer kleiner wurde, weil für die gewohnten Ängstlichkeiten plötzlich kein Platz mehr da war … Meine Güte, stellte Freese fest, das war ja Wut! Eine ungeheure und nicht mehr zu bremsende Wut! Und kaum hatte er die Emotion identifiziert, da ballte sich schon seine Faust, sein Arm hob sich, verharrte kurz und fuhr mit großer Geste herab, erzeugte einen Knall, fast wäre er selbst davor erschrocken. «Jetzt mach aber mal halblang!»

Wow, was für eine Wirkung. Auf den Tisch haute sonst nur Bischoff.

Freese stand auf, ging zum Aktenschrank und fischte den Ordner mit den Sitzungsprotokollen heraus. Schnell fand er, wonach er gesucht hatte, und legte das Blatt genau an die Stelle, auf die gerade seine Faust niedergefahren war. «Da haben wir es schwarz auf weiß: *Gerd Bischoff stellt den Antrag, die Sendung* Liedermeer *auf die Insel zu holen, damit mehr öffentliches Interesse gewonnen werden kann.* Liebe Ratskollegen, das ist jetzt noch keinen ganzen Monat her, und ich habe mich als euer Bürgermeister darum gekümmert. Und? Ist es mir gelungen oder nicht?»

Er schaute in die Runde. Bis auf Bischoff nickten alle, sogar die Vertreter der Konservativen. Na also!

«Dass die nun mit Autos angerückt sind, war wirklich nicht schön, und es gab auch etliche Beschwerden. In Zukunft müssen wir im Inselrat auf solche Aktionen besser vorbereitet sein. Wann erteilen wir eine Ausnahmegenehmigung? Oder welche Alternative können wir Firmen, die mit richtig großem Gepäck anreisen, bieten? Solche Regelungen gibt es bislang nicht, da haben wir im Inselrat geschlafen. Fakt war heute Morgen aber: Die Autos standen da, störten den Betriebsablauf im Hafen und waren vor dem nächsten Hochwasser ohnehin nicht mehr fortzuschaffen. Ich denke, die kurzfristige Lösung mit dem Versteck hinten am Leuchtturm, wo kein Mensch was mitkriegt, war in diesem Fall das Beste, was ich als Bürgermeister tun konnte. Oder hat jemand von euch eine bessere Idee?»

Wieder schaute er seine Ratsmitglieder an. Dieses Mal gab es allgemeines Kopfschütteln, nur Bischoff saß da wie in Stein gemeißelt.

«Und um auf den letzten Punkt zu kommen: Ich halte Frau Jannike Loog für eine sehr engagierte Gastgeberin hier auf der Insel. Die Gäste, die bei den Turmbesteigungen waren, sind begeistert von dem Angebot, dort auf der Sonnenterrasse Kaffee und Kuchen serviert zu bekommen. Und von zufriedenen Gästen profitieren wir letztendlich alle. Frau Loog hat auch nicht lange gezögert, das Leuchtturmfest zu übernehmen, obwohl sie es von uns ungefragt aufs Auge gedrückt bekommen hat. Zugegeben, Leute, das war nicht die feine Art, einer Neuinsulanerin ein solches Projekt aufzuzwingen. Soll ich mal nachschauen, wer den Antrag gestellt hat, dies zu tun?» Kleine Kunstpause, die ihm die Aufmerksamkeit aller sicherte. «Nein, ich denke, jeder von uns weiß, wie es damals gelaufen ist. Dass ich nun nicht noch dafür sorgen will, dass diese junge Frau gleich sämtliche Ämter bei sich auf der Matte stehen hat, versteht sich von selbst. Wir werden ihr aber nach der Saison, wenn alle wieder etwas mehr Zeit und Luft haben, hilfreich zur Seite stehen, damit das Hotel am Leuchtturm in jeder Hinsicht auf den neuesten Stand gebracht wird.»

Hanne Hahn meldete sich. Na so was, noch nie hatte in einer Inselratssitzung jemand aufgezeigt, das waren ja ganz neue Sitten. Freese erteilte der Gleichstellungsbeauftragten das Wort.

«Ich habe neulich Unterlagen für Existenzgründerinnen zugeschickt bekommen. Es geht um die gezielte Förderung von Frauen, die sich im Hotelgewerbe selbständig machen wollen. Da kommen ganz nette Summen zusammen, glaube ich. Soll ich das der Frau Loog mal kopieren?»

Freese nickte. «Gute Idee!» Er wusste, jetzt herrschte mindestens Gleichstand zwischen ihm und Bischoff. Doch das reichte ihm nicht. Nein, er hatte den Aufschlag, er wollte gewinnen. «Und am Montag werde ich bei der zuständigen Berufsgenossenschaft aus gegebenem Anlass mal eine Überprüfung der Arbeitsbedingungen hier vor Ort anregen. Ich habe läuten hören, dass es Hotels auf der Insel gibt, in denen die Angestellten noch nicht einmal Zeit finden, zum Arzt zu gehen. Da müssen wir als Inselrat doch dringend tätig werden, oder?»

Einige mussten ein Kichern unterdrücken, das war nicht zu übersehen. Selten hatte Freese sich in seinem Posten so gut aufgehoben gefühlt.

«Prima! Und damit wir alle nicht so spät nach Hause kommen und genügend Zeit haben, uns auf das Leuchtturmfest vorzubereiten, schlage ich vor, jetzt über den Antrag von Gerd Bischoff zu entscheiden. Oder gibt es noch Wortmeldungen dazu?»

Gab es nicht.

Heute war der große Tag.

Jannike hatte ihren Vorsatz eingehalten und war auch an diesem Morgen, nach den Frühstücksvorbereitungen, wieder am Strand joggen gewesen. Das hatte mehr als nur gutgetan, denn nach all dem, was gestern passiert war, brauchte sie das stupide Laufen an der Wasserkante entlang, um den Kopf wieder frei zu bekommen. Ein paar Möwen hatten sie die ersten Kilometer begleitet, und manchmal war es ihr vorgekommen, als hätten die Vögel sie ausgelacht. Die eine Möwe – ein besonders großes, weißes Federvieh mit hellen Augen und einem roten Punkt auf dem gelben Schnabel – hatte stets mit einem hohen, fast schrillen Ton angefangen, die anderen waren nach und nach eingefallen. Es hatte geklungen wie das Gekreische eines Frauenkegelclubs, der im Regionalzug die kleinen, bunten Fläschchen kreisen ließ. Hi, hi, ha, ha, ha!

Doch dann war Jannike ihnen einfach davongelaufen.

Nach dem gestrigen Tag konnte niemand sie mehr so leicht aus der Fassung bringen. Kein Knud Böhmer, kein Bertram Grieske, kein Bischoff und erst recht kein Clemens Micke. Sie alle hatten ihren Schrecken verloren. Noch nie hatte sich Jannike so stark gefühlt.

Als sie um die letzte Düne bog, musste sie vor Aufregung stehen bleiben und den Atem anhalten. Links und rechts vom Leuchtturm waren riesige Fahnen gehisst worden, das Inselwappen flatterte im leichten Wind, der dafür sorgte, dass es trotz der strahlenden Sonne heute wohl nicht zu heiß werden würde.

Die Bühne sah toll aus, das musste sie zugeben, und als sie gestern beim Kuchenbacken in der Küche immer mit halbem Ohr den Proben und Regines zackigen Durchsagen gelauscht hatte, war sie schon ein bisschen wehmütig geworden. Ach, die Leute von der Band, wie gern hatte sie mit diesem eingespielten Team gearbeitet, manchmal vermisste sie die schlechten Scherze von Manfred oder das Gezeter von Tontechniker Moritz. Das neue Lied, das nun von dieser Gila Pullmann gesungen wurde, hatte wirklich einen tollen Groove, man müsste nur an einer Stelle ein Ritardando einbauen, fand Jannike, so klang es noch ein bisschen zu durchgezählt.

Natürlich hatte sie große Lust, dort mitzumachen, einfach auf die Bühne springen, sich das Mikro schnappen, die Aufmerksamkeit aller auf sich gerichtet wissen – es war schwer, sich das von einem Tag auf den anderen abzugewöhnen. Aber so war es nun mal. Und sosehr sie erst geflucht hatte, weil das

Schicksal die Sommerausgabe von *Liedermeer* ausgerechnet vor ihrer Haustür stattfinden ließ, jetzt sah sie es als eine Art Abschiedsritual: Noch einmal dabei sein, zwar nur aus der Entfernung und inkognito, doch bot sich ihr so eine Möglichkeit, ihrem alten Leben endgültig tschüss zu sagen – und danach richtig durchzustarten.

Sie wunderte sich selbst, dass sie keine Eifersucht verspürte, wenn sie ihre Nachfolgerin da oben stehen sah. Ganz ehrlich: Ein bisschen tat ihr diese Gila Pullmann sogar leid. Sie wirkte so verloren zwischen den Kameras und Scheinwerfern. Als wäre ihr das alles eine Nummer zu groß. Doch sie kaschierte den Missstand durch ein blitzeweißes Lächeln und eine gewisse Grazie, die Jannike wahrscheinlich in dem Maße nie ausgestrahlt hatte. Mit dieser Frau würde *Liedermeer* eine andere Sendung sein, einen neuen Charakter haben. Mal schauen, wie die Zuschauer das aufnahmen. Sie drückte der Neuen nicht gerade die Daumen, doch sie würde Gila heute auch keine Bananenschale vor die Pumps werfen.

Bevor Jannike sich dem Hotel näherte, zog sie sich die Kapuze ihres Sportshirts über den Kopf, so blieb sie unerkannt. Ein Blick in den Postkasten verriet ihr, dass Mattheusz bereits da gewesen war, drei Briefe lagen drin, sie musste ihn knapp verpasst haben. Schade, gern hätte sie mit ihm geplaudert, ihm von Lucynas Einsatz als hochprozentige Empfangsdame berichtet, von Grieskes Detektiverfolg in Zimmer 4 und natürlich auch von dem geheimnisvollen Knud Böhmer, einem Motzkopf erster Güte, der sich schließlich als etwas ganz anderes entpuppt hatte und nun die Hoffnung der Familie Wittkamp war. Wie gern hätte sie Mattheusz das bei einer Tasse Kaffee am Gartenzaun erzählt. Sie nahm die Post aus dem Kasten und lief zum Hintereingang.

Die Hotelgäste mussten heute beim Frühstück auf der Sonnenterrasse ein wenig Tohuwabohu aushalten, denn dort wurde von der hiesigen Feuerwehr bereits der Grillstand aufgebaut.

Die Sitzordnung hatte sich geändert: Am Tisch in der Mitte saßen nun drei Personen, und zwar stocksteif bis ins letzte Glied: Clemens, Gila und Agnes. Wie gern hätte Jannike einen kleinen Sender zwischen die Brötchen geschmuggelt, um die Sätze aufzunehmen, die dort gesprochen wurden. Wenn sie Clemens so betrachtete, kam es ihr vor, als läge ihre gemeinsame Zeit Jahre zurück. Sie wunderte sich selbst, warum ihr niemals aufgefallen war, wie albern er in seinem jugendlichen Outfit aussah, wie künstlich sein jungenhaftes Grinsen wirkte, wie unbeholfen er agierte, sie musste blind gewesen sein. Clemens tätschelte auf dem Tisch die Hand der Gattin, untendrunter suchte er nach Gilas Fingern. Und beide hauten ihm im selben Moment auf die allzu forschen Griffel. Wenn sie doch nur ein bisschen Zeit gehabt hätte, dann wäre Jannike stehen geblieben und hätte sich weiter über die Ménage-à-trois amüsiert, doch es wartete eine Menge Arbeit auf sie.

In der Küche war kein Zentimeter Fläche mehr frei, auf jedem Fleckchen stand ein Kuchen, auf dem Tisch – den Bertram Grieske gestern Abend zum Glück wieder freigegeben hatte – wurden sie sogar gestapelt. Insgesamt fünfunddreißig Stück! Dafür, dass sie in Köln an ihrem Geburtstag noch die Sahnestückchen beim Bäcker um die Ecke geholt hatte, konnte sich dieses Ergebnis doch echt sehen lassen!

Irgendwo dazwischen belegte Danni ein silbernes Tablett mit neuem Käse fürs Buffet. Eine kleine Cocktailtomate hier, frische Petersilie da, am Rand ein dekoratives Gebilde aus Sternfrucht und Physalis. Woher auch immer er all diese Zutaten hatte – für den Einkauf war ihr Teilhaber nämlich inzwischen auf eigenen Wunsch allein verantwortlich –, er konnte damit zaubern. Sie drückte ihm einen Kuss auf die Wange. «Sieht sehr appetitlich aus.»

Danni küsste zurück. «Und macht irre Spaß!» Dann brachte er das essbare Kunstwerk in den Frühstückssaal, auf dass die Gäste ihre Freude daran haben würden.

Lucyna schwebte herein; seitdem sie gestern von dem «netten Herrn aus Zimmer 4» ein stattliches Trinkgeld für ihre Umsichtigkeit und Diskretion kassiert hatte, war sie die gute Laune in Person. Clemens hatte sogar noch «Hoteldirektorin» Bogdana persönlich zu sich kommen lassen, damit diese ihren Zimmermädchen ausrichte, dass sie mit der beherzten Umräumaktion sozusagen sein Leben gerettet hätten. Danni und Bertram Grieske freuten sich über das Lob. Das Trinkgeld nahmen sie selbstverständlich nicht entgegen, hätte ja eventuell versteuert werden müssen.

Gerade als Danni wieder hereinschneite, kam auch Bogdana in die Küche. Ein passender Moment, entschied Jannike und klatschte kurz in die Hände. «Wo wir jetzt gerade alle so schön zusammengefunden haben, möchte ich eine kurze Rede halten!»

«Aber wirklich kurz!», warf Danni ein. «Die Reuters möchten noch zwei Cappuccini!»

Jannike stellte sich etwas übermütig auf einen der Stühle: «Also …» Das war schon rührend, wie diese drei Menschen, mit denen sie hoffentlich noch lange das Hotel bestreiten würde, sie anschauten.

Bogdana hatte den Wischmopp in der Hand und sah aus wie Heidi Kabel, wenn sie im Ohnsorgtheater eine neugierige Putzfrau spielte. Doch Bogdana war mehr als das: Sie war ein

Goldschatz, ihre ruhige, patente Art tat allen gut. Sie redete nicht viel, sondern machte – und zwar den besten Kartoffelsalat der Welt oder die Fenster makellos sauber oder was sonst noch so anfiel.

Lucyna sah man an, dass sie in diesem Moment nur schwer stillstehen und zuhören konnte. Die junge Frau mit dem schwarzen Haar und dem Piercing im Nasenflügel hatte noch mehr Temperament als ihre Mutter, sie wollte los, was tun, was erleben, was anpacken. Die Gäste schwärmten von ihrer Hilfsbereitschaft, die nie anbiedernd war, sondern echt und freundlich.

Und eigentlich fehlte Mattheusz, dachte Jannike. Der gehörte dazu, ja, der hätte jetzt hier sein müssen …

«Was ist denn nun?», fragte Danni.

Und erst da fiel Jannike auf, dass sie in ihren Joggingklamotten dagestanden hatte, auf diesem Stuhl, ohne etwas zu sagen. «Also», startete sie den nächsten Versuch, «heute wird ein turbulenter Tag. Wir werden wahrscheinlich bis spät in die Nacht zu tun haben. Aber mit diesem Team, zu dem wir geworden sind, mache ich mir keine Sorgen, dass wir neben dem ganzen Stress auch jede Menge Spaß haben werden.» Täuschte sie sich, oder wischte sich Bogdana gerade eine Träne aus dem Augenwinkel? «Na ja, und deswegen möchte ich mich bei euch bedanken! Es ist schön, dass es euch gibt!» Dann kletterte sie wieder vom Stuhl. «War das sehr kitschig?», fragte sie.

«Absolut!», sagte Danni. «Und es war genau das Richtige im passenden Moment! Nur die Garderobe hätte etwas schicker sein können.»

Zum Glück wurde jegliche Rührseligkeit von der Menge der zu erledigenden Arbeit im Keim erstickt, das Frühstücksbuffet musste aufgefüllt werden, und nachdem Jannike geduscht und sich umgezogen hatte, waren die meisten Gäste von den Terrassentischen aufgestanden, und sie konnte sich dem Spülen widmen. Die Eierschalen in die Biotonne, die Servietten in den Restmüll, dann das Porzellan mit dem Wasserstrahl kurz vorreinigen, bevor es in die Spülmaschine ging. Inzwischen beherrschte Jannike die Handgriffe aus dem Effeff. Danni war schon im Wäscheraum und steckte die Tischdecken, die Bogdana eingesammelt hatte, in die Trommel.

Draußen wurden noch mal die Lautsprecher getestet, die Titelmelodie von *Liedermeer* schallte herüber. Jannike pfiff leise mit, dachte an die vielen Sendungen, die auf diese Weise begonnen hatten, in der Eifel, in der Uckermark, auf der Schwäbischen Alb, im Weserbergland, in der Holsteinischen Schweiz, an der Deutschen Weinstraße – ach, die Orte ließen sich gar nicht mehr alle aufzählen. Und als die letzten Töne verklungen waren, begann sie fast automatisch: «Hallo und herzlich willkommen zur neuen Ausgabe von *Liedermeer*, liebe Zuschauerinnen und Zuschauer! Mein Name ist Janni, und ich freue mich, mit Ihnen …»

«Janni?»

Sie erschrak so sehr, dass ihr eines der kleinen Marmeladenschälchen aus den Händen rutschte und auf dem Boden zersprang. Als sie sich umdrehte, stand Agnes Micke-Ebertsheim vor ihr. Und sie sah mindestens genauso geschockt aus, wie Jannike sich fühlte.

«Janni, was machst du denn hier? Sag bloß, du musst jetzt dein Geld als Tellerwäscherin verdienen …»

Weil ihre Hände von der Marmelade verklebt waren, strich Jannike sich die Haarsträhne, die ins Gesicht gefallen war, mit dem Unterarm zur Seite. «Sieht so aus.»

«Und wo sind deine blonden Locken hin?»

«Die waren nicht echt. Stand doch sogar in der Zeitung.»

«Ach!»

Die Chancen, diese Begegnung mit Würde zu überstehen, standen für Jannike denkbar schlecht: Während sie Butter auf dem T-Shirt hatte, trug Clemens' Frau ihr makelloses rotes Kostüm, und jetzt musste Jannike zudem noch mit Handfeger und Kehrblech bewaffnet zu Agnes' Füßen knien, um die Scherben einzusammeln. Trotzdem war etwas spürbar, das für einen gewissen Ausgleich sorgte, eine seltsame Schwingung, die von der Frau Doktorin ausging. Was war es? Angst etwa? Aber warum sollte sich eine Frau Micke-Ebertsheim vor Jannike fürchten? Immerhin hatte sie erst vor kurzem mit einem knallharten Kündigungsschreiben für deren Karriere-Aus gesorgt. Doch Jannike täuschte sich nicht, da passierte etwas zwischen ihnen, das nicht so besonders viel mit 4-2-*eyes* und *Springtide* und dem ganzen Kram zu tun hatte. Das war etwas Allzumenschliches.

«Also habe ich mich getäuscht», sagte Agnes schließlich.

«Wieso getäuscht?»

«Ich dachte, es wäre aus zwischen dir und meinem Mann. Diese ganze Schleichwerbungsgeschichte, da dachte ich, die hätte Clemens heraufbeschworen, weil er deiner überdrüssig war.»

«So war es ja wohl auch.»

«Und warum sind wir dann ausgerechnet in einem Hotel untergebracht, in dem du … in der Spülküche jobbst?» Sie schaute sich um, als könne sie immer noch nicht glauben, ihre ehemalige Nebenbuhlerin ausgerechnet an einem solchen Ort zur Rede zu stellen. «Jetzt verstehe ich auch das Theater gestern mit dem Schnaps und dem Meeresgott, das ist mir die ganze Zeit komisch vorgekommen. Und ich war ehrlich gesagt auch ziemlich überrascht, in Clemens' Zimmer keinerlei Hinweise auf eine außereheliche Affäre zu finden. Überrascht und erleichtert, weil ich geglaubt habe, er treibe es inzwischen mit dieser Gila Pullmann. Aber da habe ich mich wohl geirrt!»

«Agnes, ich …»

«In Wahrheit hast du meine Ankunft bemerkt und eine Kollegin mit Schnaps und diesem bescheuerten Märchen zu mir geschickt. In der Zwischenzeit hast du dann deine neuerdings mausgrauen Haare aus dem Bett gefischt und die Champagnergläser vom Nachttisch geräumt. War es so?»

«Nein!»

«Wie dann?»

«Ich war zu dem Zeitpunkt gar nicht im Hotel, sondern bei einer Freundin.»

«Wer's glaubt …»

Jannike wusste selbst, wie unglaubwürdig das alles klang, und wahrscheinlich war es vergebene Liebesmüh, für diese Frau die ganze Geschichte in ihre wahren Bestandteile zu sezieren, denn Dr. Agnes Micke-Ebertsheim war jetzt schon viel zu verletzt. So unerbittlich die Frau gegen Jannike auch gewesen war, jetzt konnte man wirklich Mitleid mit ihr haben.

«Wirklich, dass ihr hier gelandet seid, ist reiner Zufall.»

Doch da hatte Agnes schon auf dem Absatz kehrtgemacht und war fast an der Tür. «Ach, bevor ich es vergesse», sie drehte sich noch einmal um. «Eigentlich bin ich hier hereingekommen, weil ich auf der Suche nach Gila Pullmann bin. Hast du sie gesehen?»

Jannike schüttelte den Kopf.

«Gut, sollte sie hier auftauchen, dann richte ihr aus, dass sie sich umgehend in die Maske begeben soll. Das ganze Team wartet auf sie.»

Wie viel Kraft kostete es Agnes wohl, so die Form zu wahren, fragte sich Jannike. Clemens hatte seine Frau als kaltherzig beschrieben, doch das stimmte nicht. Sie war todunglücklich, weil ihr Mann ein treuloser Hund war, und bot all ihre Energie auf, trotzdem weiterzumachen. Es war das erste Mal, dass Jannike so etwas wie Sympathie für Agnes empfand. Und gleichzeitig schämte sie sich, weil sie ja durch die Affäre mit Clemens maßgeblich zum Unglück dieser Frau beigetragen hatte.

Oder war es egal, kam es gar nicht darauf an, mit wem er fremdging, weil er es ja eh tat, wenn nicht mit Jannike, dann eben mit Gila, wenn nicht mit Gila, dann eben mit ... keine Ahnung, Sabine, Hannah, Christina, Britta oder Julia – es gab so viele Frauen, die sich gern etwas von einem Mistkerl vorspielen ließen.

Sie selbst war ja keinen Deut besser. Trotz Dannis Warnungen hatte sie sich der Täuschung hingegeben, in Clemens einen Traummann gefunden zu haben. Jannike, an deiner Seite scheint immer die Sonne, dein Humor macht mein Leben bunter, du hast ein unbeschreibliches Talent, die Menschen für dich zu gewinnen, auf der Bühne und im wahren Leben – mich hast du von Grund auf überzeugt ... Ja, das hatte sich alles ganz toll angehört. Vier Jahre lang hatten ihr Komplimente genügt, um diesen Mann besser zu machen, als er eigentlich war. Und jetzt? Stellte sie fest, dass sie das alles nicht mehr brauchte. Jannike wusste, sie war stark, sie war belastbar, sie konnte alles schaffen. Dazu benötigte sie keinen Clemens mehr, der ihr Schmeicheleien ins Ohr hauchte – und in Wirklichkeit nur eine Frau suchte, die sein angeknackstes Ego aufpolierte.

Danni kam in die Küche. «Was ist denn mit dir los? Hattest du eine Marienerscheinung?»

«So ähnlich!» Jannike erzählte ihm von Agnes' Auftritt, und mit jedem Satz wurde deutlicher, wie hirnverbrannt diese ganze Geschichte eigentlich war.

«Dann brauchen wir uns ab jetzt auch nicht mehr zu verstecken, oder?», schlussfolgerte Danni, und es war eine gute Idee von ihm, jetzt keine Diskussion über Schuld und Sühne zu beginnen, sondern die praktische Seite zu sehen. «Draußen auf der Terrasse tanzt nämlich schon der Bär. Die ersten Gäste sind da und rufen nach Kaffee und Kuchen. Ich würde dann jetzt den Oberkellner geben, wenn du nichts dagegen hast.»

Zum Glück gab es immer genügend zu tun, um sich vom Grübeln abzulenken, und so verbrachte Jannike die nächsten Stunden damit, die fünfunddreißig Kuchen in möglichst gleich große Stücke zu schneiden, diese auf Teller zu legen und noch nebenbei den geliebten Kaffeeautomaten an seine Grenzen zu bringen. Die Pfirsichtorte war schon nach zwei Stunden ausverkauft, und um drei Uhr kam Danni endlich dazu, ein paar Scheine aus dem überquellenden Portemonnaie auszusortieren.

Jannike zählte nicht mehr mit, wie viele Kännchen Tee sie aufgegossen hatte, zum Glück stand Bogdana irgendwann am Spülbecken und übernahm den Abwasch von Hand, so ging das Geschirr wenigstens nicht aus.

Es war eine Freude, draußen das fröhliche Lärmen zu hören. Kinderlachen, Besteckgeklapper und Tomboladurchsagen, der Posaunenchor spielte ein paar sommerliche Choräle auf dem Rasen, und Jannike hoffte, dass sich das Kaninchen durch die Blechbläser abgeschreckt fühlte und nicht dem Tubaspieler in die strammen Waden biss.

«Sie lieben deinen Marmorkuchen!», rief Lucyna beim Vorbeigehen durchs weitgeöffnete Küchenfenster. Ihr Lächeln war so strahlend, dass es der Sonne gar nicht unbedingt bedurft hätte. Und das nach vier Stunden Herumgerenne!

Erst gegen fünf wurde es etwas ruhiger, die Festgemeinde ging zu Herzhaftem über, und dafür war zum Glück die Ortsfeuerwehr an ihrem Grillstand zuständig, das Kaffeearoma wurde allmählich vom Bratwurstduft vertrieben.

Danni kam herein und ließ sich erschöpft auf einen der Stühle sinken. «Und in einer halben Stunde kommt der Shantychor, meine Güte, was für ein Tag!»

«Also, ob du dich nicht darauf freuen würdest ...» Gestern Abend hatte er ihr von seiner zweisamen Begegnung mit Siebelt Freese erzählt. Das hatte sehr vielversprechend geklungen.

«Hast du die Durchsagen gehört?», fragte er.

«Bei dem Durcheinander draußen habe ich nichts mitbekommen.»

«Alle zehn Minuten geht Regine mit ihrem Megaphon durch die Reihen und ruft nach Gila Pullmann.» Er stellte sich hin und ahmte den burschikosen Schritt der Redakteurin nach. «Achtung! Wir suchen Gila Pullmann! Gila Pullmann bitte dringend in den Backstage-Bereich!» Dann setzte er sich wieder. «Mir scheint, deine werte Nachfolgerin hat kalte Füße gekriegt.»

«Du glaubst, sie ist abgehauen? So kurz vor der Sendung?»

«Bei ihrem Talent halte ich das für die klügste Entscheidung, die Madame Honigblond treffen konnte.»

Es gefiel Jannike nicht, dass Danni so gehässig war. Sollte es stimmen und sie hatte wirklich vorzeitig das Handtuch geworfen, dann war das in erster Linie tragisch. Nicht nur für Gila Pullmann, die ihre Karriere wohl für immer vergessen könnte, sondern für das ganze Team. Wenn die Sendung kurzfristig ins Wasser fiel, war der ganze Aufwand umsonst gewesen – und das steckte selbst 4-2-*eyes* nicht mal eben locker weg. Insbesondere, weil ihnen ja nach Grieskes Entdeckung gestern jede Menge Ärger mit dem Finanzamt und bestimmt auch eine saftige Nachzahlung ins Haus stand. Jedes weitere Problem könnte der Produktionsfirma endgültig das Genick brechen.

«Janni, du bist einfach zu gut für die Welt», kritisierte Danni. «An deiner Stelle würde ich einen Schampus köpfen, weil Clemens endlich seine gerechte Strafe erhält. Der Kerl hat dich für seine Schandtaten büßen lassen, das ist echt das Allerletzte!»

«Um Clemens tut es mir nicht leid. Aber denk doch mal an Regine, die hatte so viel Arbeit mit der Sendung, und jetzt soll alles ausfallen?» Jannike schaute auf die Uhr, nur noch drei Stunden bis zur Livesendung …

Danni stand auf. «Ich geh mich kurz frisch machen.»

«Hat dich draußen beim Kellnern eigentlich jemand erkannt?», fragte sie.

«Offenbar nicht. Aber ich bin ja auch immer nur der Typ an deiner Seite gewesen.»

«Und die ehemaligen Kollegen?»

«Sind mit anderen Dingen beschäftigt.»

«Meinst du, ich kann einfach so rausgehen?»

Er kam auf sie zu, legte beide Hände auf ihre Schultern und schaute sie an. «Irgendwann musst du aus der Deckung kommen, Janni. Und wenn Agnes Bescheid weiß, wird dein Versteck ohnehin bald auffliegen.»

Da hatte er recht. Sie wollte auch keinesfalls abgeschottet vom Trubel den Rest des Festes verpassen. Nein, sie hatte Appetit auf eine Bratwurst und ein Bier. Also ging sie zu den Feuerwehrleuten, die stilecht in ihren blauen Uniformen neben dem Grill standen, als stünde der nächste Löscheinsatz unmittelbar bevor.

Mattheusz hatte bei diesem Fest eine andere Aufgabe übernommen, soweit Jannike informiert war. Statt in der glühenden Kohle zu wühlen, war er an einem Gerät eingeteilt, das Klüterbahn hieß. Was immer sich dahinter verbergen mochte, auf dem Rasen war es jedenfalls nicht. Hier hätte Mattheusz sich wohl auch zu sehr vor dem Kaninchen gefürchtet.

Hinter dem Getränkestand, der auf dem Weg vor dem Hotel aufgebaut und ziemlich stark frequentiert war, arbeitete Frachtschiff-Ingo. Als er sie sah, hob er direkt ein Frischgezapftes in die Höhe und ließ es über die Köpfe der Menschenmenge hinweg in ihre Richtung weitergeben. «Für die Hausherrin persönlich!», rief er. «Mit viel Liebe gezapft!»

Die Leute lachten, und die meisten wollten unbedingt mit Jannike anstoßen. Auf das gelungene Fest, auf das tolle Wetter, auf die schönste Insel der Welt. Nun, darauf ließ sich prächtig trinken. Trotzdem beließ Jannike es bei einem Glas. Sie wusste inzwischen, wie gefährlich es war, mit Insulanern zu feiern. Daran sollte man sich besser erst allmählich gewöhnen.

Die Shantychorsänger kamen gerade an, stilecht in Fischerkluft und mit Matrosenmützen auf den Köpfen. Hanne Hahn küsste ihren Rüdiger auf den Mund, sie hatte wahrscheinlich mehr Lampenfieber als er. Dann winkte sie Jannike zu: «Du bekommst demnächst hochoffizielle Post von mir, Jannike. Fördergelder für Frauen, tolle Sache!» Und schon verschwand die Gleichstellungsbeauftragte wieder im Pulk.

«Haben Sie schon was von Mira Wittkamp gehört?», sprach ein rothaariger Mann sie an, der ihr völlig unbekannt war. «Ach, entschuldigen Sie, ich habe mich noch nicht bei Ihnen vorgestellt, Heiner Groth, Inselarzt.»

Sie gab ihm die Hand. «Nein, leider nicht.»

«Ich bin auf dem Weg hierhin kurz bei Okko rein. Er hat mir von Ihrem besonderen Gast aus Hamburg erzählt. Großartig, dass Sie diese Familienzusammenführung eingefädelt haben. So hat Theelke eine wirklich gute Chance, richtig gesund zu werden.»

«Das hoffe ich sehr!»

«Und Mira hat sich wohl von ihrem ersten Schrecken etwas erholt», sagte Okko. «Morgen wollen sie und ihr Vater zusammen in Oldenburg essen gehen. Das ist doch zumindest ein Anfang.»

«Ich wünsche den beiden nur das Beste.»

Auch der Arzt wollte direkt ein Bier ausgeben, doch Jannike winkte ab. «Es ist Viertel vor sechs, und ich muss gleich noch den Leuchtturm abschließen. Bei einer solchen Party ist es besonders wichtig, dass ich alles kontrolliere, nicht dass jemand versehentlich eingesperrt wird.»

«172 Stufen ... Wie lange brauchen Sie denn?»

Sie grinste. «Keine Ahnung. Beim ersten Mal waren es ungefähr zehn Minuten, wenn nicht länger. Inzwischen bin ich aber im Training.»

«Also sind Sie keine Kandidatin, die ich demnächst wegen Herz-Kreislauf-Geschichten in meiner Praxis begrüßen darf? Wie gut, bleiben Sie fit!» Er zwinkerte ihr zu. «Solche Powerfrauen wie Sie braucht unsere Insel!»

Jannike nahm den kleinen Weg zum Turm, der Schlüssel lag schwer in ihrer Hosentasche. Hatte der Inselarzt recht? War sie eine Powerfrau? Im Moment fühlte sie sich ziemlich müde, doch das war nach einem solchen Tag auch kein Wunder. Ob man eine Powerfrau war oder nicht, worin offenbarte sich das eigentlich? Im Sprint – nämlich innerhalb von sechs Wochen aus einem Traum Wirklichkeit werden zu lassen – oder eher auf der Langstrecke? In diesem Tempo würde sie es keinesfalls bis ins Ziel schaffen. Von dem, was das kleine Hotel mit seinen acht Doppelzimmern abwarf, konnten vier Personen auf die Dauer nicht überleben, das hatte Bertram Grieske ihr gestern Abend noch vorgerechnet. Es müsste über Nebeneinkünfte nachgedacht werden, war sein Rat. Aber nicht heute, fand Jannike. Nicht jetzt.

Immer diese philosophischen Phasen, meine Güte, früher war ihr das nicht passiert. Solche Anflüge von Nachdenklichkeit hatte erst die Insel in ihr ausgelöst. Auf kleinstem Raum war man eben doch mehr auf sich selbst gelenkt. Und in diesem Moment war Jannike so sehr in ihre Gedanken vertieft, dass sie Clemens erst wahrnahm, als sie ihn schon fast über den Haufen gerannt hatte. Er musste direkt vor dem Leuchtturm auf sie gewartet haben.

«Mensch, Janni, schön, dich zu sehen!» Warum nahm er sie so fest in den Arm? Warum drückte er sie, als wäre er der König der Sehnsucht gewesen? Er küsste sogar ihren Scheitel, was sollte das? «Ich dachte erst, die Agnes will mich für dumm verkaufen, als sie sagte, dass du hier im Hotel arbeitest. Aber es stimmt, wie ich sehe!»

«Hallo Clemens!»

«Mensch, deine Frisur, so … natürlich!»

«Das höre ich öfter.»

«Warum hast du dich nicht viel früher bei uns blickenlassen? Du musst doch mitbekommen haben, dass wir im Haus sind.»

«Dreimal darfst du raten!»

Jetzt machte er dieses Gesicht, die Lippen so komisch aufeinandergepresst, die Stirn in wellenförmige Falten gelegt, den Kopf leicht schief, ja, sie erinnerte sich, das war derselbe Ausdruck, den er immer aufgelegt hatte, wenn sie ihn nach einer gemeinsamen Zukunft gefragt hatte. «Mensch, Janni, ich hab dich doch auch so vermisst. Aber du weißt, es war für uns alle besser, dass wir beide erst einmal ein bisschen auf Distanz gehen.»

«Ein bisschen auf Distanz? Ich hätte dich gebraucht, dringend sogar, aber du warst nicht zu sprechen, Clemens, du hättest auf dem Mars nicht weiter von mir entfernt sein können als in den letzten Wochen.»

«Du hast vollkommen recht! Ich bin ein Mistkerl!» Schon bevor er seine Augenbrauen schräg stellte, wusste sie, dass er es tun würde. Warum war ihr vorher nie aufgefallen, dass sein Mienenspiel nach einem immer gleichen Muster ablief? Das war gar kein Ausdruck seiner Gefühle, sondern ein bisschen Theater, das er einstudiert hatte, um zu bekommen, was er wollte. Aber was genau wollte er jetzt?

«Ja, du bist ein Mistkerl. Aber ich bin drüber weg. Also würdest du mich bitte durchlassen, ich muss noch auf den Leuchtturm steigen.»

«Gehört das etwa auch zu deinem Job?» Nun gab er vor, mitleidig zu sein. «Du musst da immer rauf und kontrollieren, was? Mannomann, so viele Stufen, ein Knochenjob. Verdienst du wenigstens genug dabei?»

«Das geht dich nichts an.»

«Was ist aus den fünfhunderttausend geworden?»

«Immobiliengeschäfte ...»

«Verspekuliert?»

«Das stellt sich noch heraus.»

Tatsächlich erdreistete er sich, ihren Oberarm zu berühren. «Mensch, Janni ...»

Sie schob seine Hand weg. «Was willst du eigentlich wirklich von mir?»

«Wie kommst du darauf, dass ich was will?»

«Weil ich dich kenne, Clemens Micke. Du bist der größte Feigling unter der Sonne und hättest dich bestimmt lieber im Dünensand verbuddelt, als mir zu begegnen. Also muss ich davon ausgehen, dass Agnes dich geschickt hat, um mit mir zu sprechen. Und da ich nicht viel Zeit habe, wäre es mir lieb, wenn du zur Sache kommen könntest.»

Endlich gab er sein Laientheater auf, stattdessen zog er seine Möchtegern-Zigarette aus dem Sakko und paffte hektische Wölkchen in die Luft.

«Wir stehen mächtig auf dem Schlauch. In zweieinhalb Stunden beginnt die Sendung – und die Moderatorin ist verschwunden.»

«Was ist passiert?»

«Na ja, am Frühstückstisch musste Gila sich ziemlich harte Worte von der Frau Doktorin gefallen lassen. Du weißt, wie Agnes ist, sie hat eine Zunge wie ein Samuraischwert.»

«Und ich weiß, wie du bist, wenn es darum geht, für jemanden Stellung zu beziehen.»

Er schaute sie fragend an.

«Ich könnte mir vorstellen, dass es deiner Gila weniger um Agnes' Kritik geht als um dein feiges Schweigen. Wenn der Mensch, von dem man sich eigentlich geliebt fühlen möchte, einen in einer solchen Situation gnadenlos hängenlässt, ist das wirklich zum Davonlaufen.»

«Du spielst auf uns beide an, stimmt's?» Clemens war ja ganz besonders schlau heute. «Aber mit uns, das war etwas anderes, Janni, das kann man mit Gila überhaupt nicht vergleichen. Sie ist so jung und untalentiert, ziemlich verzickt obendrein.

Es war bestimmt nicht nett von mir, etwas mit ihr anzufangen, aber du hast mir so schrecklich gefehlt, und da ...»

«Clemens Micke, halt den Mund. Ich glaub, ich weiß auch so, was du mich fragen willst, und die Antwort ist nein.»

Jetzt war er offensichtlich überfordert, seine vier bis zehn einstudierten Gesichtsausdrücke auf einmal hinzubekommen, schließlich entglitt ihm die ganze Mimik. «Bitte, Janni. Du bist unsere letzte Chance. Wahrscheinlich musst du nur einen kurzen Blick auf das Script werfen, und schon ist dir der Ablauf der Sendung klar, du bist doch Profi. Im Grunde ist es ja auch immer dasselbe, erst die Titelmusik, Begrüßung, der erste Film-Einspieler ...»

«Nein!»

«Das Lied könnten wir notfalls austauschen und eines von den alten Stücken spielen, die Band wäre dabei!»

«Das ist nicht das Problem, ich könnte wahrscheinlich auch das neue Lied singen, die stundenlangen Proben waren gestern kaum zu überhören.»

«Also ...?»

«Nein, Clemens, vergiss es.» Dann ließ sie ihn stehen. Der hatte jawohl den Schuss nicht gehört. Wie stellte er sich das vor? Erst ließ er alle Welt glauben, dass sie in unsaubere Geldgeschäfte verwickelt war, und dann wollte er sie wieder auf die Bühne zerren, als wäre nichts geschehen. Zwei- oder dreimal rief er ihr hinterher, versuchte es mit ihrem Namen – Janni, bitte! –, mit ihrem ausgedienten Kosewort – mein Hase, bleib stehen –, am Ende mit einer wüsten Beschimpfung – du arrogante ...! Jannike ließ sich nicht aufhalten.

Es war ein Déjà-vu der Extraklasse. Vor sechs Wochen hatte sie schon einmal diesen Leuchtturm erklommen und dabei an Clemens gedacht, an das, was gewesen war, und das, was wohl auf sie zukommen würde. Und je anstrengender es wurde, die Stufen nach oben zu klettern, desto leichter wurde es ihr ums Herz.

Auf halber Strecke kamen ihr zwei junge Leute entgegen, und sie mussten sich eng aneinander vorbeiquetschen. «Ist noch jemand oben?», fragte Jannike.

«Nein, wir waren allein.»

Also könnte sie jetzt auch genauso gut kehrtmachen. Doch das war keine Option, für halbe Sachen konnte man Jannike Loog nicht mehr begeistern. Und eigentlich bestieg sie ihren Leuchtturm schon lange nicht mehr nur, um zu kontrollieren, ob alles in Ordnung war. Sie tat es genauso für sich selbst. Noch einmal die Welt von oben betrachten, die Übersicht gewinnen. Noch einmal sicher sein, dass hier der Ort war, an dem sie leben wollte. Ihre Schritte hallten in optimistischem Rhythmus. Die kleinen Fenster zeigten ihr, dass das Fest draußen in vollem Gange war. Endlich oben angekommen, drehte sie ihre obligatorischen drei Runden: Osten – Süden – Westen – Norden – Osten – Süden – Westen – Meer – Dorf – Watt – Dünen …

Dann lehnte sie sich gegen das Geländer. Aus der Vogelperspektive sah der Getränkestand fast wie ein Ameisenhaufen aus. Und die Menschen am Grill wirkte wie eine Kette, die auf dem Rasen lag, die bereitgehaltenen weißen Pappteller waren die Perlen. Eben lief Danni, der sich irgendwo ein eigenes Fischerhemd besorgt hatte, den Dünenweg entlang. Jannike konnte sein Lampenfieber von hier oben aus diagnostizieren. Doch wo war die Klüterbahn?

Da, ein paar Schritte vom Getränkestand entfernt die Straße entlang, war die Spiel-und-Spaß-Ecke. Ein Clown knotete Luftballons, die Hüpfburg wurde schwer belagert. Und einige

Leute – Erwachsene wie Kinder – umringten einen hölzernen, einer Kegelbahn gleichenden Steg und brachten Kugeln zum Rollen. Jannike erkannte Mattheusz, der einem kleinen Jungen die Wurftechnik zu erklären schien. Er trug wieder seine Cargo-Hose und das weiße T-Shirt. Was für ein Mann, der sich in diesem Outfit genauso gut präsentieren konnte wie in einer taubenblauen Uniform aus Polyacryl. Wenn man das mal mit Clemens verglich, der so lächerlich aussah in seinem Schickimicki-Junggebliebenen-Stil ... Nein, der Vergleich hinkte. Clemens war ihr Ex, so was von ex, fremder konnte er gar nicht mehr werden. Und Mattheusz war ... ja, was war er eigentlich? Seine Maria hatte jedenfalls ein Riesenglück, einen solchen Mann abbekommen zu haben.

Der kleine Junge wagte seinen Wurf, die Kugel blieb so ziemlich in der Mitte der Bahn liegen, und die Zuschauermenge jubelte. Mattheusz' Schüler musste sich geschickt angestellt haben, jedenfalls wurde ihm von den Umstehenden gratuliert, und dann wurde er von seinem Lehrmeister persönlich auf die Schulter gehoben, um sich feiern zu lassen.

Sobald sie vom Turm heruntergestiegen war, wollte Jannike zu ihm gehen, zu Mattheusz, sie wollte ihm sagen, wie toll sie ihn fand, wie wunderbar unkompliziert und freundlich, hilfsbereit und ... sexy? Sollte sie ihm das wirklich sagen?

Nachdem sie die Aussichtsplattform verlassen und die Außentür verriegelt hatte, schaute sie sich kurz um. In frühestens drei Stunden würde das Leuchtfeuer seinen Dienst aufnehmen und seine Strahlen weit über das Meer schicken. Noch waren die Glühdrähte grau und kalt. Plötzlich hörte sie ein Schaben oder Schleifen, in der Ecke hinter dem Technikkasten bewegte sich etwas. Hatte ein unaufmerksamer Gast im Laufe des Tages die Tür nicht richtig geschlossen und einer

Möwe den Einflug zum Turm ermöglicht? Nein, das Geräusch war kein Flattern. Es klang zögerlicher. Jannike lief langsam um das runde Leuchtfeuer herum. «Hallo? Ist da noch jemand? Ich möchte jetzt unten abschließen …»

Keine Antwort. Doch inzwischen war sich Jannike sicher, ein Atmen zu hören, etwas schneller als gewöhnlich, irgendwie aufgeregt. Vielleicht ein Jugendlicher, der sich als Mutprobe für eine Nacht einsperren lassen wollte. Oder ein Gast, der im Laufe des Tages zu tief ins Glas geschaut hatte und nun seinen Rausch in Ruhe auszuschlafen gedachte. Oder …

«Gila?» Sie wartete. «Gila, bist du hier?»

«Wer will das wissen?»

Jannike erkannte die Stimme, die gestern bei der Probe aus sämtlichen Lautsprechern gekommen war, ihre Vermutung war richtig gewesen. «Jannike Loog, ich bin sozusagen die Leuchtturmwärterin!»

Es blieb wieder still, Gila stellte sich tot. Als ob das was bringen würde, als ob Jannike jetzt einfach nach unten gehen und abschließen würde. «Die suchen dich alle. Schon den ganzen Tag. Sag bloß, du bist seit dem Frühstück hier oben.» Schweigen. «Dir ist aber hoffentlich klar, dass dies kein Platz ist, an dem man sich für den Rest des Lebens verkriechen kann. Im Winter wird es hier oben bitterkalt …»

«Spar dir die Witze.»

«Ich kann dich gut verstehen, Gila. Vor ein paar Wochen hätte ich mich auch am liebsten für immer verkrochen. Aus demselben Grund wie du.»

«Was weißt du denn über meine Gründe?»

«Mehr, als mir lieb ist.» Jannike ließ sich auf der obersten Stufe nieder. Dieses Gespräch könnte länger dauern. «Du kennst mich nämlich unter einem anderen Namen. Wenn Clemens schlecht über mich gesprochen hat, hat er mich bestimmt immer Janni genannt.»

Unten hörte man den Shantychor bei seiner Generalprobe, es klang schon deutlich besser als beim letzten Mal. Dann spielte die Band ein paar Takte, finaler Soundcheck, klar, die hofften noch immer, dass ein Wunder geschah und Gila Pullmann wieder auftauchte. Nach einer gefühlten Ewigkeit regte sich wieder etwas, Gila krabbelte auf allen vieren aus ihrer Ecke, sie sah völlig zerknittert aus.

«Clemens hat nicht schlecht über dich gesprochen. Über seine Frau Agnes schon, sogar andauernd. Dass sie zynisch ist und viel zu streng mit den Menschen, und …»

«… und dass sie ihn bloß einmal im Monat in ihr Bett lässt, aber auch nur, wenn die Einschaltquoten gut waren …», ergänzte Jannike.

«Genau, dann kennst du ja die alte Leier. Aber über dich hat er nichts gesagt. Da war ich manchmal schon eifersüchtiger auf dich als auf die Frau Doktorin. Denn von eurem Verhältnis wusste ich nur gerüchteweise – und außerdem bist du auch schon immer so etwas wie mein Idol gewesen.»

Sie stand langsam auf und klopfte sich den Staub von der zitronengelben Sommerbluse. «Du kannst viel besser singen als ich. Und besser moderieren. Das war mir immer klar, aber es hat keiner was gesagt. Im ganzen Team haben sie das nie so direkt ausgesprochen, erst heute Morgen …»

«… als die Frau Doktorin ihre messerscharfe Zunge ausgefahren hat …»

«Genau. Dabei war sie wahrscheinlich einfach nur die Erste, die richtig ehrlich zu mir gewesen ist.»

Wie sie so dastand, diese Gila, man hätte sie glatt für ein Schulmädchen halten können. «Ich hab mich so furchtbar geschämt. Und Clemens, der hat … der hat …» Sie brachte den Satz nicht zu Ende.

«Der hat dich einfach im Stich gelassen.»

«Genau!»

«Und da hast du kapiert, was für ein Schwein er ist.»

«Stimmt!»

«Und dass er seine Frau sowieso nie verlassen wird, weil es dann unbequem für ihn wird.»

Sie nickte. «Wenn man das so plötzlich begreift, wirklich, Janni, das musst doch sogar du zugeben: Dann kann man doch nicht so tun, als wenn nichts wäre, und einfach eine Fernsehsendung moderieren.» Gila schaute sie mit großen Augen an.

«Doch, das kann man.»

«Du vielleicht, aber du bist auch ein Profi.»

«In erster Linie bin ich ein Mensch. Und der bin ich mit oder ohne Clemens Micke. Als ich das erste Mal hier oben gewesen bin, wurde mir das klar.»

«Warum?»

«Das klingt jetzt vielleicht ein bisschen philosophisch, aber ein Mensch ist doch eigentlich ein Leuchtfeuer, er steht für sich, ruht in sich, strahlt aus sich heraus. Was vom Rest der Welt wahrgenommen wird, hängt davon ab, was drumrum passiert.»

Gila Pullmann starrte sie an, den Mund halb geöffnet, es war nicht zu erkennen, ob ihr diese Metapher nun zu hoch gewesen war oder zur Erleuchtung geführt hatte. Diese junge Frau war nicht verkehrt, sie war nur in dieselbe Falle getappt, in der Jannike lange genug gezappelt hatte. Im Vergleich zu Jannike war sie sogar deutlich eher dahintergekommen, dass Clemens Micke nicht der tolle Hecht war, für den er sich ausgab.

«Ich mache dir einen Vorschlag, Gila.»

Die Idee war plötzlich da gewesen, ganz klar und ganz richtig hatte sie sich Jannike aufgedrängt. «Wir moderieren heute Abend gemeinsam.»

«Das ist nicht dein Ernst!» Gila musste sich am Geländer festhalten.

«Doch.» Jannike erhob sich von der Stufe. «Wir gehen jetzt beide wieder nach unten, ziehen uns saubere Sachen an, lassen uns mit Schminke und Haarspray zukleistern, und um 20 Uhr 15, wenn die Titelmelodie vom *Liedermeer* erklingt, stehen wir nebeneinander und rocken die Bühne.»

«Quatsch! Warum solltest du das für mich tun? Ich hab dir deinen Liebhaber und deine Sendung weggenommen.»

«Wofür ich dir ziemlich dankbar bin. Sonst wäre ich nie todunglücklich auf diesen Leuchtturm gestiegen und hätte mich hier oben gefunden.»

FULMINANTES COMEBACK VON JANNI

Das war eine große Überraschung für alle *Liedermeer*-Fans: Am Samstag stand nicht nur Gila Pullmann – die vom Sender angekündigte Neubesetzung – bei der großen Sommershow auf der Bühne, sondern auch ihre Vorgängerin, die beliebte Sängerin Janni. Wie es dazu kam, erklärte Clemens Micke, Produzent der Sendung, gegenüber unserem Magazin: «Wir sind sehr froh, dass sich der Vorwurf gegen unsere langjährige Moderatorin als komplettes Missverständnis herausgestellt hat. Janni hat nie Geld für das Tragen spezieller Wetterjacken bekommen, das kann ich, wenn's drauf ankommt, eidesstattlich versichern.»

Also habe man sich spontan entschieden, die fröhlich-bunte Übertragung als offizielle Verabschiedung von Janni und Begrüßung des neuen Fernsehgesichtes Gila Pullmann zu nutzen. Und die Fernsehnation dankte es mit einer Rekordeinschaltquote von fast 20 Prozent. Das heitere Zusammenspiel der beiden charmanten Moderatorinnen sorgte für gute Stimmung, die durch traumhafte Inselbilder und maritime Shantys ergänzt wurde. Das neue Lied *Platonisch*, komponiert von Jannis Verlobtem Danni, wurde ebenfalls von beiden Frauen gesungen und ist im Internet inzwischen in den Top Ten der Download-Hits. Also allzeit gute Fahrt auf dem Liedermeer – demnächst wieder mit Kapitän Janni und Leichtmatrosin Gila an Bord? Da gibt Micke sich geheimnisvoll: «Wir stehen in Verhandlungen mit beiden Damen, und wenn die Zuschauer sich eine Doppelmoderation wünschen, nun, was spräche dagegen?»

Die Quote war so gut, wenn der Haussegen bei den Micke-Ebertsheimern nicht grundsätzlich sehr schief gehangen hätte, an diesem Abend wäre was gelaufen, jede Wette. Doch so hatte Bogdana das Zimmer 1 frisch hergerichtet, damit Clemens ausgelagert werden konnte.

Es war Janni egal. Hinter diese Geschichte hatte sie einen dicken, fetten Haken gemacht. Und wenn heute, am Montag, die Zeitungen schrieben, dass sie auch die nächste Sendung gemeinsam mit Gila moderieren würde, dann lachte sie darüber. Als ob in der *Close Up* schon jemals die Wahrheit gestanden hätte.

Hier im kleinen Inselhotel ging alles seinen gewohnten Gang, und das war auch gut so. Frühstück eindecken, joggen gehen, den Möwen davonrennen, vergeblich nach Mattheusz Ausschau halten, zurückkommen, duschen, Tische abräumen und Spüldienst bis Mittag. Jannike fühlte sich sauwohl in ihrer Haut.

Na ja, fast.

«Warum so melancholisch, Lieblingsfrau?», sagte Danni, der mit Holly auf dem Arm in die Küche kam. «Die Besprechungen eurer Show sind fabelhaft. Im *Silbernen Blatt* schreiben sie, dass bei den beiden Moderatorinnen eine hübscher als die andere gewesen sei.»

«Und wer ist die eine?»

«Du natürlich!» Er gab ihr einen Kuss, und Holly maunzte, weil es ihr bei der kurzen Umarmung wohl etwas eng zwischen den Menschen wurde. «Heute ist der große Tag, an dem ich meine Katze in die weite Welt hinauslasse.» Er setzte Holly auf den Boden. Sofort sprang das Tier auf die Arbeitsplatte und schaute aus dem Fenster. «So sitzt sie da, seit wir hier eingezogen sind. Man könnte fast glauben, Holly sei verliebt und warte sehnsüchtig auf ihren Herzensbrecher.»

«Das darf sie gern, aber nicht auf der Arbeitsplatte. Wenn es nach dem alten Bischoff ginge, hätten wir das Amt für Lebensmittelsicherheit eher heute als morgen in unserer Küche zu Besuch.» Janni öffnete das Fenster, und Holly war schneller draußen, als Danni gucken konnte. Keine fünf Sekunden später war sie im Gebüsch bei der alten Kastanie verschwunden.

«Jetzt hast du den feierlichen Moment zerstört», jammerte er.

«Nun lass mal deiner Katze ihre Freiheit und geh lieber zu deinem Rendezvous. Soweit ich informiert bin, wartet Siebelt um drei im Hafencafé auf dich.»

«Woher weißt du das?»

«Hör mal, Danni, wir sind hier auf einer kleinen Insel. Und wenn Siebelt diesen Termin in seinen Kalender einträgt und seine Sekretärin Uda am Vormittag im *Inselkoopmann* einkaufen geht, dann ist diese Nachricht spätestens bis Mittag bei mir angekommen.»

Er wurde knallrot. «Ich weiß gar nicht, wie ich das finden soll …»

Jannike zwinkerte ihm zu. «Wenn du am Wochenende Zeit hast, sollten wir offiziell unsere Verlobung lösen.»

In diesem Moment kam Lucyna herein, vielleicht war sie auch schon vorher mit halbem Ohr anwesend gewesen, jedenfalls ließ sie den schweren Wäschekorb auf der Stelle fallen und starrte die beiden an. «Trennt ihr euch?»

Jannike lachte. «Keine Panik, Lucyna. Wir waren nie wirklich zusammen.»

«Wart ihr kein Paar?» Besonders beruhigt wirkte sie nicht. «Nie gewesen?»

«Nein, nie», sagte Danni. «Ich bin nämlich schwul.»

Lucyna sah aus, als wolle sie in Tränen ausbrechen. Hatte sie etwa Vorurteile gegenüber regenbogenfarbener Liebe? Nun, das wäre wirklich ein Problem.

«Lucyna, wir können doch darüber sprechen, in aller Ruhe, ich ...»

«In aller Ruhe? Mensch, Jannike, in eine halbe Stunde geht das Schiff!»

Was sollte das bedeuten? «Willst du deswegen die Koffer packen und gehen?»

«Quatsch, das ist voll okay. Aber in eine halbe Stunde Mattheusz fährt weg.»

Mattheusz, ja, er wollte heute zurück nach Polen. Daran hatte Jannike seit dem Aufstehen schon mehrfach gedacht, wenn sie ehrlich war, schon wesentlich öfter als an *Liedermeer* und seine Einschaltquoten. Sie hatte an Mattheusz' Locken gedacht, die sich in der Hitze gekringelt hatten. An seine starken Arme, mit denen er sie durch die Kellerkneipe und den kleinen Jungen an der Klüterbahn getragen hatte. An sein Lächeln, wenn sie ihm morgens den Kaffee an den Gartenzaun gebracht hatte, schwarz und ohne Zucker. Diese albern schwärmerischen Gedanken waren auch der Grund, warum sie sich trotz des Erfolges irgendwie komisch fühlte.

«Ich weiß. Er fährt zu seiner Maria. Mattheusz hat es mir erzählt.»

«Und du sagst nichts dazu?» Lucyna schien regelrecht sauer zu sein, sie hatte die Hände in die Hüften gestemmt.

«Nein, warum? Er liebt sie, und eine Beziehung macht nur wenig Sinn, wenn der eine hier und der andere in Danzig lebt.»

«Aber Maria ist dreiundachtzig. Sie ist unsere Oma.»

Jannikes Herz machte komische Sachen. Nichts Ungesundes, nichts, weswegen sie demnächst zum Inselarzt müsste. «Er ist gar nicht verlobt?»

«Nein. Leider nicht. Mein Bruder ist Single. Aber ein bisschen anspruchsvoll mit Frauen. Sonst ist er ja ein toller Typ.»

«Finde ich auch», sagte Danni.

«Und warum hat er mir erzählt, dass er verlobt ist?»

Danni schaute sie an, Lucyna schaute sie an. Beide sahen so aus, als machten sie sich Sorgen um Jannikes Geisteszustand.

«Na, weil er vielleicht verliebt ist in dich?», schlug Danni vor.

Lucyna nickte.

«Nein, das kann nicht sein.» Jannike wurde ganz warm. War das ein Fieber? Musste sie doch zum Arzt? Herz-Kreislauf-Malaria?

«Was glaubst du denn, wer hat damals heimlich das Zimmer 1 eingerichtet? Mattheusz wusste, dass du gehst auf diese Sitzung, und da hat er das gemacht. Und am selben Abend hat er dich sogar noch nach Hause gebracht, weil du so viel Bier getrunken hast. Da dachte er schon, es wird etwas draus. Dein Fahrrad hat er repariert, deine Lampen angeschraubt, bei der Party deine Würstchen gegrillt. Warum soll er das machen, wenn nicht aus Liebe?»

Du lieber Himmel, Lucyna hatte so was von recht. Mattheusz war eben einfach das Gegenteil von Clemens: kein Mann, der ständig erzählte, wie toll man sei, dann aber verschwand, sobald es drauf ankam. Nein, Mattheusz hatte weder große Liebesschwüre noch Schmeicheleien zum Besten gegeben, ihr aber stattdessen jeden Tag seit ihrer ersten Begegnung gezeigt, dass sie ihm wichtig war. Kein Laberheini, sondern einer, der es anpackte, der es ernst nahm. Und sie hatte überhaupt nichts verstanden. Wie blöd konnte man sein! Am liebsten wäre Jannike jetzt im Erdboden versunken.

Danni schlug sich gegen die Stirn. «Und dann komme ich Idiot auf die Insel und ziehe noch immer diese alberne Verlobtennummer durch. Mist, Janni, wenn ich damit den Mann deines Lebens verscheucht habe, dann …»

«Na, ganz so war es nicht. Mein Bruder hat verloren seine Job. Haben die ihn bei der Post gefeuert, weil sein Chef ist der beste Freund vom alten Bischoff und … na ja, wie das so ist auf einer Insel. Freitag war der letzte Arbeitstag von Mattheusz. Hat er keinen Job mehr, darum er fährt zurück nach Polen, denn Oma Maria ist krank, und er kann sich kümmern.» Lucyna zuckte mit den Schultern. «So schade ist das!»

Ja, da hatte sie recht, das war schade. Unsinn, das war furchtbar! Jannike schaute auf die Uhr. «Lucyna, wann fährt das Schiff?»

«Noch zwanzig Minuten.»

«Dann muss ich los. Sofort!» Es war egal, dass sie mal wieder ein verschmiertes T-Shirt trug und ihr naturblondes Haar extrem natürlich frisiert war. Es würde Jannike nicht wundern, wenn kein Mensch in ihr die tolle Moderatorin der Samstagabendshow erkannte, selbst wenn diese angeblich von sieben Millionen gesehen worden war. Doch darauf kam es nicht an. Mattheusz hatte sie in farbverschmierter Arbeitskleidung gesehen, im volltrunkenen Zustand und von Selbstzweifeln zerfressen, den würde nichts mehr schocken.

Sie rannte durch die Hintertür, schnappte sich ihr Fahrrad und fuhr los. Nie war ihr die Strecke bis zum Dorf so dermaßen lang erschienen. Allein der Weg bis zur *Pension am Dünen-*

pfad hatte auf einmal Dimensionen wie Paris–Dakar. Ihr ging langsam, aber sicher die Puste aus, und als sie endlich den Deich erreichte, waren ihre Beine aus Pudding. Doch sie strampelte weiter, obwohl auf einmal Wind aufkam, nein, ein Orkan, leider aus der falschen Richtung, von vorn. Wahrscheinlich war das Lüftchen eigentlich nicht der Rede wert, doch es kostete Jannike die letzte Kraft.

Das Weiß der Fähre strahlte immerhin noch im Hafen, doch soweit sie erkennen konnte, wurde gerade die Laderampe hochgeklappt. Mist, sie war zu spät, das war nicht mehr zu schaffen. Man hörte das Signalhorn erschallen. Die Schiffsmotoren wurden angeworfen.

Als sie endlich am Hafen angekommen war, betrug der Abstand zwischen ihr und der Fähre schon gute zehn Meter. Sie suchte mit dem Blick die Passagiere ab, doch Mattheusz war nicht unter ihnen. Verpasst, dachte sie. Und blöderweise nicht mal wirklich hier am Hafen – die Gelegenheit, Mattheusz zu sagen, wie toll sie ihn fand, hatte sie nämlich vom ersten Tag an verpasst.

Die Durchsage des Kapitäns dröhnte bis zu ihr herüber. Er wünschte allen Passagieren eine gute Fahrt. Und ein fröhliches Wiedersehen auf der Insel. Vielleicht im nächsten Jahr.

«Hoffentlich», sagte Janni und schaute dem Schiff hinterher, bis es draußen im Wattenmeer einen großen Bogen machte und Richtung Osten verschwand.

Die Rückfahrt dauerte ewig. Jannike ließ sich Zeit. Sie dachte über nichts nach und war weder traurig noch froh. Sie war dieses Leuchtfeuer, um das sich alles drehte. Sie war dieser Grashalm, der sich mit der Insel verwoben hatte. Sie war Jannike Loog, und sie war … angekommen.

«Hast du ihn nicht mehr erwischt?», fragte Danni und nahm

sie am Gartentor in Empfang. Doch sie wollte nicht getröstet werden. Es war okay so. Sie würde hierbleiben, und alles andere würde sich schon irgendwie ergeben, da war sie zuversichtlich.

«Wie geht es Holly?», fragte sie, um von sich abzulenken.

Er kicherte. «Ich hatte recht. Sie ist verliebt.»

«In wen?»

Danni nahm Jannikes Hand und zog sie hinter sich her bis in die Ecke, in der man mit dem Handy telefonieren konnte. Die Stelle neben der alten Kastanie. Das Revier des bösen Kaninchens.

«Holly steht auch auf kernige Insulaner.»

Mit vorsichtiger Geste schob Danni das Dünengras zur Seite. Da lag Holly. Zufrieden an das fremde Fell gekuschelt, die fleischigen Hasenohren an ihrem Bauch.

«Eine Oase der Ruhe und des Friedens», sagte Jannike kopfschüttelnd. Dann ging sie zurück ins Hotel.

Liebe Jannike,

Ich hab dich gesehen am Hafen. Und ich
wollte auch nach oben an Deck kommen, wirklich,
noch einmal winken, dir noch einmal in die Augen
schauen, wäre schön gewesen. Aber dann hatte
ich nicht den Mut. Ich weiß nicht, ob du es
mitbekommen hast, aber manchmal bin ich etwas
schüchtern. Ich bin eben einfach kein Mann,
der große Worte findet, um einer Frau zu sagen,
wie wichtig sie ihm ist.

Dann hat meine Schwester mir am Telefon erzählt,
wie traurig du bist, weil ich gefahren bin.
Leider war ich da aber schon wieder in Danzig, bei
meiner Oma Maria, die mich dringend braucht.
Seit ich nicht mehr bei der Post arbeite, fehlt
das Geld für eine Pflegerin.

Also bin ich jetzt hier in Polen und du auf der
Insel. Das fühlt sich total falsch an.

Und ich weiß, ich komme zurück. Auch wegen meiner
Mutter und meiner Schwester, die sehr froh sind,
in deinem Hotel zu arbeiten.

Aber in erster Linie komme ich wegen dir.

Vielleicht im Frühling?

Große Worte mache ich dann wahrscheinlich immer
noch nicht.

Hoffentlich reicht es dir, dass du jetzt weißt,
wie es um mich steht.

Was schreibt man jetzt am Ende dieses Briefes?
In Liebe?

Muss ein Postbote das wissen?

Mattheusz

Nachwort

Welcher Seemann Liegt Bei Nanni Jm Bett?

Mit diesem Merksatz haben wir in der Schule die Reihenfolge der Ostfriesischen Inseln von Ost nach West gepaukt: Wangerooge – Spiekeroog – Langeoog – Baltrum – Norderney – Juist – Borkum.

Welche Insel meint sie wohl, haben Sie sich als Leser vielleicht gefragt. Bestimmt Juist, vermuten sicherlich einige, denn da hat die Autorin ja immerhin dreiundzwanzig Jahre ihres Lebens verbracht und selbst ein kleines Haus mit Gästebetten betreut. So ganz von der Hand zu weisen ist dies nicht, doch ich hatte auch den Leuchtturm von Wangerooge vor Augen, die Pferdefuhrwerke von Spiekeroog, Langeoogs Dünenpfade, Baltrums Deich, Norderneys Kurplatz und die Promenade von Borkum. Denn so unterschiedlich die sieben Ostfriesischen Inseln auch sein mögen, so sehr gleichen sie sich in dem, was sie bei den Menschen, die auf ihnen verweilen, auslösen: das Gefühl, in einer eigenen kleinen Welt zu leben, gleichzeitig frei und begrenzt zu sein.

So gibt es den Inselbürgermeister Siebelt Freese nicht wirklich; genau wie die Gleichstellungsbeauftragte Hanne Hahn, der Hotelier Bischoff, Frachtschiff-Ingo, Briefträger Mattheusz und alle anderen Personen meiner Phantasie entsprungen sind – die durch die Jahre auf der Insel maßgeblich geprägt wurde.

Also suchen Sie sich einfach Ihre Lieblingsinsel heraus und seien Sie sicher: Genau die habe ich beim Schreiben dieses Romans gemeint!

Ach ja, bevor ich es vergesse, eine Sache ist nicht ausgedacht: Das böse Kaninchen, das gibt – oder gab – es wirklich! Es lebte in den Juister Dünen in der Nähe der Tennisplätze.

Mein Dank gilt:

- Ditta Kloth, Lektorin bei Rowohlt, die mich auf die wunderbare Idee gebracht hat, ein kleines Inselhotel zu bauen
- Katharina Dornhöfer, ihre Kollegin, die dann mit viel Enthusiasmus ihre Liebe zur Nordsee in der Arbeit am Manuskript ausgelebt hat
- Marion Bluhm, Vertreterin bei Rowohlt, die meine Bücher von Anfang an mit viel Engagement auf den Weg zu den Lesern gebracht hat und eine tolle Motivatorin ist
- meiner Agentur Copywrite, die mich nun schon seit zehn Jahren zuverlässig vertritt, wenn es um die unangenehmen Sachen im Buchgeschäft geht, damit ich in Ruhe schreiben kann
- Gudrun Todeskino vom textundton-kulturbüro, die dafür sorgt, dass ich immer wieder gern auf Lesereise gehe
- Thomas Koch und Dorothee Fischer, Buchhändler auf Juist, die an der Suche nach dem richtigen Cover maßgeblich beteiligt waren
- Max Ohrmann, ehemaliger Inselbriefträger auf Juist und Augenzeuge in Sachen Kaninchen (mit Loch in der Hose!)
- meiner ehemaligen Juister Band «Strandgut», deren Lieder ich in diesem Buch und bei den Lesungen teilweise verwendet habe
- Clemens von Brentano für den Text von *An die Nacht* (erwähnt auf Seite 77)
- Wolfgang Hofer für den Text von *Lieben ohne Leiden* (erwähnt auf den Seiten 86 und 91)

- Nena für den Text von *Leuchtturm* (erwähnt auf Seite 96)
- Martha Müller-Grählert für den Text des *Friesenliedes* (erwähnt auf den Seiten 171, 175 und 177)
- Renate Dölling von der DEHOGA Westfalen, die mich über die Auflagen im Gastgewerbe informiert hat
- meinen Eltern Elfi und Kurt Perrey, die mir zuliebe im Jahr 1977 nach Juist gezogen sind und meinem Leben damit eine entscheidende Wende gegeben haben
- meinen Töchtern Julie und Lisanne, auf die ich jeden Tag richtig stolz bin
- meinem tollen Mann, Freund, Berater, Partner und Kollegen Jürgen Kehrer.

Sandra Lüpkes im Frühjahr 2014

Sandra Lüpkes bei rororo

Wencke-Tydmers-Reihe

Die Sanddornkönigin

Der Brombeerpirat

Das Hagebutten-Mädchen

Die Wacholderteufel

Das Sonnentau-Kind

Die Blütenfrau

Weitere Romane

Fischer, wie tief ist das Wasser

Halbmast

Die Inselvogtin

Inselweihnachten

Nordseesommer

Das kleine Inselhotel